JN019103

古代日本の超技術〈新装改訂版〉

あっと驚く「古の匠」の智慧

志村 史夫 著

ブルーバックス

カバー装幀／五十嵐徹（芦澤泰偉事務所）
カバー写真／曲谷地毅／アフロ
本文デザイン・図版制作／鈴木知哉＋あざみ野図案室

はじめに

本書は、二〇一二年に上梓したブルーバックス『古代日本の超技術〈改訂新版〉』（一九九七年初版）の「新装改訂版」であり、このたび同時に発刊された『古代世界の超技術〈改訂新版〉』の姉妹編でもある。出版物の「寿命」が日増しに短くなっている現在、拙著がこれほどまでの長い期間、読み継がれてきたことを著者として素直に嬉しく思う。

現代文明の支柱は、いわゆる〝ハイテク（高度先端技術）〟であり、その一つは紛《まぎ》れもなく、半導体材料を基盤とするエレクトロニクスである。このエレクトロニクスを煎《せん》じ詰めれば、指先に載《の》るほどの大きさの〝マイクロチップ〟とよばれるもので、このマイクロチップが、われわれが日常使う電気製品をはじめ、現代のありとあらゆる機械や装置、システム、最近ではＡＩ（人工知能）の中で不可欠の役割を果たし、インターネットやスマホに代表される情報社会の基幹を担っている。

私は、結果的に、このようなマイクロチップに結びつく半導体材料に関する研究に、日本とアメリカでそれぞれ一〇年ずつ従事してきた者である。それは、この分野の科学・技術が急激に発展した一九七〇年代から九〇年代にかけての時期であった。

いい時期に、いいテーマの研究に従事できたおかげで、この間《かん》、私はいろいろな国に招かれる機会に恵まれた。歴史探訪を趣味の一つとする私は、そのつど、そこ、あるいは近隣の地にある遺跡、美術館、博物館、歴史的建造物を見て歩いた。そのたびに、私はいつも「あの時代の人間が、よくこんなすごいものを造ったものだなあ、建てたものだなあ」と感心していたのである。

しかし、いまにして思えば、あの時代の人間だからこそ、あのようにすばらしい、高度の芸術、技術「作品」を造り、遺《のこ》すことができたのであった。

私が海外で見聞し、驚かされた古代の技術や〝謎〟については、冒頭で触れた本書の姉妹編である『古代世界の超技術〈改訂新版〉』で縷々《るる》述べた。

一九九三年の秋、日本に帰国してからは、日本国内の遺跡や古刹《こさつ》などを何度も訪れている。最近は古墳を巡ることが多い。

「古代世界の技術」にも、「古代日本の技術」にも、私が驚かされ、感心させられるのは同じなのであるが、それらの間に、何か本質的な違いを感じるのも事実である。

その両者にはもちろん、当然とはいえ、共通の〝美意識〟が窺《うかが》えるし、普遍的なものを見出せるのだが、私は、古代日本の匠《たくみ》の技《わざ》には、驚きや感心を超えて、感動を覚えることが少なくない。それは、単に私が日本人だから、ということではないと思う。

いわば「古代」とは対極の〝ハイテク〟に従事した私が、このような〝感動〟を一人でも多くの日本人に伝えたいと想う熱を込めて一九九七年に上梓したのが本書の初版だった。

三内丸山《さんないまるやま》遺跡に代表される縄文時代の技術や、倒れない五重塔、一〇〇〇年経ってもサビない鉄の秘密など、その内容の多くは、私自身が現地を訪ねて調査したことや、自分自身で実験して確かめたことであった。長年の〝実験物理学者〟としての習性が、私にそうさせたのである。いま思えば、じつに楽しく、充実した調査・実験だった。

二〇一二年に刊行した「改訂新版」は、「初版」の上梓以降に新たに行った「日本刀の科学的研究」や「古代瓦と現代瓦の比較研究」などの知見を加え、全体を加筆・修正したうえで、章立てを改めて再編集したものだった。改訂の契機の一つとして、同年に完成した高さ六三四メートルの東京スカイツリーに「倒れない五重塔」の技術が使われているという事実があったことは否めない。なんと、最先端技術を駆使して建造された世界一の高さを誇る塔に「古代日本の超技術」である！

二〇二一年には、三内丸山遺跡を中心に据える「北海道・北東北の縄文遺跡群」がユネスコの世界遺産（文化遺産）に登録されて話題をよんだ。三内丸山遺跡といえば、誰でもすぐに大型掘《ほっ》立柱《たてばしら》構造物跡を思い浮かべるが（私は一九九六年一〇月、その復元・組み立ての現場にいた）、初版で縷々述べたように、三内丸山遺跡から明らかにされたのはさまざまな「日本の縄文時代の超技術」なのである。そのような日本の縄文遺跡群が世界的に認められるまでにずいぶん時間がかかったものだなあ、というのが私の正直な気持ちではあるが、ともあれ、ユネスコの世界遺産に登録されたことは喜ばしい。その北海道・北東北の縄文遺跡群に含まれる秋田県鹿角《かづの》市十和田《とわだ》大湯《おおゆ》にある大湯《おおゆ》環状《かんじょう》列石《れっせき》については、『古代世界の超技術〈改訂新版〉』の第2章「ストーンヘンジ」の中で述べた。

今般の「新装改訂版」では、「古代日本の超技術」の嚆矢《こうし》ともいうべき「縄文時代の最新技術」を第1章に配した。そして、「世界遺産」関連では、一九九三年に日本から初めて登録された「法隆寺地域の仏教建造物」について第3章で、一九九八年登録の「古都奈良の文化財」を構成する奈良の大仏について第7章で取り上げている。

先ほど「最近は古墳を巡ることが多い」と書いたが、全国に散在する大小さまざまな古墳を見て回るうちに、「前方後円墳」についてはるか昔に抱いた私の「疑問」が蘇《よみがえ》った。「前方後円墳」という名称と、その形についての疑問である。このほどやっと得られた、すっきりした答えを第2章に加筆できたことをとても嬉しく思う。

また、斉明《さいめい》天皇陵であることが確実視されている牽牛子塚《けんごしづか》古墳（奈良県高市郡明日香《あすか》村）が宮内庁によって治定《じじょう》されていない〝おかげ〟で、完全復旧した全容を間近に見られるばかりでなく、二〇二二年三月以降、斉明天皇と間人皇女《はしひとのひめみこ》の二人が横たわっていたであろう合葬玄室まで拝観できることも第2章で触れられた。古墳ファンとしてとても喜んでいる。

『古代世界の超技術〈改訂新版〉』の「はじめに」にも書いたことではあるが、歴史的建造物や遺品を見るとき、文献主義の歴史学者や考古学者とは異なるハイテク分野の人間だからこそ〝見える〟〝感じる〟〝わかる〟〝感心する〟〝驚く〟〝感動する〟ことが多く、そして結果的に、古代日本人に対して畏敬の念を抱くことになるのは必然であろう。

はっきりいえば、私が、文献主義の考古学者や歴史学者は決して気づかないようなことに気づくことは少なくないだろうと思う。その反対に、考古学者や歴史学者なら簡単に気づくようなことに私が気づかず、また彼らにとっては常識であるようなことを私が知らない、ということも多々あるであろうことはいうまでもない。

このような私が書いた「古代日本の超技術」を一人でも多くの日本人に知ってほしいと思う。そしてそのことが、近年、疲弊を感じる日本人が、勇気と誇りを取り戻し、日本が本来の姿に活性化する契機となれば幸いである。

本書の姉妹編『古代世界の超技術〈改訂新版〉』とともに読んでいただければ、「日本」と「世界」の対照性と同時に、普遍性をより深く理解していただけるだろう。

本書が、日本が世界に誇る「世界遺産」の意味を考え、その遺産を築き上げてくれた古代日本の技術者・職人を正当に評価し、称え、さまざまな観点から「現代日本」を見直すきっかけになってくれれば、著者として、これに優る喜びはない。

古代日本の超技術〈新装改訂版〉 もくじ

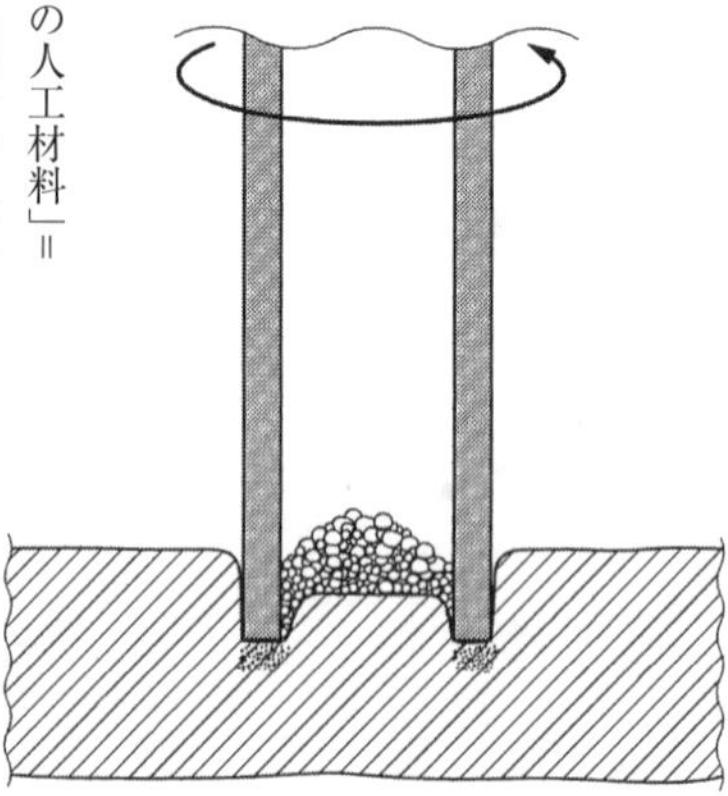

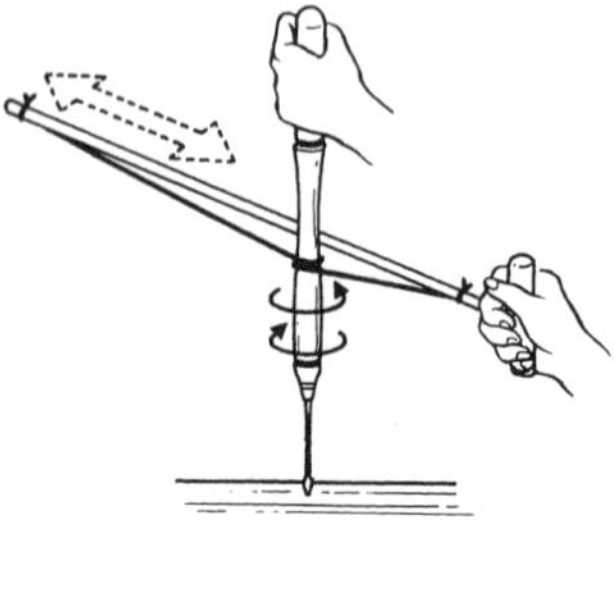

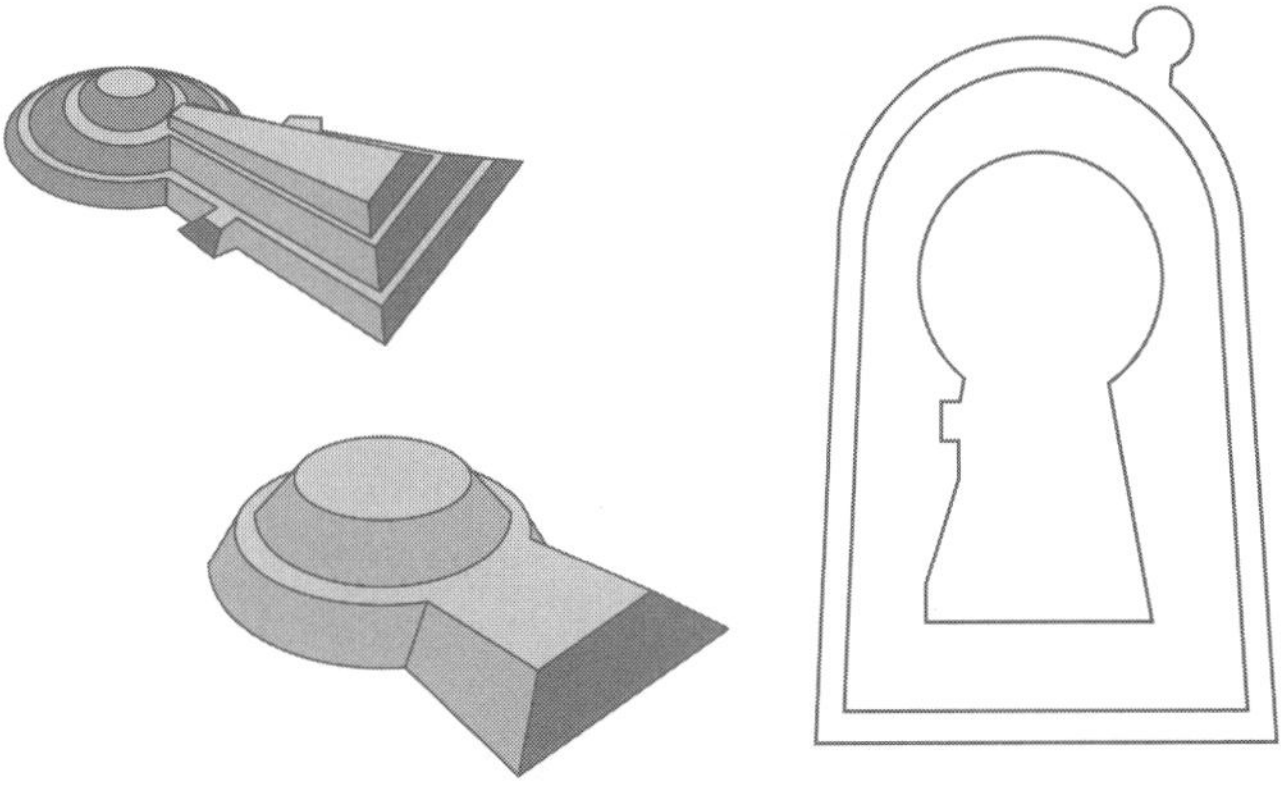

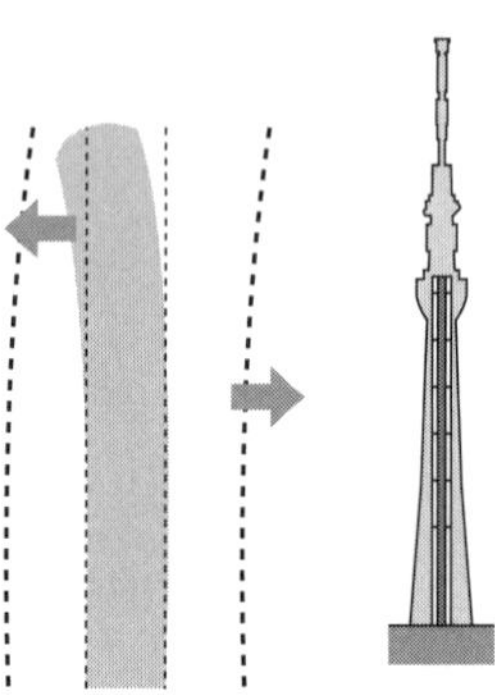

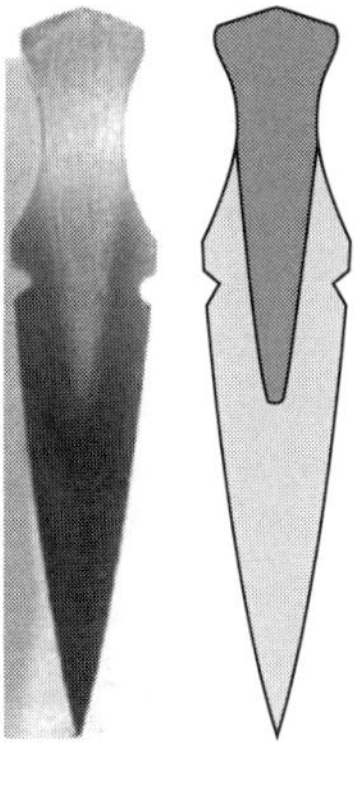

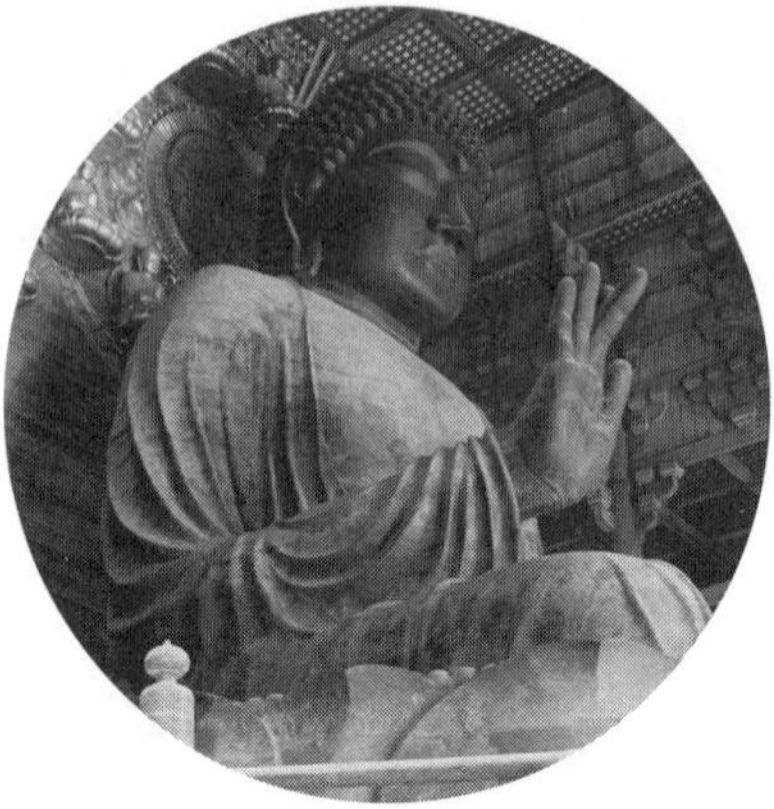

1

三内丸山遺跡

—— 縄文時代の最新技術

古代人の生活を一変させた大発明

この地球上の〝文明の発祥地〟といえば、一般的に、ナイル河流域のエジプト、チグリス・ユーフラテス河流域のメソポタミア、インダス河流域のインド、そして黄河流域の中国の名が挙げられる。いずれも、いまから数千年前に起こった「古代四大文明」の地だ。

〝文明〟は、ラテン語の〝civis（市民）〟〝civitas（都市）〟に由来する〝civilization〟の訳語で、日本では明治の初年、「文明」と「開化」という言葉がほぼ並行して使われたのがはじまりである。ちなみに、私の手元にある『英華大辞典』（北京・時代出版社）には〝civilization〟の中国語訳として「文明、文化、開化、教導、教化、文明国」が挙げられている。

原語の〝civilization〟に忠実に従えば、「文明」と「都市化」は不可分のものであろう。ともあれ、「文明」が意味するところは単純ではないが、「文明」の一要素として「技術」が占める割合が大きいことは間違いない。事実、古代四大文明の中にも、数千年後の現代にも通じる技術、科学、数学の〝発祥〟が少なくないのである。

しかし、人類が初めて、科学を技術に応用したのは、古代四大文明の発祥からさらに一万年もさかのぼる時代の、土器を発明した日本を含む東アジア各地の古代人である。

日本で最古の土器は、青森県の大平山元《おおだいやまもと》I遺跡で出土した約一万六〇〇〇年前（縄文時代）のものであり、これが世界最古の土器と考えられていた。しかし、二〇一二年六月二九日付のアメリカの科学誌『サイエンス』によれば、北京大やアメリカなどの研究チームが中国・江西省の仙人洞遺跡で発見した土器片が約二万年前のものと推測されるのだという。

いずれにせよ、古代人の生活において、土器の発明は画期的であり、それまでの古代人の生活様式を一変させたことは間違いない。

「古代日本の超技術」の世界を探訪していく旅のはじまりとして、本書では最も古い時代である縄文時代の〝最新技術〟に迫ってみることにしよう。

「人類最古の人工材料」＝「最先端のハイテク材料」

土器の発明によって、古代人は食物を煮て食べられるようになった。そのことにより、従来は食べられなかったもの、特に多くの植物類が食料として利用できるようになった。土器が存在しない段階では、生《なま》で食す以外の調理法は、焼くか、焼け石を石のくぼみの水に入れて温度を上げて温める程度だった。

土器の発明は、硬い食物を軟らかくする長時間の煮炊きを容易にしただけでなく、さまざまな味つけ、つまり〝料理法〟を発達させ、人類の可食範囲を飛躍的に拡大させた。その結果、人類が摂取する栄養の量も質も著しく向上した。食生活の拡充は、広く、文化、文明にも大きな影響を及ぼさずにはおかなかった。

土器は、粘土をこねて成形し、乾燥させて火で焼くことによって作られる。きわめて簡単な作業だが、焼成することによって、水に溶けてしまう粘土を、水に浸けても溶けない、そして耐火性を備える器に変えることができるのである。

じつは、この土器の発明こそ、人類が化学変化、すなわち科学を応用した最初の発明なのだ。土器や陶磁器、ガラス、耐火レンガなどは総じて〝セラミックス〟とよばれるが、セラミックスは、人類が〝科学〟で得た最初の道具、材料であった。じつに興味深いことに、それからおよそ二万年を経た今日における最新・最先端の材料もまた、セラミックスなのである。

最先端の材料科学・工学の粋《すい》が集約されている筆頭は宇宙船である。耐熱性、耐放射線性、断熱性、軽量性において、最高の特性を有するハイテク・ニューセラミックスが宇宙船に貼りめぐらされている。たとえばスペースシャトルは、地球への帰還の際、高度約一二〇キロメートルあたりから大気圏突入時にかけて、最高で約一五〇〇度Cに及ぶが、船体と宇宙飛行士をそのような高温から守るのが、船体の外側の全面に貼りめぐらされたハイテク・ニューセラミックス・タイルなのである。

また、ＩＣチップやさまざまな電気・電子機器の中にも微細・精密加工されたセラミックスが多用されている。

セラミックスは人類が手にした最古・最初の人工材料であると同時に、最新・最先端のハイテク材料でもあるのだ。人類最古の人工材料の開発が、いまから一万六〇〇〇年近くも前に、縄文時代の日本で行われていたことに感嘆するばかりである。

カキを養殖していた縄文人

だが、日本の縄文時代人の世界最先端の仕事は、材料開発だけではなさそうだ。

一九九六年、東京都北区にある縄文時代中期の中里貝塚で大量のカキの貝殻が発見されて大きな話題になった。あまりの量の多さのため、そこでカキが養殖されていたのではないか、と考えられたからである。

一九九七年一月には、その中里貝塚で並んだ杭が発見された。杭材は針葉樹の犬榧《いぬがや》で、地表から三・五メートルほど掘ったところから八本発見されたのである。杭の長さは一・二〜一・五メートルで、直径は約八センチメートルであった。貝殻が土壌をアルカリ性に保っていたことなどにより、杭が腐ることなく、ほとんど当時のままの姿が保存されたらしい。

中里貝塚調査団（団長・小林三郎明治大学教授）は、
①カキが杭に付着した痕跡がある
②杭が発見された地層からはカキばかり出土する
③いまから五〇〇〇～四五〇〇年前、その場所は遠浅で石神井川がプランクトンを運ぶなど、カキにとって絶好の生育場所だった

ことなどから、その中里貝塚の場所でカキの養殖が行われていたと考えている。

従来、カキの養殖は紀元前一世紀にイタリアで、日本でも室町時代末の一五〇〇年代に行われていたことが史料から判明しているが、中里貝塚で実際にカキ養殖が行われていたとすれば、カキ養殖の歴史が四〇〇〇年ほどさかのぼることになる。縄文時代人は〝バイオ〟方面にも造詣が深かったようだ。

恐るべし、縄文時代人。

近年、縄文時代の遺跡から画期的な発見が続いている。その結果、改めてさまざまな観点から縄文時代に注目が寄せられている。その〝縄文ブーム〟に先鞭をつけたのが、二〇二一年七月に「北海道・北東北の縄文遺跡群」の一つとして世界文化遺産に登録された青森市の三内丸山《さんないまるやま》遺跡の発掘であった。

世界屈指の古代文明に匹敵する「三内丸山の超技術」

三内丸山遺跡は、青森市の中央街を抜けて青森湾に注ぐ沖館川の右岸台地上に拡がっている。そこは、縄文時代前期から中期まで、つまり、いまからおよそ五五〇〇年前から四〇〇〇年前までの約一五〇〇年の間、途切れることなく営まれた大規模な村の跡である。

この地域は、江戸時代から遺跡として知られていたが、本格的な発掘調査が行われたのは一九九二年からであった。青森県の総合運動場の野球場建設に先立つ調査である。

逐次、大規模な盛土遺構、計画的に配置された五〇〇軒以上もの住居跡、大量の土器や石器、土偶、翡翠《ひすい》や黒曜石などの交易品等が発掘されていたが、三内丸山遺跡を一躍、全国的に有名にしたのは、一九九四年七月の大型掘立柱《ほったてばしら》構造物跡の発掘だった。この発掘が契機となって、すでに着工されていた野球場の建設が中止され、三内丸山遺跡は永久保存されることになった。

この大型掘立柱構造物跡は、図1－1(a)に示すように、深さが約二・二メートルの六個の柱穴が三個ずつ、二列に並んだものである。柱穴の底からは、図1－1(b)に示すような直径約一メートルの栗材の柱痕も発見された。この木柱の底部の形は石斧で整えられ、柱の周囲は焦がして腐りにくくなるように加工が施されている。

図1–1　大型掘立柱構造物の柱穴(a)と柱穴に残っていた直径約１ｍの栗材(b)（青森県教育委員会三内丸山遺跡対策室提供）

図１－１からも予想されるように、この〝掘立柱構造物〟はかなりの大きさである。復元されたものを見ればわかるように（図１－２）、現場を訪れる者を、まず圧倒するのは、その大きさだが、この柱穴の発掘時、専門家を驚かせたのは、

①すべての柱が四・二メートルの等間隔で立っていたこと

②すべての柱を内側に二度傾けることによって、互いに倒れにくくした「内転《うちころ》び」の技法が使われていたこと

③枠を作り、少しずつ土砂を混ぜて固める「版築《はんちく》」の技法を使った形跡があること

図1−2　三内丸山遺跡に復元された大型掘立柱〝建物〟（青森県教育委員会三内丸山遺跡対策室提供）

だった。「版築」技法は、古く中国の竜山文化（黄河中流域で栄えた新石器時代晩期の文化）にはじまるとされ、現在まで存続している建築土木技法で、法隆寺などの建立などに使われていることでもよく知られている。

中国の竜山文化期は紀元前二〇〇〇年前後であり、日本でいえば縄文中期から後期に相当する。つまり、日本では中国よりも早く、少なくとも同時期に「版築」技法が使われていたことになる。このこと一つをとってみても、日本の縄文時代の技術が、世界史における屈指の古代文明が有した技術に匹敵するものであったことを窺わせてくれる。

さらに、大型掘立柱構造物が、近くに建っていた大型竪穴住居とともに、一定の長さの単位である〝縄文尺（約三五センチメートル）〟とよばれる規格で建てられているらしいことも判明した。柱間隔の四・二メートルは一二〝縄文尺〟に相当するため、縄文時代の日本人は一二進法を使っていたと考えられる。

ともあれ、大型掘立柱〝建物〟の「復元」に使われた栗の巨木は、ロシアのソチからはるばる運ばれてきたものである。柱一本の重さは約八トン、長さは一七メートル、直径は一メートルである。これだけの大きさの栗の巨木は、現在の日本国内では容易に見つけられないそうだ。

私は、一九九六年一〇月二四日に行われた六本の巨大木柱の組み立て作業に立ち会うことができた。

その作業風景を図1－3に示すが、組み立てには数基の大型クレーンが使われていた。クレーンで支えられながら立てられた六本の柱はまず、上部と下部に橋渡しされた鉄骨で〝仮留め〟された。それから栗の丸木が三層にかけられて、図1－2のような建物が「復元」されたのである。

直径約一メートル、地上の高さ約一五メートルの巨木が立ち並ぶさまは圧巻だった。近くに寄れば、それが巨大な建造物であることを実感できる。

クレーンも鉄骨もなかった時代に、人力と縄だけで、どのようにして、巨大な掘立柱構造物を建てることができたのか。図1－2に示した形が正確に「復元」されたものかどうかは別として、少なくとも、直径約一メートル、高さ一五メートルほどの栗の巨木を六本、立て並べたこと

図1-3　三内丸山遺跡における巨大な木柱の組み立て作業風景（1996年10月24日、筆者撮影）

は事実である。縄文時代に、巨木を使いこなす技術が確立されていたのだ。

私は縄文人の智慧と技術の高さに驚かざるを得ない。

流通ネットワークの中心地だった三内丸山

巨大掘立柱構造物跡をはじめとする、三内丸山遺跡で発掘されたおびただしい数の遺構、遺物は、従来の縄文時代についての通説を覆《くつがえ》すのに十分であった。

それまでの学校教育や歴史書のおかげで、縄文人といえば、われわれは、毛皮を身体にまとった姿を頭に描き、棍棒を振りかざして野山に獣を追い、木の実や草の根を集めて食料とする狩猟採集の原始生活人を想像してしまう。また、縄文人は、少人数の家族あるいはグループで、食料を求めて移動生活をする、というのが〝常識〟だった。

しかし、三内丸山遺跡における数々の発掘品の調査結果からは、常時五〇〇人ほどの人たちが、一五〇〇年もの間、一ヵ所に定住していたらしいことがわかっている。これだけ多くの人たちが一定の場所に長期間定住するには、食料の安定した確保が必須条件である。狩猟や採集だけで、そのような食料を確保するのはきわめて困難であり、魚介類の漁に加え、少なくとも初期段階の農業や林業が営まれていたことは間違いない。事実、栗林を作って栗を主食料とし、稗《ひえ》、瓢《ひょう》箪《たん》、牛蒡《ごぼう》を栽培していた形跡が発見されている。

沖館川に面した斜面や谷は湿地になっており、そこに多くの〝生活用品〟が遺《のこ》されていた。通常では腐ってしまうようなものでも、それらが酸素を遮断する湿った土の中にあったため、五〇〇〇年間ほぼ原形のままで保存されたようだ。

発掘品の中には、骨や角で作られた釣り針、銛《もり》、縫い針、木製の櫓《ろ》、漆を塗った器などの生活必需品のほかに、イノシシの牙や翡翠や琥珀《こはく》で作られたペンダントやネックレス、蔓《つる》製の腕輪のような装飾品も含まれる。

また、手足を保護する手甲や脚絆、鹿皮の衣服なども発掘されている。衣服には継ぎ当てと装飾を兼ねたアップリケ、襟元には縄や組み紐がつけられている。

もちろん、多量の土器や石器、土偶などの〝腐らないもの〟が発掘されていることはいうまでもない。

これらはいずれも、従来の縄文観における〝常識〟を覆し、縄文人の豊かな日常生活や精神生活を彷彿《ほうふつ》させるものばかりである。

三内丸山遺跡の発掘品の中で、特に注目に値するのは、新潟県姫川産の翡翠、岩手県久慈産の琥珀の装飾品や北海道産の黒曜石製石器など、遠隔地の産物である。縄文時代には、明らかに広域な流通が行われており、三内丸山は、その流通の中心地の一つだったのであろう。

一九九六年一二月には、北海道南茅部町（現・函館市）の大船《おおふね》C遺跡から、縄文時代中期末（四三〇〇年前）のものと思われる約一〇〇戸分の竪穴式住居跡が発掘された。住居跡は、周辺を含めると約六〇〇戸にのぼると思われ、大集落だった可能性が高い。同時に、クジラやアザラシ、マグロの骨も出土している。その集落は三内丸山の集落に匹敵する可能性もあり、それらの位置関係を考えれば、二つの大集落の相互関係の解明が大いなる興味をもって待たれている。

四〇センチ級のマダイを釣り上げた釣り針の秘密
――アスファルトの利用

三内丸山遺跡の発掘品の中で、技術的観点から私が興味をもったのは、まずアスファルトつきの石鏃《せきぞく》である。

石鏃とは文字どおり、石の〝やじり（鏃）〟のことで、木や竹の柄《え》につけて狩猟具や武器として使うものである。三内丸山遺跡で出土した石鏃は、長さ三～五センチメートルの〝打製石器〟だった。この石鏃の根元の部分、つまり木や竹の柄（矢柄《やがら》）に挿入する部分に、アスファルトが付着しているのがはっきりと認められる。縄文人は、天然アスファルト、つまり瀝青《れきせい》を接着剤として用いていたのである。

天然アスファルトは縄文時代、石鏃以外にも釣り針などに使われていたと考えられていたが、天然アスファルトつきの釣り針が初めて発掘されたのは、一九九五年七月のことである。岩手県大船渡市にある縄文後・晩期（約三〇〇〇～二二〇〇年前）の遺跡・大洞《おおほら》貝塚で見つかったシカ角製の釣り針である。

長さ約四・五センチメートルの湾曲した釣り針の、根元の太さ約三ミリメートルの軸部分にアスファルトが帯状に二本（約五ミリメートルと一ミリメートル）付着していた。釣り針に、自生する苧《からむし》などの繊維で作られた釣り糸を結びつける際、その上にアスファルトを塗って補強したのである。専門家によれば、この補強されたシカ角製釣り針を使うことで、四〇センチメートル級のマダイなどの中型魚が釣れたという。

アスファルトは、石油の原油から揮発性の油成分が除かれた半固体あるいは固体の黒い物質で、天然アスファルト（瀝青）と、石油を蒸留精製した残渣として得られる石油アスファルトがある。アスファルトの主成分は複雑な炭化水素で、アスファルテンという固体成分がマルテンという油状成分中に分散したものである。

天然アスファルトは、地層中で石油が自然の蒸留作用を受けて層状に形成され、ほぼ純粋な状態で産出するので、掘り出したままで使用できる。伸度と粘着力が大きく、通常は一〇〇度C以下で簡単に軟化する。縄文時代人は、アスファルトのこの性質を利用したわけである。

アスファルトは弾力性に富み、水に溶けず、耐酸、耐アルカリ、耐薬品性にも優れているので、昔から現在まで、さまざまな分野で広く用いられている。現在の最も身近な用途は道路の舗装、防水布、電気絶縁材料などだ。

いま、アスファルトが昔から用いられていると書いたが、世界で最も昔にアスファルトを利用したのは日本の縄文人ではないかと想像される。少なくとも、日本の縄文時代が、世界史的に見て、アスファルト利用の最古の歴史をもつ時代といって間違いあるまい。

アスファルトの利用を記録として遺している世界最古の文献は『旧約聖書　創世記』であろう。『旧約聖書』は、紀元前一〇世紀から紀元前一世紀のあいだに書かれたものと考えられているが、その「ノアの洪水」（六ノ五～九ノ一七）のところに、「君（ノア）はゴーフェルの木で一つの箱舟を作り、箱舟の中に個々の部屋を作り、箱舟の内外とも土瀝青《どれきせい》で塗りなさい」（関根正雄訳『旧約聖書　創世記』岩波文庫、一九六七）という記述がある。この〝土瀝青〟は、前述のように天然アスファルトのことである。

養老《ようろう》四（七二〇）年に完成した『日本書紀』にも、天然アスファルトと思われる記述がある。第三八代天智《てんじ》天皇が即位したのは天智七（六六八）年だが、その年の七月の条に「越国《こしのくに》、燃土《もゆるつち》と燃水《もゆるみづ》とを献《たてまつ》る」と書かれている。越国は現在の新潟であり、古くから石炭、石油の産地として知られていた。現在でも新潟は天然ガスの産地である。

〝燃水〟は、いうまでもなく石油のことである。〝燃土〟は石炭ではなく、土瀝青、つまり天然アスファルトのことであろう。〝土〟と石炭とは結びつきにくいからだ。石油（〝燃水〟）も天然アスファルト（〝燃土〟）も、天皇即位に関わる献上の品となったくらいだから、当時からきわめて貴重であり、有用なものであったに違いない。

新潟産のアスファルトを北海道で使用していた！

接着剤あるいは補強材としてきわめて有用なアスファルトを、縄文時代人はどのようにして得ていたのか。自然採集に頼っていたのだろうか。

じつは、一九九五年七月、北海道南茅部町（現・函館市）の縄文時代後期の遺跡から、約三五〇〇年前の天然アスファルトの塊二個とその工房が発見されている。天然アスファルトの工房が発見されたのは初めてで、きわめて画期的なことだった。

工房跡が見つかったのは、磨光《まこう》B遺跡とよばれる場所で、直径約五〇センチメートル、深さ約三〇センチメートルのボール状にくぼんだ土坑があり、四隅に直径約二〇センチメートルの小さなくぼみがあった。その二つのくぼみの中に、直径二〇センチメートル、重さ二・四キログラムと、直径一四センチメートル、重さ〇・九キログラムの天然アスファルト塊が残っていたのである。

土坑の底部が周囲と比べて硬くなっており、アスファルト塊の下部などに熔けた跡があったことから、土坑の中央部で火をたき、熔け出したアスファルトを石鏃、釣り針などの接着や土器の修復などに使ったものと思われる。土坑の周囲には柱跡と思われる穴も見つかっているので、このアスファルト工房は直径五メートルほどの掘立て小屋の中にあったのであろう。

また、この遺跡から約一〇キロメートル北西にある縄文時代後期の豊崎《とよさき》N遺跡で、約〇・七キログラムの天然アスファルト塊の入った土器が出土しており、化学分析の結果、このアスファルトは秋田県昭和町（現・潟上市）で出土したものと同類であることが判明している。

以上の発掘調査結果から、北海道に居住した縄文時代人は、新潟あるいは秋田あたりの日本海沿岸の〝産地〟から入ってきた天然アスファルトを使って加工・生産を営んでいたようである。縄文時代人の広域の流通と、知的生産技術の〝はしり〟の証拠であろう。

驚くほど正確な穿孔技術

少なくとも四〇〇〇年以上も前に、天然アスファルトが計画的に道具の製作に用いられていたことは驚きである。だが、それは、現代の技術から見れば、あくまでも〝原始的〟な知的生産技術にすぎない。

図1–4　三内丸山遺跡で発掘された翡翠玉。大珠の直径は5.5～6.5cm
（青森県教育委員会三内丸山遺跡対策室提供）

ところが、三内丸山遺跡で出土した翡翠の大珠《たいしゅ》（大型の玉）には、現代にも通じる、あるいは現代の技術をも凌駕する超高度の穿孔《せんこう》（孔《あな》あけ）技術が見出されるのである。三内丸山遺跡で発掘された翡翠玉の例を図１－４に示す。

長年、結晶・鉱物と付き合ってきている私は、これらの翡翠玉、翡翠大珠に見事にあけられた孔を至近距離で見て、その超高度の穿孔技術に驚いた。現在でも、あれだけ大型の翡翠に、あれだけ見事な孔をあけるのは容易なことではないからである。

翡翠は、半透明の、底知れぬほど神秘的な緑色の石である。その色が、〝空飛ぶ宝石〟と称せられるカワセミ（川蟬・翡翠）の羽毛の色に似ていることから名づけられた。もともと、カワセミの雄を「翡」、雌を「翠」とよんだのである。

硬度	鉱　物
1	滑　石
2	石　膏
3	方解石
4	蛍　石
5	燐灰石
6	正長石
7	石英（水晶）
8	黄玉（トパーズ）
9	鋼玉（ルビー、サファイア）
10	ダイヤモンド

表1–1　モース硬度計

商業的に「ヒスイ」といえば、ふつうは硬玉《こうぎょく》（ジェダイト）と軟玉《なんぎょく》（ネフライト）の二種が含まれる。事実、硬玉と軟玉は、外観、色沢、性質は非常によく似ており、専門的技術を用いない限り、区別は困難である。しかし、両者は、鉱物学的にはまったくの別ものだ。

翡翠は、日本では古代から奈良時代まで、装身具の主流を占め、つねに王座についていた。そして、今日でもかなり高価な宝石の一つである。二種類の〝ヒスイ〟のうち、硬玉は軟玉と比べてはるかに稀であり、それだけに、はるかに高い価値をもっている。

硬玉の主成分は $NaAl(Si_2O_6)$ で、一方、軟玉の主成分は $Ca_2Mg_5[(OH, F)Si_4O_{11}]_2$ である。そして、これからの話に深く関係する硬さ（硬度）が異なる。硬玉は、その名のとおり硬い石で、硬度六・五あるいは七である。軟玉は硬玉よりやや軟らかく、硬度五あるいは六である。硬度は、それぞれの副成分や結晶状態にも依存する。

この場合の硬度は248ページに述べるビッカース硬度とは異なり、鉱物の平らな面が傷つけられるときの、抵抗の相対的強弱を示すものである。ドイツの鉱物学者モースが、硬度一〜一〇を定め、それぞれの標準鉱物を選定した(表1－1)。

鉱物の中には、その硬さがモース硬度の中間のものがある。たとえば、前述の硬玉の中には、硬度六の正長石よりは硬いが、硬度七の石英よりは軟らかいものもあるので、その硬度を六・五と定めるのである。

これは、数学的に、六と七の真ん中の六・五という意味ではない。単に硬度六と硬度七の中間の硬度、という意味である。六・三とか、六・八とかの硬度は存在しない。

また、モース硬度計は、最も軟らかい滑石を一とし、最も硬いダイヤモンドを一〇として、その間を自然数にしたがって二、三、……と単に相対的硬さを並べただけで、硬度を表す数字のあいだに、いかなる比例的関係もない。つまり、各硬度の〝硬さの間隔〟は必ずしも一様ではないのである。それどころか、硬度一〇のダイヤモンドと硬度九の鋼玉(ルビー、サファイア)との硬さの差は、硬度九と硬度一(滑石)との差より大きいのだ。

謎のベールに隠された縄文人の超技術

前述のように、一般的に〝ヒスイ〟には硬玉と軟玉とが含まれるが、考古学上〝ヒスイ〟といえば、硬玉のことを指す。また日本では、宝石としての〝ヒスイ〟も硬玉に限られている。図1

－4に示した三内丸山遺跡出土の翡翠も、もちろん硬玉である。

現在まで、縄文時代、弥生時代、そして古墳時代の遺跡から翡翠は無数といってよいほどたくさん出土している（章末の参考図書(2)）。前述のように、奈良時代までの古代日本で、翡翠（硬玉）は装身具、宝石の王様であった。

しかし、まことに不思議なことに、奈良時代になると、法興寺塔址の勾玉《まがたま》や正倉院宝物の中にある翡翠を最後として、日本史の中から姿を消すのである。

古代、なぜ翡翠が装身具、宝石の王様であったのか、そして、なぜ奈良時代以降、翡翠が姿を消してしまったのか。これはきわめて興味深い話なのだが、紙幅の都合上、本書では深入りしない。興味のある読者には、前掲の参考図書(2)や参考図書(3)などをおすすめしたい。

さて、本書でこれから述べようとするのは、硬玉の穿孔技術のことである。

前述のように、硬玉の硬度は六・五あるいは七である。原理的に、宝石、というより物質一般の切断、孔あけ、研磨などの加工には、加工される物質よりも硬い物質が必要である。つまり、硬玉の孔あけには、硬度八以上の物質が必要である。それは、黄玉、鋼玉、ダイヤモンドなどきわめて限られた物質である（表1－1参照）。

硬玉は硬いだけでなく、その質が繊維質できわめて強靱であるという特質ももつ。すなわち、硬玉の穿孔は容易なことではないのだ。それにもかかわらず、31ページ図1－4や他の遺跡から発掘された翡翠玉のどれを見ても、じつに見事な孔があけられているのである。

しかし、鉄などの金属製の道具、ドリルなどをもたなかった縄文時代人が、何を使って、どのようにして、硬玉に見事な孔をあけ得たのかについては、現在もなお謎のままなのである。数千年前の遺跡から出土するのは、見事な孔があけられた硬玉そのものであって、その穿孔に使われた道具の発掘はいまだ皆無なのだ。彼らの穿孔技術がどのようなものであったのかについては、想像の域を出ないのだが、縄文時代人が超高度の穿孔技術を有していたことだけは動かしようがない事実なのである。

縄文時代人の超高度穿孔技術の秘密を探ってみよう。

孔はどのようにあけられたか

図1－4に示したように、厚さが数センチメートルもあるような翡翠に、直線的な円筒形の孔が貫かれている。硬度が高く、強靱な翡翠に、そのように見事な孔をどのようにあけたのか。

前述のように、縄文時代の穿孔に用いられた道具はいっさい遺されていない。状況証拠から推測し、その推測を実験によって検証するほかに、この謎を解く方法はない。

鉱物に孔をあける基本的技術としては、

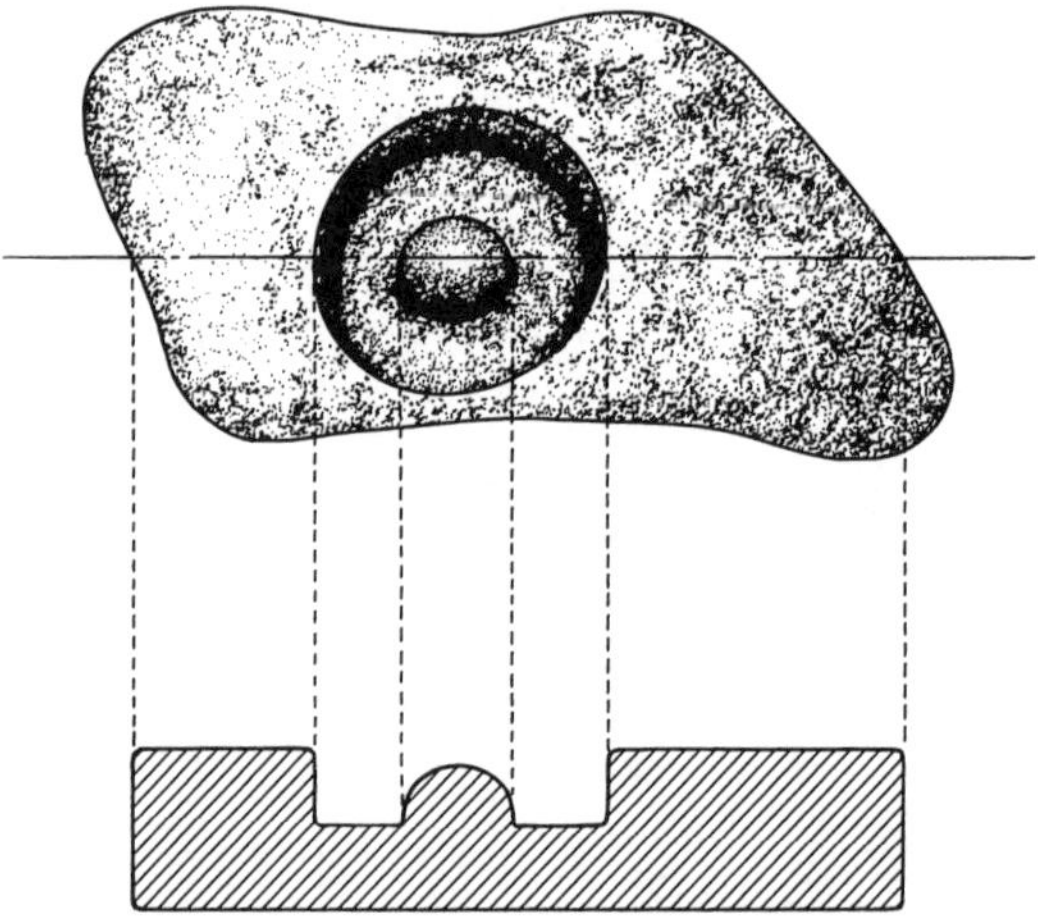

図1–5　穿孔途中を示す翡翠片の模式図

①たたいて孔をあけるボーリング法
②抉《えぐ》り法
③錐《きり》を使った回転法（ドリル法）
がある。

　このうち、ボーリング法と抉り法では、直線的な、きれいな円筒状の孔をあけるのは困難であろう。いずれにせよ、翡翠にあけられた実際の孔をよく見れば、錐を使った回転法以外には考えにくい。

　幸い、縄文時代人の穿孔法を推測するうえで、決定的な証拠が発掘されている（前掲の参考図書(3)）。

　それは、図1－5に示すような穿孔途中の翡翠片である。断面図で示すように、孔の底に小さな突起があるのが特徴である。これは、図1－6に示すような管錐《くだきり》（パイプ錐）を使って穿孔した証拠である。管錐は、火をおこすときに用いられるように、図1－7のような弓錐あるいは舞錐として回転されたに違いない。

翡翠に孔をあけるということは、結果的に、その部分の翡翠を削り取るということである。それでは、管錐は何でできていたのであろうか。

研磨材がカギを握っていた

前述のように、翡翠を削る、あるいは研磨するには、原理的に、翡翠より硬いものが必要である。縄文時代に、翡翠より硬い材料でできた管状のものは存在しない。困ってしまうが、ヒントはある。幸いなことに、管錐そのもので翡翠を削るわけではないのである。媒材として研磨材を用い、その研磨材が翡翠を削るのだ。つまり、錐の役目は、研磨材を翡翠に押しつけることなのである。翡翠より硬い材料の錐は、むしろ不適当なのだ。硬い錐は媒材（研磨材）を排除してし

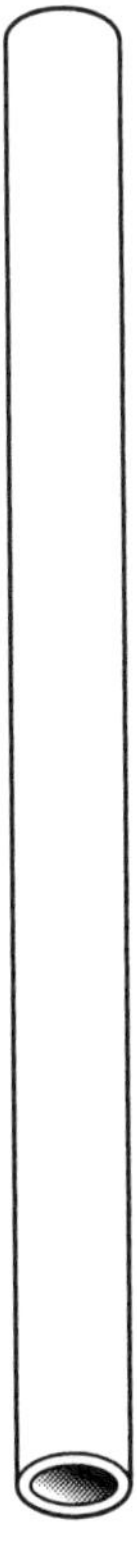

図1-6　管錐

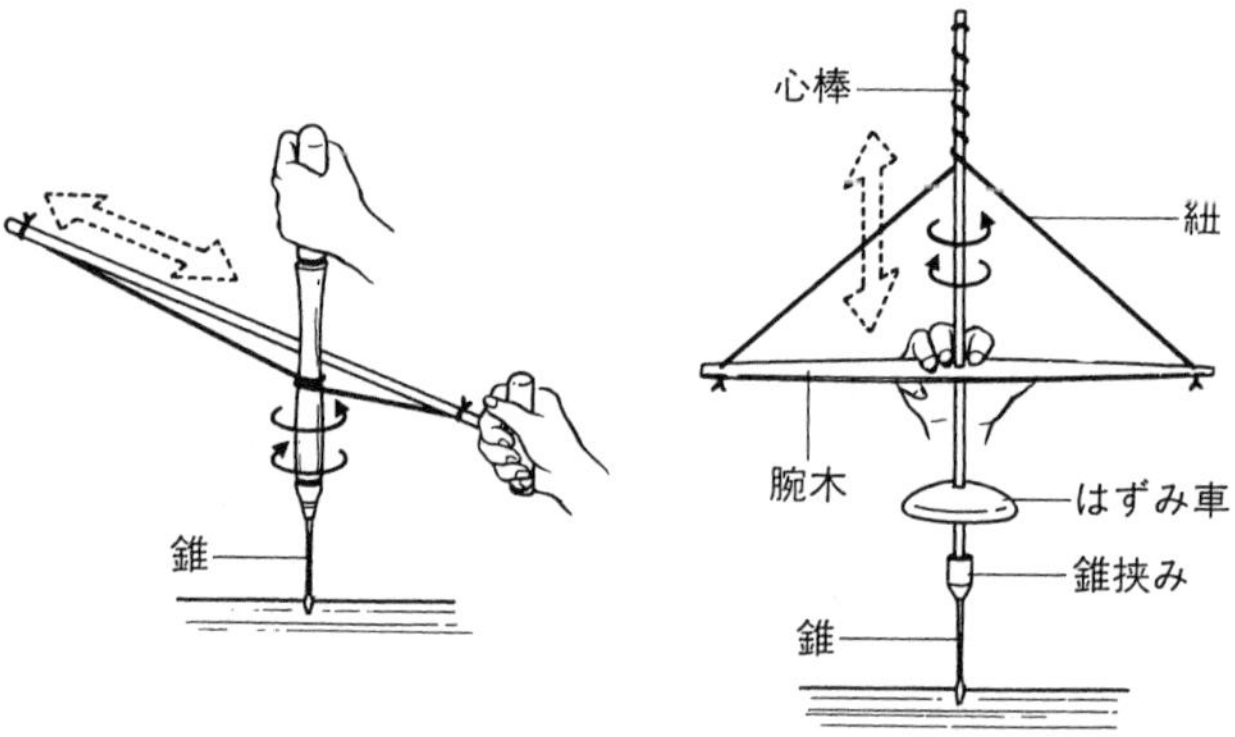

（a）弓錐　　（b）舞錐

図1–7　弓錐(a)と舞錐(b)による回転穿孔法

まうので、孔がうまくあかないからだ。

媒材（研磨材）を用いた回転管錐による穿孔のようすを模式的に図1－8に示す。管錐の素材が何であれ、翡翠と同等、あるいは翡翠より硬い研磨材が得られれば、翡翠に孔をあけることができるわけだ。

翡翠生産遺跡として名高い長者ヶ原遺跡や寺地遺跡からは、翡翠大珠と同時に、蛇紋岩製の磨製石斧が出土している。蛇紋岩の主成分は橄《かん》欖《らん》石と蛇紋石であるが、橄欖石の硬度は六・五あるいは七である。また、河川であれば、硬度七の珪砂（石英）はどこにでもある。

新潟、富山地方では硬度九の鋼玉（コランダム）も産する、という報告もある。これらの蛇紋岩、珪砂、鋼玉、そして翡翠自体の粉が、研磨材として用いられたのであろう。

また、研磨材の微粉末を水などの液体に懸濁《けんだく》したスラリーを用いると、スラリー中の研磨材の硬度が被加工物の硬度より低くても研磨できることが知られている。実際に、現在の最先端エレクトロニクスを支える半導体シリコン結晶（硬度七）の研磨には、硬度六の非晶質石英のスラリーが用いられているのである。

水は回転管錐、つまり研磨材と被加工物の運動（つまり、錐の回転）を円滑にするためにも、研磨材を円滑に被加工面に供給するためにも必要である。また、砥糞《とくそ》の除去にも水は有効である。いうまでもないことだが、水は摩擦熱を冷やし、回転管錐を保護する役目も果たす。翡翠の穿孔に、スラリーが用いられたことは疑いようがない。

さらに、図1－8に示すような回転管錐による穿孔のプロセスでは、摩擦熱のために、水冷されている状態であっても被加工材の表面がかなりの高温に達しており、常温（低温）

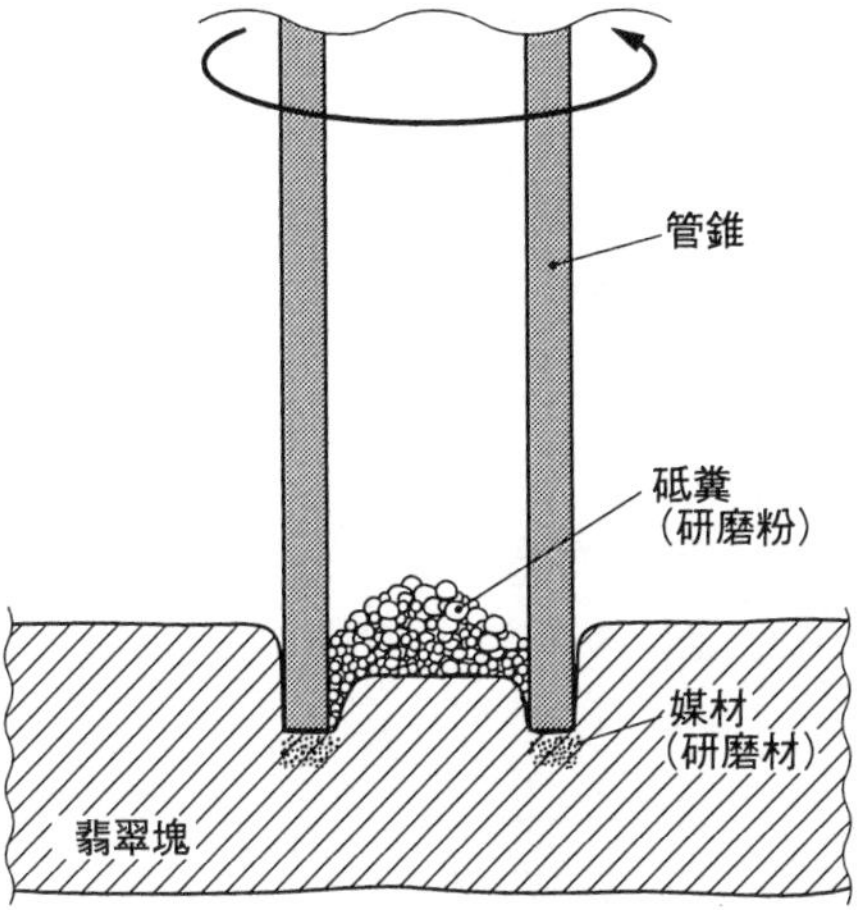

図1–8　回転管錐による穿孔の模式図

より、容易に研磨される状態になっている。これらのことを考慮すれば、翡翠穿孔の媒材（研磨材）としては、簡単に得られたと思われる蛇紋岩あるいは翡翠の粉末で十分だっただろう。

適当な研磨材さえ得られれば、管錐の素材は何でもよいことになる。前述のように、硬いものはむしろ不適当である。大切なのは管状の形態である。金属製のパイプなど望むべくもない縄文時代、管錐に用いられたのは、竹（簾竹《れんちく》）、鳥の管骨などと考えるのが常識的である。

ところで、36ページ図1－5は翡翠の穿孔が管錐で行われたことの証拠を示しているが、管錐でなく棒錐（中空でない錐）ではダメなのか。棒錐でもよければ、使用し得る錐の素材の範囲は格段に拡がる。実際、縄文時代後期・晩期になると、棒錐で穿孔した翡翠も出現するらしい。

しかし、管錐のほうが圧倒的に具合がよいのである。棒錐の場合、砥糞の逃げ場がなく、錐先端部と被加工面とのあいだに詰まってしまい、研磨効率が著しく低下するからだ。

現代の日で、さまざまな角度から検討してみても、縄文時代に確立された、竹・骨などの自然材の管錐と研磨材とを組み合わせた〝回転管錐穿孔法〟は究極の穿孔技術である。現在でも、基本的には改良の余地はまったくないように思われる。

現代の穿孔技術

一九六〇年に発明された〝人工の光〟レーザーによって、材料加工技術の分野で数々の革命的技術革新がもたらされている。穿孔技術も例外ではない。しかし、宝石の穿孔技術に限っていえば、前述のように、縄文時代以降、今日までの数千年間、基本的な革新は皆無なのである。

現代における鉱物・宝石の穿孔技術とは、どのようなものなのか。

比較的大きな孔に対しては、縄文時代の竹・骨などの〝自然材〟は軟らかいブリキに替わったものの、回転管錐と研磨材スラリーとを組み合わせた穿孔法はいまでも使われている。しかし、研磨材としては、現在ではダイヤモンドに準じる硬度をもった炭化ケイ素（ダイヤモンドの硬度を一五とした修正モース硬度計で硬度一三）やアルミナ（同一二）などが使われている。

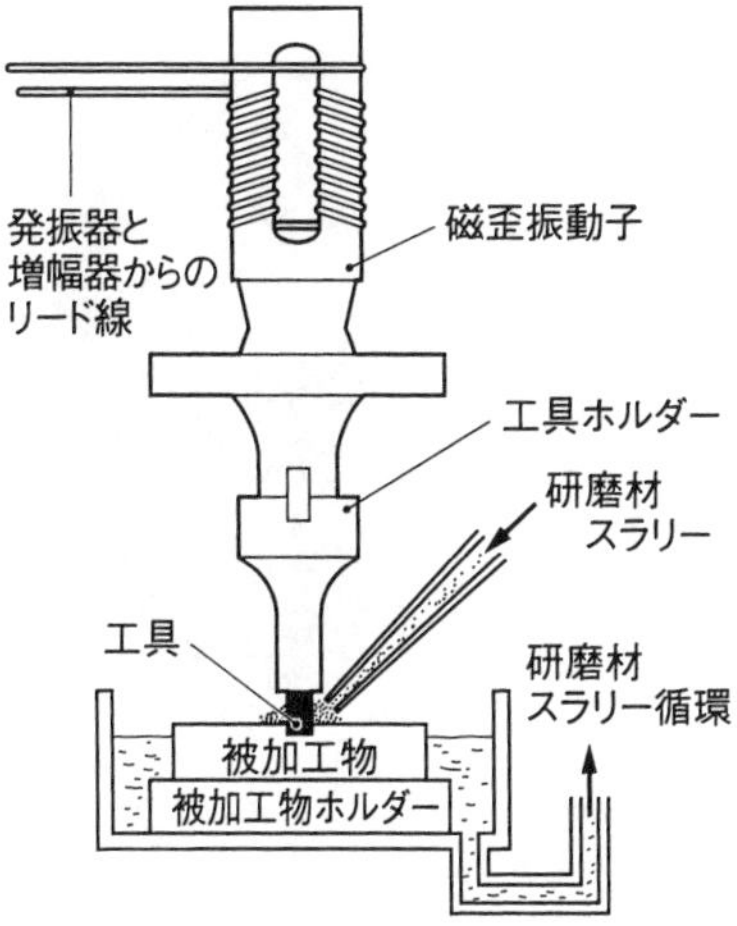

図1–9　超音波加工法の概略図

小さな孔あけには電動ドリルが使われているが、回転するドリルのらせん状の溝が砥糞を除去する。

また、基本的には、たたいて孔をあけるボ

ーリング法に属するが、研磨材スラリーを用い、たたくのに超音波振動を利用した超音波加工法が、鉱物・宝石の孔あけに、特に円形以外の孔あけに、最も一般的に用いられる方法となっている（図1－9）。周波数が二〇キロヘルツ以上の、可聴範囲を超えた音波を超音波というが、この超音波振動を利用して、研磨材スラリーに被加工物をたたかせて加工（切断、孔あけなど）する方法である。

　超音波の発生源としては、一般にニッケル・アルミニウム・鉄合金などの磁気歪み現象を利用する磁歪《じわい》振動子などが用いられる。たとえば穿孔の場合、図1－9に示したように振動する工具の先端と被加工物との間に研磨材スラリーを供給すると、押しつけた工具の形どおりの孔があく。ドリルであけられる孔は円形のみであるが、この方法ではどのような形の孔でもあけられるのである。

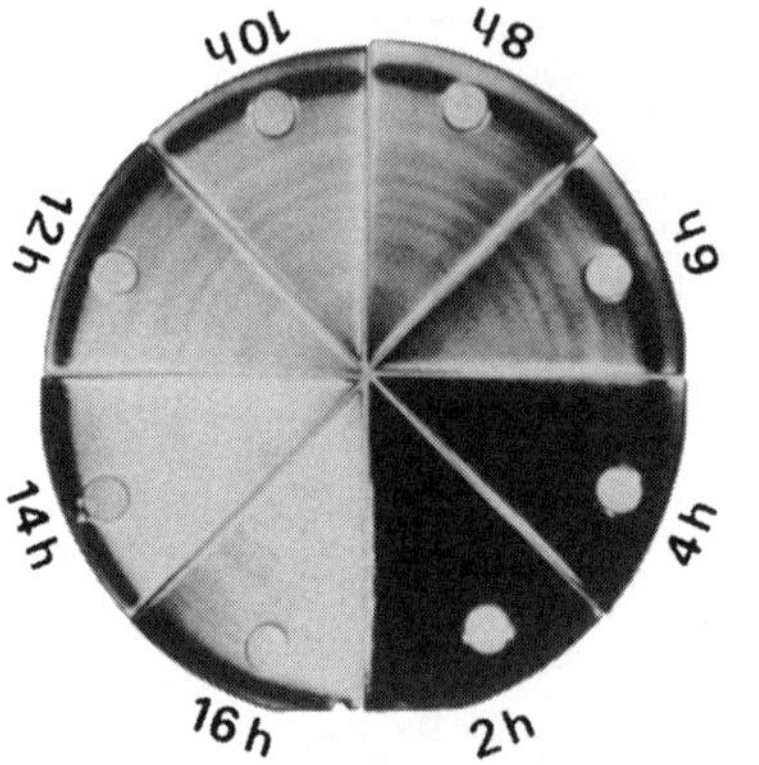

図1−10　超音波加工法によって、シリコン単結晶にあけられた孔。孔の直径は 3 mm、シリコン単結晶の厚さは 2 mm

　図1－10に、私自身が厚さ二ミリメートルのシリコン単結晶から透過電子顕微鏡（TEM）用

試料を超音波加工法で打ち抜いた孔を示す。工具の形状は、37ページ図1－6と同様の管錐である。一枚のシリコン単結晶ウエハーを八等分し、各片をある温度で二時間から一六時間まで、二時間刻みの熱処理をしたあとの結晶欠陥をTEM観察するために、円形ディスクをくり抜いたのである。この場合は、36ページ図1－5中に見られる突起をTEM観察試料として利用したことになる。

レーザー光にして「革命」ならず

続いて、最先端の〝ハイテク・レーザー加工法〟について紹介しよう。

私は、工学的技術分野で、二〇世紀最大の発明はトランジスタとレーザーだと思っている。レーザーは、自然界には存在しない人工の光を発生させる装置である。レーザー光の特徴のみを簡単に述べれば、以下の四点である。

①単位面積あたりのエネルギーが大きい
②指向性、集光性が強い
③位相がそろっている（可干渉性である）
④単色（単一波長）

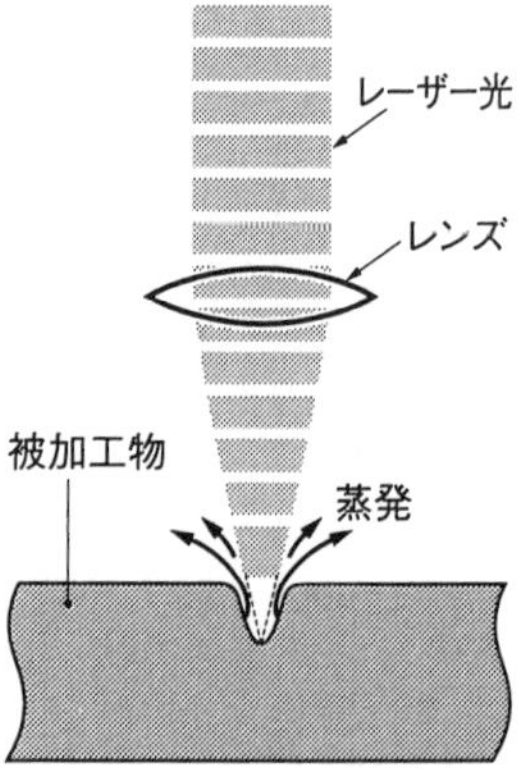

図1–11　レーザー光による穿孔プロセス

　このうち、①と②の性質によって、レーザー光が強力な〃刃物〃になり、あるいは〃熱〃を生み、材料加工（切断、孔あけ、熔接など）の革新的な道具となるのである。いずれの場合も、レーザー光が〃加工〃するのは、直径がおよそ数マイクロメートルから数ミリメートルの微小領域であるが、エネルギーに応じて被加工物を蒸発させるか熔融させる。

　孔あけ、あるいは切断の場合、図1－11に示すように、レーザー光はレンズで集められ、被加工物の材料を蒸発させる。このように、微小領域に絞られた高エネルギーのレーザー光は最高硬度のダイヤモンドにさえ孔をあけることができる。従来の機械的穿孔法で二日間を要したダイヤモンドの孔あけが、わずか数分に短縮されたほど、レーザー光による材料加工は革命的であった。

　レーザー光による孔あけの特徴は、加工時間がきわめて短いことのほか、たとえば回転管錐などを使った機械的穿孔法では絶対に不可能な、直径数マイクロメートルの微小な孔をあけられることである。また、機械的穿孔法が不得意な硬くて割れやすい材料とかゴムのような柔軟な材料の孔あけのほかに、レーザー加工法は医療分野ではレーザーメスに応用されている。

しかし、レーザー光であけた孔は、側面が滑らかでない、被加工物表面に噴火口のような輪ができる、蒸発せずに熔けた材料が一様に凝固せず、そのために亀裂が生じたり、材料を弱めたりする、というような欠点もある。また、図1－11からも明らかなように、レンズを通過して一点に集まるレーザー・ビームは円錐形になるため、レーザー光であけられる孔は表面に対して直角の円筒形にならず、ビームの形を反映した円錐形になってしまう。

結局、以上のような欠点のため、宝石の穿孔に、せっかくのハイテク・レーザー光が使われることはほとんどない。基本的に、縄文時代人が確立した管錐を用いる穿孔技術に優る技術はないのである。

主な参考図書（発行年順）

(1) J・ヘクト、D・テレシー著、井坂清訳『レーザーの世界』（講談社ブルーバックス、一九八三）
(2) 森浩一編『シンポジウム　古代翡翠道の謎』（新人物往来社、一九九〇）
(3) 寺村光晴著『日本の翡翠　その謎を探る』（吉川弘文館、一九九五）
(4) 文化庁編『発掘された日本列島　'95新発見考古速報』（朝日新聞社、一九九五）
(5) 小林達雄著『縄文人の世界』（朝日選書、一九九六）

2

「前方後円墳」

——巨大墳墓はなぜ大量に造られたのか

権力者たちの〝墓〟

権力者たちの墓は古今東西、だいたいにおいて巨大であるが、これは権力者の「権力の示威」に加え、「死後の世界に対する認識」の共通性によるものと思われる。

巨大な墓と聞いて、誰でもすぐに思い浮かべるのはエジプトのピラミッドであろう。

四角錐ピラミッド建設の「創始者」として名前を遺しているのは、紀元前二六〇〇年頃のエジプト第四王朝の初代スネフル王で、約二四年の在位期間中に、少なくとも現存する四基のピラミッドを建造したといわれている。

学校では「ピラミッドは古代エジプト王（ファラオ）の墓である」と教わったのではあるが、一人のファラオが複数の墓をもつというのはいささか合点がいかない。日本でも平将門《たいらのまさかど》の〝首塚〟が全国さまざまな場所にあるとはいえ、ピラミッドを墓と断定するのは難しいと思われる。

世界中のエジプト学者、考古学者らが長きにわたってピラミッドの研究を行っているが、「ピラミッド」についてはさまざまな謎がいまだ未解明のままであるのが現状である。エジプトあるいはピラミッドの専門家ではない私が、科学と技術の観点からさまざまな謎解きに挑戦したのが、本書の姉妹編である『古代世界の超技術〈改訂新版〉』の第1章「ピラミッド」である。興味のある読者にはぜひ読んでいただきたい。

世界三大陵墓

図2−1　大仙陵古墳（仁徳天皇陵）
（写真：橋本政博／アフロ）

さまざまな分野で、世界中に「世界三大〜」とよばれるものがたくさん存在するが（186ページに述べる〝世界三大大火〟もその一例）、「世界三大陵《りょう》墓《ぼ》」のうちの二つは、エジプト・クフ王のピラミッドと、秦始皇帝《しんのしこうてい》陵である。

残る一つは何か。

大阪府堺市にある大仙陵《だいせんりょう》古墳である（図2−1）。

世界三大陵墓の大きさを比較すると図2−2のようになるが、全長、高

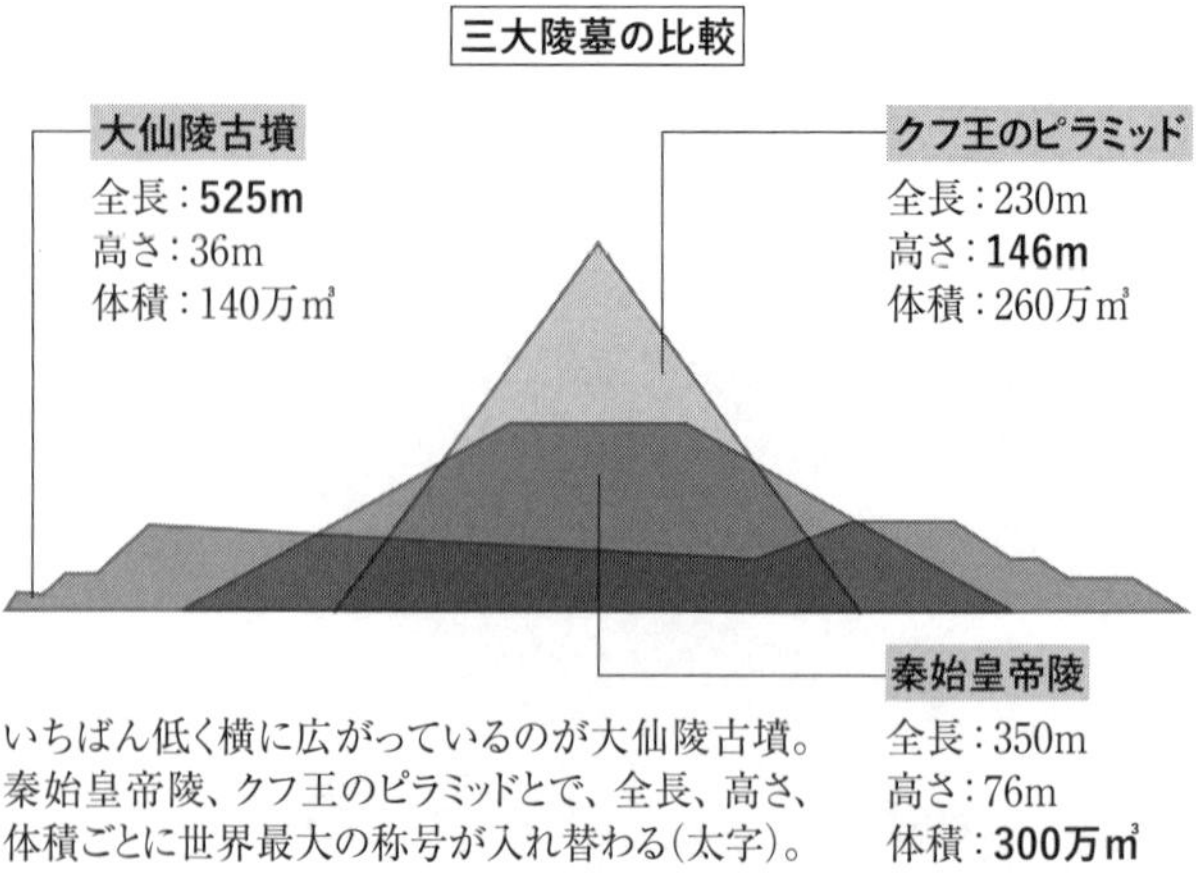

図2–2　世界三大陵墓（参考図書(6)より一部改変）

さ、体積で「世界最大」の称号を分け合うことになる（図2－2の太字表記の数字を参照）。大仙陵古墳は、全長において他の二つを圧倒している。

ところで、大仙陵古墳は宮内庁によって「仁徳《にんとく》天皇陵」と治定《じじょう》され、事実、一般には「仁徳天皇陵」として知られているのであるが、大仙陵古墳の被葬者を第一六代仁徳天皇とすることは、考古学的に疑問視されている。

大仙陵古墳は、その墳丘《ふんきゅう》上に遺された円筒埴輪《えんとうはにわ》の形式から、考古学的に五世紀半ばから同後半の築造と推定されている。しかし、『古事記』によれば仁徳天皇は五世紀前半に没しているので、両者の間には約半世紀のずれが生じている。

もちろん、大仙陵古墳の築造が、仁徳天皇の没後半世紀が経ってから行われたということもあり得ない話ではないのかもしれないが、古代天皇の崩御から殯《もがり》、埋葬までの常識的なプロセスからは、半世紀のずれは考えにくい。

ともあれ、本書は「歴史書」ではなく、古代日本の技術を科学的・技術的に検討することを旨とし、本章では古墳、特に前方後円墳について述べるので、被葬者についてはこれ以上深入りすることなく、所在地の地名をとった「大仙陵古墳」として話を進めることにする。

ただし、治定が明らかでない天皇陵であっても適宜、一般的に知られる「仁徳天皇陵」などの天皇名を冠した名称を用いることもある。

一〇万基超が築造された「古墳時代」

方形や円形の墳丘墓（古墳）は、弥生時代の紀元前六、五世紀〜三世紀にも少なからず存在する。しかし、古代史において、一般に「古墳時代」とよばれるのは、およそ三世紀中葉から六世紀後葉ないし七世紀初頭までの約三五〇年間のことである。

この間、九州から東北南部の水稲農耕社会において、図2-3に示すようなさまざまな形状の古墳が築造された。その間に造られた古墳の数は、前方後円墳約四七〇〇基、前方後方墳約五〇〇基、これに円墳と方墳を加えると、総数は一〇万基をはるかに超える。規模は一〇メートル前後のものが大半を占める（参考図書(5)）。

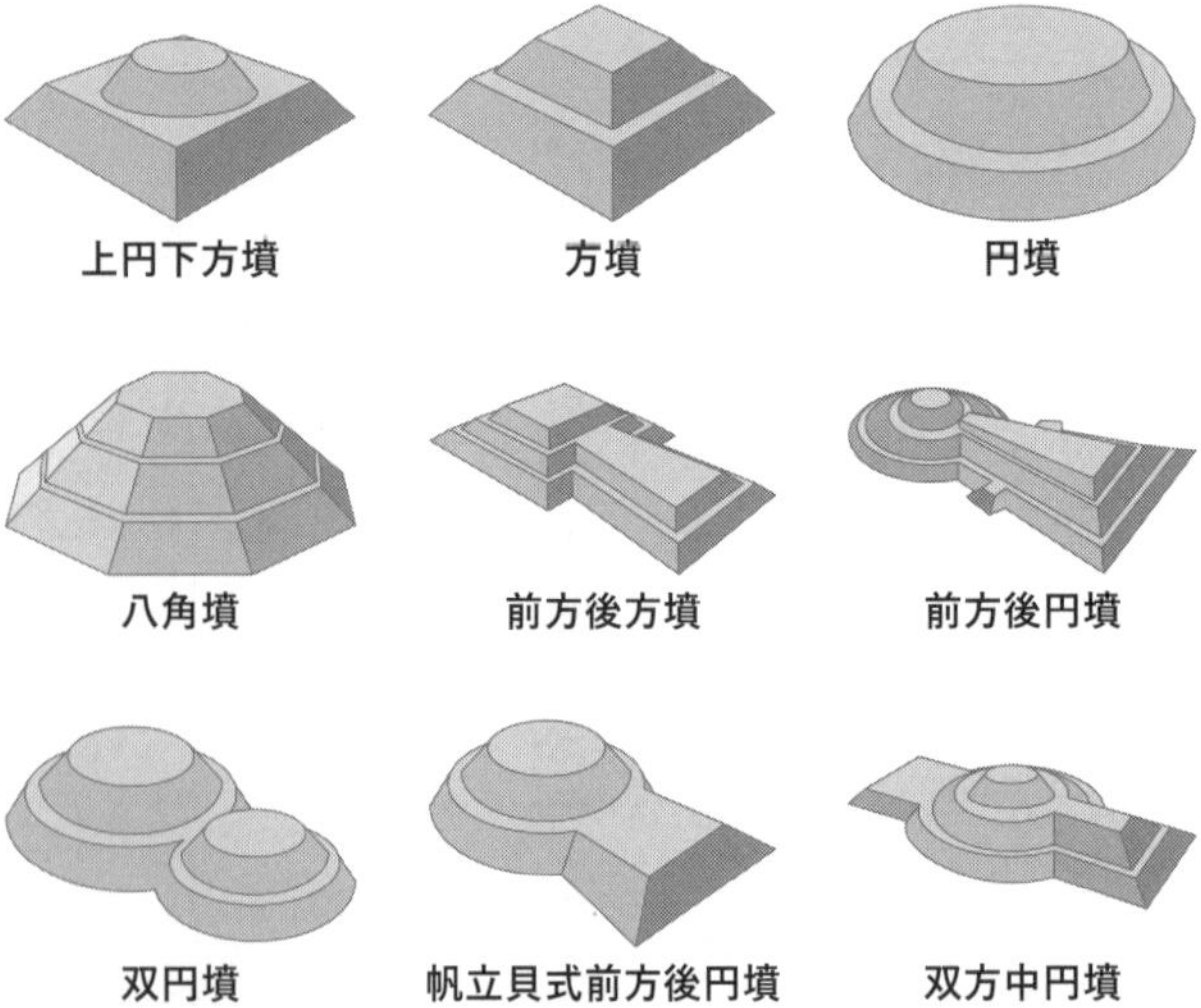

図2-3　さまざまな形状の古墳（参考図書(6)より一部改変）

図2-4　箸墓古墳（3世紀後半築造）（写真：朝日新聞社／Getty Images）

古墳巡りを趣味とする者にとって、たとえば、奈良県天理市・龍王山の山頂（標高五八六メートル）にある南城跡まで約五キロメートルの古墳群巡りは楽しい。前方後円墳の崇神《すじん》天皇陵（68ページ参照）にはじまり、少なからぬ横穴墓を探しながらの山登りハイキングである。いくつかの横穴墓の中には入ることができる。山頂に達する頃にはかなりの汗をかくが、そこは大和三山の耳成山《みみなしやま》、畝傍山《うねびやま》、香具山《かぐやま》、そして箸墓《はしはか》古墳を一望できる絶景スポットである。

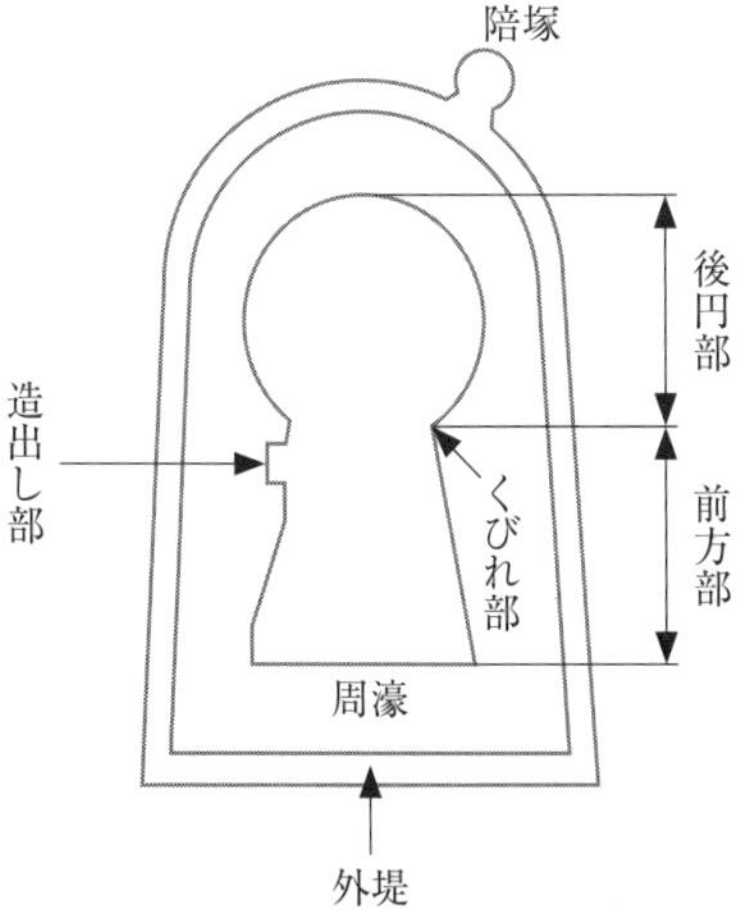

図2–5　前方後円墳の基本形状と各部の名称
（参考図書(4)より）

大きさの点で突出するのは前方後円墳で、その嚆矢《こうし》であり、古墳時代の幕開けを告げる箸墓古墳は、全長二七六メートル、高さ三〇メートルの巨大古墳である（図2－4）。

先述の大仙陵古墳（49ページ図2－1参照）は、墳丘長五二五メートル、高さ三六メートルの日本列島最大の古墳である。

土を高く持ち上げた埋葬施設である墳丘は大陸から伝わってきたが、「前方後円墳」形は日本独自の形状といわれている（一九八〇年代に朝鮮半島南西部で、百済《くだら》時代に日本から移入された一五基が発見されている)。つまり、日本古代史において「古墳」といえば「前方後円墳」なのである。事実、上記の古墳時代も「前方後円墳」が造られた時代と一致する。

今後の記述の都合のために、「前方後円墳」の基本形状と各部の名称を図2－5に示す。前方後円墳が「鍵穴形古墳」とよばれることがあるのもうなずける形状である。

松本清張の「前方後円墳」論

いま、日本古代史において「古墳」といえば「前方後円墳」なのである、と書いたばかりであるが、じつは、私は長らくこの「前方後円墳」という呼称自体に疑問を抱いていた。飛行するすべをもたない古代人が、鳥のように上空から古墳を見たことはなかったはずであり、「鍵穴形」も「前方後円形」も認識することはできなかっただろう、という単純な疑問である。

この私の疑問を、作家の松本清張もはっきりと痛快に述べてくれている。江戸後期の尊王論者・蒲生君平《がもうくんぺい》の著書で、幕末尊王論の先駆けとされる『山陵志《さんりょうし》』の一節を引きながら、松本清張自身の「前方後円墳」論を展開した箇所である。少々長くなるが、以下にその部分を引用したい。図2－5を参照していただくと理解しやすいはずだ。

〈日本の古墳には円墳と方墳とを連結した形のものが非常に多い。円墳部が後で、方墳部が前だという考えから前方後円墳の名は考古学用語となっているが、この名称には科学的な根拠があるわけではない。

幕末の勤王思想を背景に蒲生君平が天皇陵（天皇名のついた伝承上の古墳）を精力的に採訪してまわって書いた『山陵志』に、

「その制をなすや、かならず宮車に象《かたど》り、前方後円となさしめ、壇をなすに三成《みかさね》とし、かつ環《めぐ》らすに溝をもつてなす」とある名からとっている。

円墳部に被葬者を入れた石棺などがあるところからこれを本殿や奥座敷のようにみると、方墳部は拝殿や玄関にみえてくる。前方後円は君平のこういう単純な考えから起ったにすぎない。

方円墳は横から見てはじめて瓢《ひさご》形の壮大な双丘の全容が人の眼に見えるのであって、方墳部を前から眺めたのでは後の円墳部がかくれて小さな墳丘としか映らない。これを築造した権力者の目的は山陵の偉容によって人民を圧倒するにあるから、側面から見せてこそはじめてその効果がある。したがって現在の側面を正面と考えなければならない。

のちになるほど方墳部が高くなり、ついに円墳部とならび、さらにこれを超えた高さになるのは、前方後円の観念では、説明できず、いま側面とみられているところを正面と考えてこそ理解できるのである。

したがって円墳部と方墳部とが連結するくびれ部が全体の中央になるので、そこにつくられた造出《つくりだし》という小さな平面のテラスが墓の祭壇である。造出から祭祀土器が多く出土するのはそうした理由からだ。

君平が右のように「宮車に象り」と書いたのは造出がくびれ部の両側にあるのを見ての思いつきで、彼はそれを車輪のかたちだと考えた。造出は一つだけのものが多い。考古学者は君平の宮車説を否定しているが、根本の前方後円説になんの疑念ももっていないのは理解できない。

また、いわゆる「前方後円」墳の方向が揃うことなく、となりどうしがばらばらに違っていることに考古学界は眼をつむっている。この方向（長軸の方向）の不揃いは立地条件とは関係がない。統計で東南むきが多いというのでは各墳墓の方向不揃いの説明にならない〉

（参考図書(3)、傍点原文ママ）

松本清張はまた、別書で「いずれにしても、蒲生君平説いらいの『前方後円墳』の用語はもうあらためなければならない」と書き、「前方後円墳」を「方円墳」に改めるべきだと主張している（参考図書(2)）。

後述するように、私は松本清張の「前方後円墳」に対する考えに百パーセント同意するわけではないが、「いずれにしても、蒲生君平説いらいの『前方後円墳』の用語はもうあらためなければならない」には大賛成である。私自身、「前方後円墳」という名称には賛成できないのであるが、便宜上、以下しばらく「前方後円墳」と書くことにする。

「前方後円墳の形」をめぐる五つの疑問

さて、以下は、本章で私が最も強調したい「前方後円墳の形」についての考察である。

思えば、私が小学生の頃に「古墳」に興味を抱いた発端は、世界最大の墳墓である仁徳天皇陵がきわめて魅力的かつ不思議な形をした「前方後円墳」であることだった。52ページ図2－3に示したように古墳にはさまざまな形状のものがあるが、先述のように、日本古代史において「古墳」といえば「前方後円墳」であり、権力者の絶対的支配力を内外に示す巨大古墳が、すべて例外なく「前方後円墳」なのである。

「前方後円墳」は一般に、「円墳と方墳を連結させた日本独自の形状」であり（「前方後円墳」の名称に異議を唱える松本清張も、上記引用部の中で「円墳と方墳とを連結した形」と書いている）、「方墳部は祭祀場」である、といった説明がなされているが、私はこのどちらにも納得ができなかった。

次に掲げる五つの疑問が解消されないからである。

①なぜ円墳と方墳を連結させるのか
②円墳と方墳が同時に、同じ場所に存在するのであれば、それらの被葬者は誰なのか
③祭祀場としての方形部が大き（広）すぎないか（49ページ図2－1、53ページ図2－5参照）
④祭祀場であれば、神社の拝殿の方向がおおむね決まっているように、その方向に一定の規則性がないのはなぜか（図2－6参照）
⑤被葬者が埋葬される円墳が最も重要であるはずなのに、方形部が円墳部と同等の高さの古墳（仁徳陵、応神《おうじん》陵、白鳥陵など）や、完全に円墳部を超す高さの古墳（清寧《せいねい》陵）が存在するのはなぜか

④と⑤については、先の引用文中で松本清張も私と同様の疑問を呈示している。

これら五つの疑問に対する答えを求め、私は幾多の本を漁《あさ》ってみた。「前方後円墳」という一つの対象物について、①～⑤のすべての疑問が矛盾なく解決できなければ科学的・学問的とはいえないし、科学者の端くれとしての私は満足できないのである。

もちろん、「この道」の素人の私ゆえの見落としもあるだろうが、少なくとも「専門的論文」を除き、歴史家や考古学者が書いた一般向け書物の中で、私のすべての疑問に明快に答えてくれ

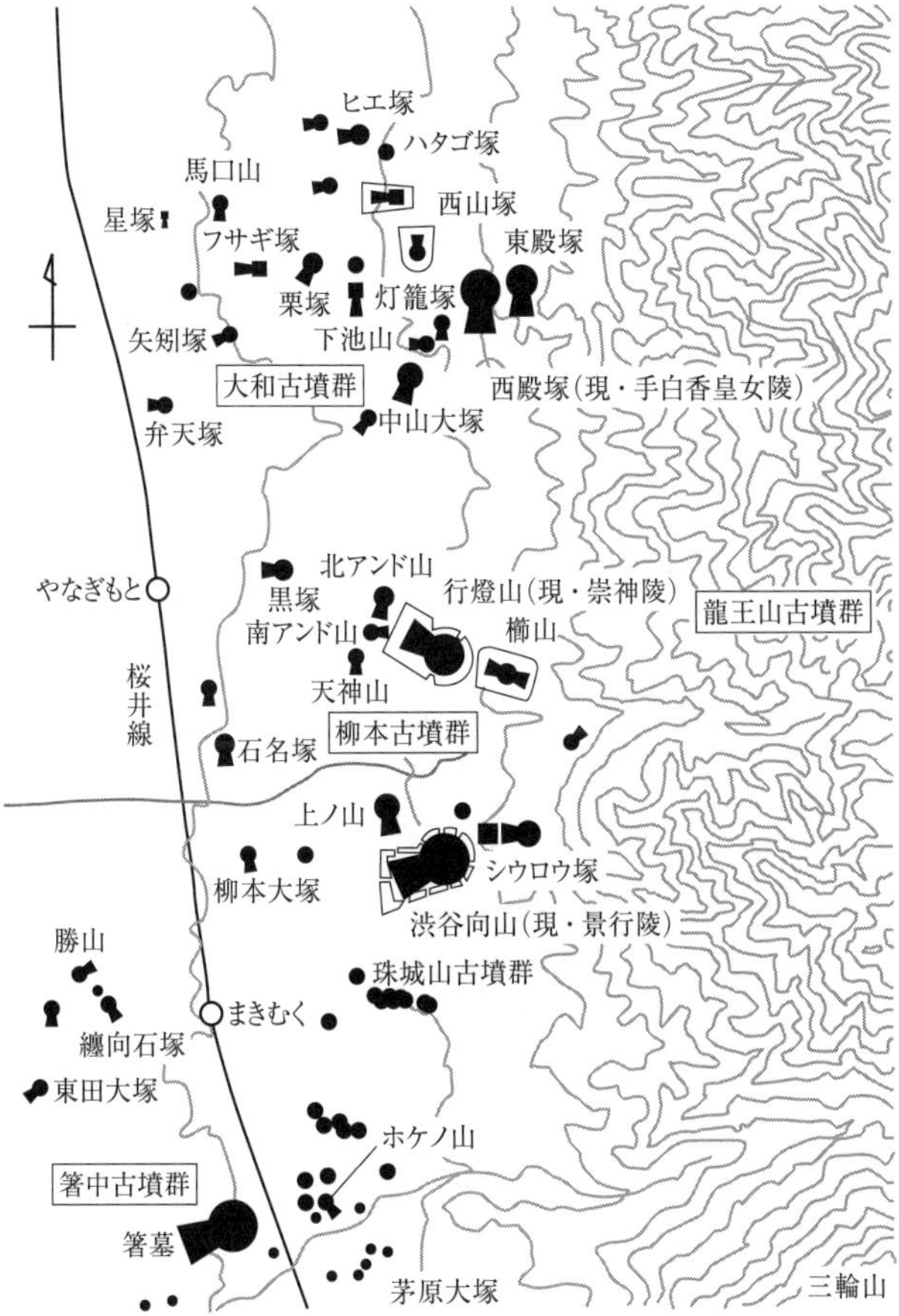

図2–6　奈良盆地東南部の古墳群（参考図書(5)より一部改変）

るものは一つもなかった。頼みの松本清張の一連の古代史本からも、明確な解答は得られなかった。

ある農業土木技術者の「前方後円墳」論

私の「前方後円墳」に関する疑問は未解決のままだったのだが、二〇二二年六月、今城塚《いましろづか》古墳（79ページ参照）を訪れた際に、今城塚古代歴史館ボランティア文化財スタッフの尾張秀男氏から、まさに「目から鱗」の思いもよらなかった話を聴いた。

尾張氏は「考古学的、歴史学的に何の裏付けもない勝手な個人的妄想」と謙遜しつつ、「三世紀中頃にできた箸墓古墳を第一号として七世紀後半まで続いた古墳時代は、まさしく稲作文化の真っ最中。水田の開拓と拡張に巨大古墳が無縁なはずはない」というのである。この「妄想」どころではない仮説を聴いた瞬間、私の脳裏に閃光が走った。

私は今城塚古墳から帰ってすぐに、さまざまな情報手段を用いて「巨大古墳と水田開拓・拡張との関係」を述べる文献はないか、必死に探した。その結果、不思議なことに「専門外」の農業土木技術者が書いた、はっとさせられるタイトルの『水田と前方後円墳』（参考図書(4)）という本に出合うことができた。

この『水田と前方後円墳』は、「日本史教科書に書かれていることや考古学で通説とされていることに対し、何ともいいようのない違和感を覚えるようになった」農業土木技術者・田久保晃氏による大論文とよぶべき「前方後円墳」論である。結論を先にいえば、この「前方後円墳」論によって、私の「前方後円墳」に関する①〜⑤の疑問は、すべてすっきりと氷解したのである。

田久保氏が抱いたそもそもの「違和感」は、「前方後円墳のすべての部分を墓として考えてもよいのであろうか。前方後円墳の数々の謎は、前方後円墳を権力者の墓としてしかみていないためにに生じているのではなかろうか」ということであり、いずれも、歴史学者・考古学者には無縁の「違和感」なのであろう。

田久保氏の主張は、「巨大前方後円墳は、墓所として、また関連する祭祀の場としての目的・機能に加え、何らかのプラス目的・機能を有する施設として築造されたのではないか」ということである。

田久保氏は、自身の農業土木技術者としての経験と全国各地の数々の前方後円墳の現地調査を基に、おそらくはいままで、歴史学者・考古学者の誰一人として唱えなかったであろう自らの主張を見事に論証する。その微に入り細を穿《うが》つ論証過程は、まさに理系の技術者のものであり、並の歴史学者・考古学者ではとうてい及ばぬものと思われる。

古代日本人はなぜ「憑かれたように墓づくりに熱中した」のか？

田久保氏の慧眼は、水稲耕作と前方後円墳を見事に結びつけた点にある。

確かに、歴史家の著作『前方後円墳』（参考図書⑤）にも、「日本列島の長い歴史のなかで、九州から東北南部にかけての水稲農耕《すいとうのうこう》社会において、人びとが憑かれたように墓づくりに熱中した時代があった」（傍点引用者）と書かれているように、日本で水稲耕作がはじまった時期と「古墳時代」が一致することは歴史的事実である。

歴史家や考古学者は、「歴史的事実」を述べればそれで「役目」を果たすのかもしれないが、私が知りたいのは、その時代、日本人が「憑かれたように墓づくりに熱中した」のはなぜなのかということである。

私は、何事においても「なぜ」を解き明かすことが最も重要であり、「なぜ」を考えることがまさに知的好奇心の原点だと考えている。自然科学に限らず、人文科学でも社会科学でも「なぜ」を追求することが、科学、ひいては学問の真髄ではないか。田久保氏は、私の疑問のすべての「なぜ」に見事に答えてくれた。

以下、田久保氏の「前方後円墳」論の要点を極力簡潔に記す。詳細については、大著『水田と前方後円墳』（参考図書(4)）を読んでいただきたい。

墳丘はなぜ「巨大化した」のか

現代に生きるわれわれはまず、日本の食生活、社会の歴史において、米（稲）がいかに革命的な食糧であったかを確認しておかなければならない。

弥生時代の主な食料は、縄文時代に引き続いて採集で得られるドングリやクルミなどの堅果《けんか》類に加え、農耕で得られる畑作物だった。

縄文時代晩期に伝来した水田稲作は、日本の食に革命を起こした。稲は長期間、同じ水田で作られながら連作障害が発生しない稀な作物であるが、それは、水田に流れ込む水によって栄養分が補給され、流れ出る水によって有害物質が洗い流されるためである。

また、なんといっても米は「うまい食物」であり、保存が利く栄養価の高い食物でもある。さらに、米は交易の場において最も交換価値が高く、富をもたらす物質でもあった。

つまり、手短にいえば、米がたくさん、安定して収穫できるクニがよいクニ、強いクニであり、そのようなクニの支配者が民衆から支持を得る支配者だった。以下に述べるように、水田稲作を得意とするクニがヤマトであり、「水田稲作集団」としてのヤマトは、圧倒的な米の生産能

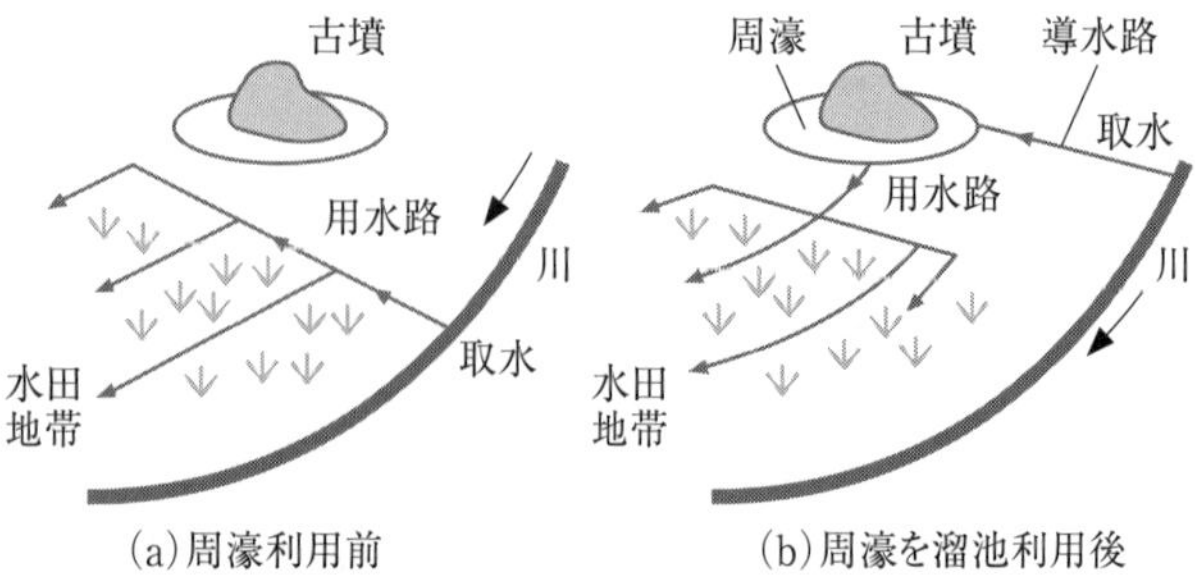

図2−7　古墳周濠を利用した用水供給システム(参考図書(4)より)

力をもつ最新の水田装置・システムを発明していたのである。

水田稲作にとって最も重要なのは、いうまでもなく水の安定的確保であるが、「自然の水」に頼らないためには灌漑《かんがい》用水が必要である。具体的には、溜池と灌漑用水路である。水田の広さは溜池の容積、つまり貯水量に比例するだろう。

一般的には、図2−7(a)に示すように、水は川から用水路を経て水田に供給される。しかし、このままでは、水田に供給される水量は天候に依存する川の水量に頼らなければならない。ところが、図2−7(b)に示すように、古墳の周濠を「溜池」として利用すれば、水田への水の安定的供給が可能になる。古墳周濠の容積を大きくすればするほど開拓可能な水田の面積が増し、結果的に稲の収穫量が増える。

同時に、古墳周濠の容積が拡大するということは、墳丘を造るための盛り土の量が増すということであり、より大きな墳丘の築造へとつながっていく。

田久保氏は、「巨大な前方後円墳は、その周濠に貯めた水によって地域の水田を灌漑することを目的に造られた、と私は考えた。しかし、前方後円墳の円墳部が墓として使われたことも紛れもない事実である」と書いている。

以上が、私の疑問①〜⑤すべてをすっきりと氷解させる結論である。

方形部合体型円墳

巨大な「前方後円墳」が造られる施工過程は、図2－8に示される。

周濠（溜池）の容量を増やせば掘り出される土の量が増し、前方部の規模（幅、長さ、高さ）が大きくなる。用地に制約がある場合には、前方部の幅と長さを狭めて、捨てる土を高く積み上げればよい。

私の疑問⑤にある、方形部が円墳部と同等の高さの古墳（仁徳陵、応神陵、白鳥陵など）や、完全に円墳部を超す高さの古墳（清寧陵）が、この場合にあたるだろうか。

いずれにせよ、前方部は後円部ができてから開発された新田の広さに比例した大きさなのである。

九州から東北南部まで広く分布する「前方後円墳」の中に、いくつか例外的なものが存在するのは事実であるが、総じて巨大な「前方後円墳」が、「円墳部が墓として使われたことも紛れも

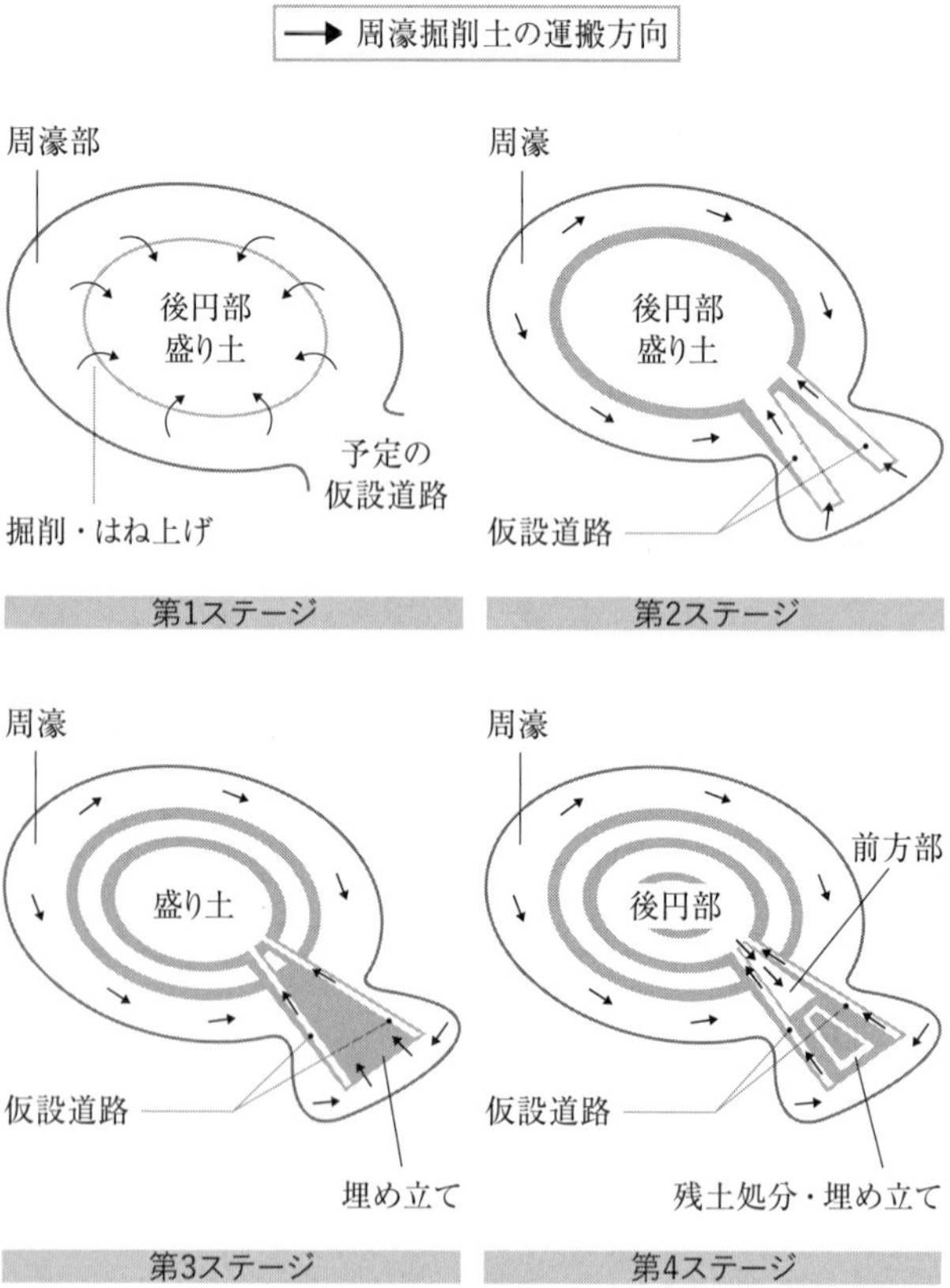

図2–8 「前方後円墳」の施工過程（参考図書(4)より）

ない事実である」が、「その周濠に貯めた水によって地域の水田を灌漑することを目的に造られた」とすれば、私のいくつかの付随的な疑問も氷解する。

以降は、「前方後円墳」という名称を改めたい。

円墳と方形部のどちらが「前」なのかははっきりわからない。施工過程・物理的形状を考えれば、私の感覚では円墳が前、方形部が後ろとするのが自然であるが、「前」か「後」かは宗教的感覚も考慮されるだろうから、この際、「前／後」については考えないことにする。

いずれにせよ、主被葬者の埋葬施設は「円」部に設けられているから、「方」部は「墳」ではなく、「前方後円墳」は円墳であり、その独特な物理的形状から「方形部合体型円墳」とよぶのが適当ではないかと思える（もちろん、このような呼称は誰にも使われていない）。

本章のタイトル「前方後円墳」にあえて「　」をつけた理由は、「方形部合体型円墳」という新たな呼称を提唱したい点にあった。

「巨大墳墓」築造の労力を上回る〝利点〟とは？

巨大な方形部合体型円墳の築造には、どれだけの期間と人間の労働力が必要なのだろうか。ピラミッドの築造と同様、甚大であることは間違いない。

一九八五年に、大林組プロジェクトチームが仁徳天皇陵の建造について、さまざまな仮定のもとに試算した研究成果がある。それによれば、工期は一五年八ヵ月、作業員数は延べ六八〇万七〇〇〇人、総工費は七九七億円である。

総工費はさておき、これだけの人数の〝作業員〟(一般民衆であろう)が、これだけの長期間、権力者の命令あるいは強制によって重労働を続けられるものだろうか。私には、とても考えられない。

ヤマトには、朝鮮半島の戦乱を逃れて大挙して渡来した「帰化人」がいた。彼らは、中国大陸の最先端の文化・技術を携えた技術者集団であり、彼らが伝えた技術の一つが、水稲耕作と農業土木だった。

方形部合体型円墳が築かれはじめた三世紀から四世紀初頭にかけて実在した最初の天皇と考えられている第一〇代崇神天皇は、「農は国の本である。人民のたのみとして生きるところである。今、河内の狭山の田圃は水が少い。それでその国の農民は農を怠っている。そこで池や溝を掘って、民のなりわいをひろめよう」と詔したといわれる(宇治谷孟 現代語訳『日本書紀(上)』講談社学術文庫、一九八八)。

ヤマト王権は渡来技術者集団の力を活用し、「米の増産によるクニ造り」を進めた。巨大方形部合体型円墳の周濠を水源として開拓された水田は、古墳築造に携わった人々に分配されたので、民衆は「保存が利き、栄養価が高くうまい食物であり、さらに、交易の場において最も交換価値が高く、富をもたらす米」の増産のために、自ら率先して重労働に従事したのである。民衆が、三〇〇年の長きにわたって方形部合体型円墳の築造に労力を出し続けたモチベーションが、「自分たちのための米の増産」であったとすれば合点がいく。

古代史の「常識」を疑う――ヤマト王権がもたらしたものとは？

ヤマトは徐々に水田面積を増やし、主要な食物であり、物品貨幣でもあった米を増産することによって富を蓄積して勢力を強め、クニ造りを着々と進めていった。ヤマトが列島内のクニグニに与えた「徳」は、方形部合体型円墳の周濠がもたらす米作りという富の生み出し方と、その巨大墳丘がもたらす政治的効果・信仰的効果であった。

地方のクニグニがヤマトを見習おうとするのは、自然な成り行きである。全国的に見られる方形部合体型円墳は、ヤマト王権の「支配下」にあること、少なくとも「仲間」であることを示す「共通のカタチ」である、というのが古代史の常識と思われていたが、それは表面的なことであり、多くのクニグニが自らヤマトを見習った結果だったのである。

巨大な方形部合体型円墳は、その周濠に貯めた水によって地域の水田を灌漑することを目的に造られたが、同時に、偉大な支配者の威容を示す墳墓でもあったと考えれば、多くの疑問がすっきりと氷解する。

繰り返す。

民衆が三〇〇年にわたって方形部合体型円墳の築造に労力を出し続けたモチベーションは、「自分たちのための米の増産」であったのである。

ストーンヘンジとの共通点

古代に限らず近代においても、歴史的巨大建造物あるいはモニュメントの建設は、ほぼ例外なく王ら権力者の命令によって、一般民衆が長期間にわたって使役に駆り出されることによって行われている。

本書の姉妹編『古代世界の超技術〈改訂新版〉』の第2章で縷々《るる》述べたストーンヘンジは、古代ブリトン人が紀元前三〇〇〇～紀元前二〇〇〇年頃にかけて、数回の段階を経て建造したと推定される巨石建造物であるが、私が感動を覚えたのは、ストーンヘンジという巨大なモニュメント建設が、王ら権力者の命令によって、彼ら権力者のためにやらされたのではなく、ダーリントンという一地域に集結した古代ブリトン人が、自らのために自主的に行ったらしいということである。

これが、ピラミッドをはじめとする「古代文明」の「主役たち」とストーンヘンジとが大いに異なる点である。大ピラミッドは一人の王のために造られたが、ストーンヘンジは従事者全員のためのものだったのである。

もちろん、巨大なモニュメントの建造をきわめて長期間にわたって継続するためには、統率者や技術者等のリーダーが必要不可欠である。しかし、彼らと、実際に建造に従事した者たちとは、「権力者―使役人」の主従関係にはなかった。

それゆえに、ストーンヘンジの従事者は、自分たち自身のために数世紀の長期間にわたる重労働に耐えることができたのである。彼らは充足感に浸《ひた》りながら、重労働に喜びさえ覚えていたのではないかと夢想する。

いまここで、読者は日本古代史の中で特異な存在である巨大方形部合体型円墳とストーンヘンジに「大いなる共通点」を見出すのではないだろうか。

ストーンヘンジと方形部合体型円墳という、場所も時代も異なる巨大モニュメントの建造に長期間にわたって労力を提供し続けた人々のモチベーションは、いずれにおいても、それが「自分たち自身のため」だったことから生まれているのである、と私は思う。

「築造当時の古墳の姿」とは？

いま、われわれがふつうに目にする古墳は、49ページ図2－1や52ページ図2－4に見られるように、深い樹木に覆われた小山か丘のような姿をしている。

古墳巡りを趣味の一つとする私自身、そのことにまったく違和感を覚えずにいたのであるが、よくよく考えてみると、違和感を覚えなければいけなかったのである。築造当時は深い樹木に覆われているわけではなく、人工的な葺石《ふきいし》が整然と並べられた外表面をもつ〝墳墓〟だからである（〝古墳〟ではない）。

築造当時、太陽光を反射する葺石に覆われ、燦然《さんぜん》と輝いていたであろう巨大な墳墓の威容は、国家の象徴である。国内の人々はもとより、中国大陸や朝鮮半島から海を渡って日本を訪れた使者に、いやがおうにも大王の権威を見せつけたに違いない。

そもそも、大規模な墳墓を築造する目的の一つは権威の誇示にあったので、それが深い樹木に覆われた小山か丘のようであってはまずいのである。大王の墳墓はやはり、遠目からも一目瞭然の燦然と輝く巨大なものでなければならない。

いま、築造当時の墳墓の威容を見るのは簡単ではないのだが、たとえば、築造当時の姿に復元されている神戸市垂水区五色山にある五色塚《ごしきづか》古墳（千壺《せんつぼ》古墳）で、雄大かつ高度な古代の土木技術を窺い知ることができる（図2－9）。古墳の上まで登ることができる歩道が整備され、淡路《あわじ》島《しま》や明石海峡を一望できる絶景スポットとなっており、これは築造当時の眺望でもあったことだろう。

図2–9　五色塚古墳（右の円墳は小壺古墳）
（写真：朝日新聞社／Getty Images）

五色塚古墳は、全長一九四メートルを誇る兵庫県下最大の方形部合体型円墳（「前方後円墳」）であり、四世紀末～五世紀初頭（古墳時代中期）の築造と推定されている。復元に際し、方形部の葺石に築造当時の「淡路島の石」が使われている（図2－10）。

被葬者は明らかでないが、その立地から明石海峡やその

図2–10　五色塚古墳表面葺石（筆者撮影）

図2–11　小豆島の岩山（筆者撮影）

周辺を支配した豪族の首長であろう。

築造に際して明石海峡対岸の淡路島から多量の石が運ばれたという事実は、『日本書紀』の「神功《じんぐう》皇后紀」の「播磨《はりま》に行き山陵を明石に立てることとし、船団をつくって淡路島にわたし、その島の石を運んだ」（前掲の宇治谷孟 現代語訳『日本書紀㊤』講談社学術文庫）という記述と対応するため、被葬者の支配領域が淡路島まで及んでいたのは確かだろう。

『日本書紀』には「淡路島の石」が書かれているのだが、最近、私が小豆島《しょうどしま》を友人たちと車で巡って驚いたのは、小豆島は「全島が花崗岩の塊」であるということだった。

たとえば、図2-11は道沿いの一光景であるが、加工が容易な板状節理がはっきりと見られる花崗岩が露出している。小豆島にはこのような光景がいたるところで見られ、目についた看板だけでも、少なくとも五社を超える石材業者が「現役」であることがわかる。事実、一九九四年九月に開港した関西国際空港建造の際は、多量の小豆島の石が使われたらしい。

歴史的に、「小豆島の石」といえば一六四〇年代の大坂城修築に使われたことで知られているのであるが、「淡路島の石」に加え、「小豆島の石」も古墳時代から使われていたことは間違いないと思う。

いずれにせよ、築造当時はいかに燦然と輝く墳墓であっても、日本の高温多湿の気候下で放置されれば、数十年で樹木に覆われてしまうのである。

武士は古墳の主を知らなかった!?

われわれ現代人はいま、多くのそのような〝古墳〟を見ている。

『万葉集』の中に、たとえば「かつては燦然と輝いていた陵《みささぎ》であるが、いまは樹木に覆われてしまって、過去の栄光は見られない。寂しいものだ」というような慨嘆の歌があってもよさそうなものだが、全二〇巻を読破した私の記憶では、実際には一つもない。万葉の古代人は、いつも「燦然と輝く陵」を見ていたのであろうか。

どうやら「そう」らしい。

平安時代までは墓守《はかもり》を置いて陵を守っていたが、鎌倉時代以降はその制度も廃止され、どれが誰の墳墓であるのかが、わからなくなってきたのだという。戦《いくさ》に追われる武士の時代になり、〝古墳〟どころではなくなったのだろう。

古代日本のご先祖様に目が向き、古墳を研究する余裕が生まれたのは、徳川家康によって世の中が平和になり、安定した江戸時代になってからのことである。これは現代にも通じる話で、ミサイル発射に躍起になっているような国や、いつも戦争をしているような国に、まともな歴史や文化が生まれないのは当然である。

なんとしても築造当時のままの「燦然と輝く古墳」を見たいものだと探して見つけたのが、いまからおよそ五〇年前に、五世紀初頭の完成時のようすを再現した復元保存古墳・五色塚古墳だったのである。図2-9、図2-10に見られるように、確かに、五色塚「古墳」は樹木に覆われることなく燦然と輝いている。

だが、待てよ？　五色塚古墳が再現・復元されてからすでに五〇年近くが経っている！放っておけば、数十年で樹木に覆われてしまうのではなかったか。

〝秘密〟は、すぐにわかった。

献身的な地域の人たちが毎日、草むしりをしてくれているのである。つまり、墓守が居続ければ、いま、日本国中のいたるところで燦然と輝く……とまではいかなくても、樹木に覆われることなく、築造当時の葺石が苔むした外表面の古墳を見ることができるはずなのである。

文化と歴史を守るには、平和と余裕、地域住民の理解、そして国と地方自治体の見識・姿勢と実践が必要である。いずれも「経済効率」、いわんや「軍事」最優先の国では無理である。

歴史上「最も興味深い天皇」

もう一つ、築造当時のままの「燦然と輝く古墳」が見られる例として、奈良県高市郡明日香《あすか》村にある牽牛子塚《けんごしづか》古墳を紹介しておきたい（図2－12）。

牽牛子塚古墳は、二〇〇九～一〇年にかけての発掘調査によって、八角墳（52ページ図2－3参照）であることが判明し、二〇二二年二月に完全復旧が終了したばかりの真新しい「古墳」である。私はこのあたりを何度か散策しているが、周囲は飛鳥時代のままではないかと思われるほ

図2-12　牽牛子塚古墳　a工事中（2020年9月）、b完成一般公開（2022年3月）（筆者撮影）

どのどかな景色である。

第三四代舒明《じょめい》天皇と、その子の第三八代天智天皇および第四〇代天武《てんむ》天皇の陵墓（第四一代持統《じとう》天皇との合葬墳）はいずれも八角墳である。

牽牛子塚古墳も当時の皇族の陵墓に特徴的な八角墳であることや、築造当初から合葬が明確に計画されていたことを示す調査結果に加え、『日本書紀』に述べられる第三七代斉明《さいめい》天皇・間人皇女《はしひとのひめみこ》合葬の記述とあわせて、牽牛子塚古墳が斉明天皇陵であることが確実視されている。

ところが、ありがたいことに、宮内庁は奈良県高市郡高取町車木《くるまき》に所在する車木ケンノウ古墳を斉明天皇陵として治定してきた。周知のように、宮内庁によって皇族の陵墓に治定されると学術的発掘調査ができないのだが、牽牛子塚古墳は天皇陵として治定されていないおかげで自由に発掘調査ができた。

完全復旧した全容を間近に見られるばかりでなく、二〇二二年三月以降は、斉明天皇と間人皇女の二人が横たわっていたであろう合葬玄室まで拝観できるのである（図2－13）。一般的には、天皇陵の玄室の内部を目の前で見られることなどあり得ないことであり、これも「宮内庁さまさま」である。

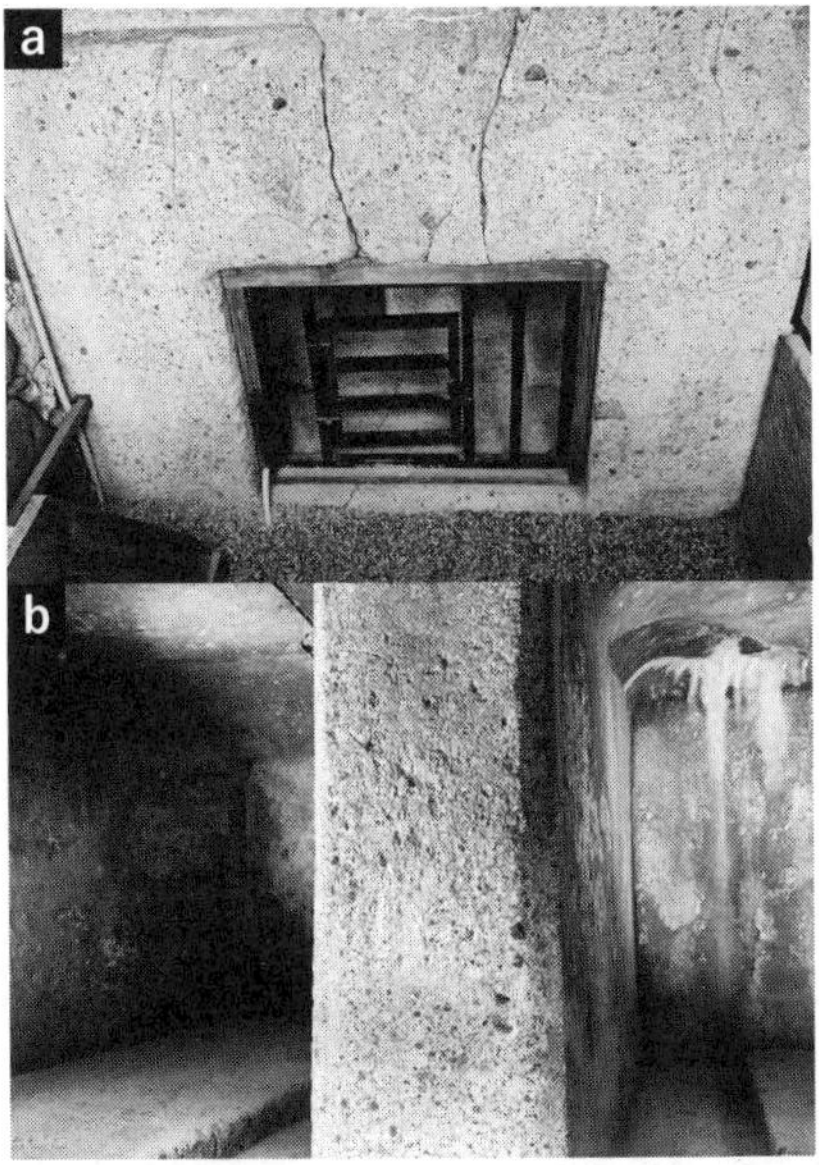

図2–13　牽牛子塚古墳　a玄室（柳澤万里枝撮影）　b玄室内部（津田直毅撮影）

また、日本の歴代天皇の中で、さまざまな歴史的観点から最も興味深い天皇の一人は第二六代継体《けいたい》天皇であるが（高槻市教育委員会編『継体天皇の時代』吉川弘文館、二〇〇八）、この継体天皇陵として確実視されている大阪府高槻市にある今城塚古墳も宮内庁の治定を免れている。

このおかげで、高槻市による発掘調査のあと、今城塚古代歴史館を含む「いましろ大王の杜」という公園として、近隣住民の散策の場となっている。

歴史学的、考古学的に確実視されているにもかかわらず、かたくなに治定を変えない宮内庁の体質もいかがなものかと思うが、私のような古代史趣味の者にとってはとてもありがたいことなのである。

夏目漱石とボーアの「専門家」論

私はいままで、「日本古代史」に関する本を小説を含めて一〇〇冊以上読んでいるが、田久保氏の『水田と前方後円墳』ほど感服させられた著作は他にない。

田久保氏は、同書執筆の動機を「私は、考古学についてはまったくの門外漢である。その私が専門である農業土木の技術を用いて、前方後円墳についての謎を解いてみようと思った」と書いている。

歴史学者でも考古学者でもない農業土木技術者である田久保氏が「前方後円墳の謎」のすべてを、さらには「古代史の謎」のいくつかも農業土木技術の観点から、並の歴史学者や考古学者ではとても無理であろう見事な解明をしてくれた。

田久保氏の姿勢は、私が本書の「はじめに」で書いた、歴史的建造物や遺品を見るとき、文献主義の考古学者や歴史学者とは異なるハイテク分野の人間だからこそ、〝見える〟〝感じる〟〝感心する〟〝驚く〟〝感動する〟ことは少なくない、という考えと完全に一致する。古代の遺物の構造やしくみ、それを支える道具や技術について、より深く理解することができるからである。

それにしても、発行年を考えれば『前方後円墳　巨大古墳はなぜ造られたか』（参考図書⑸）に登場する歴史学者や考古学者が、田久保氏の『水田と前方後円墳』と題する本を知らないはずがない（知らないとすれば不勉強の誹《そし》りを免《まぬか》れまい）。にもかかわらず、田久保氏の「前方後円墳説」を誰も引用しておらず、話題にも挙げていない。田久保氏がその道の専門家ではない農業土木技術者だからであろうか。それが「専門学者」たちの「専門家」らしいところなのか。

じつは、私も似たような経験をさせられている。

本書の姉妹編である『古代世界の超技術』の初版で、エジプトの大ピラミッドについて従来の常識を覆すことをいくつか書いた。

大ピラミッドが平均二・五トンの巨石二〇〇万個、総重量六七〇万トンもの自重に潰れることなく四五〇〇年の時を耐えてきた秘密として、考古学界では広く〝重量軽減の間〟の効果が指摘されてきた。しかし、私は〝重量軽減の間〟などはまったく関係なく、自重に潰れないのはあたりまえであることを、石の強度測定実験によって明らかにした。

また、クフ王の大ピラミッドとその前に鎮座するスフィンクスとは同時期に造られた一対のものであるというのが常識的通説となっているが、私はヘロドトスの『歴史』とそれに基づく考察から、その通説は理解しがたく、大ピラミッドとスフィンクスは別の時期（スフィンクスはピラミッドの後）に建造されたものであると指摘した。

しかし、それから一〇年を経た現在に至るも、歴史学者・考古学者はもとより、ピラミッド「専門家」の誰からも賞賛はもとより反論も届いていないし、完全に無視されているようである。日本語で書いた本なので外国人学者に読まれていないのは仕方ないにしても、拙著のタイトル、れっきとした出版元を考えれば、日本国内の歴史学者・考古学者が誰一人読んでいないということは考えにくい。

やはり、田久保氏と同様に、私がその道の専門家ではないから「取るに足りない」と思われているのであろう。

私が敬愛する夏目漱石は、「専門家」を以下のように痛烈に批判している。

〈自分の専門は、日に月に、年には無論のこと、たゞ狭く細くなつて行きさへすれば夫《それ》で済むのである、丁度針で掘抜《ほりぬき》井戸を作るとでも形容して然るべき有様になつて行くばかりです（中略）此《この》状態を最も能《よ》く証明して居るものは専門学者などだらうと思ひます、昔の学者は凡《すべ》ての知識を自分一人で脊負《しょ》つて立つた様に見えますが、今の学者は自分の研究以外には何も知らない私が前《ぜん》

申した意味の（中略）が揃つてゐるのであります〉

（「道楽と職業」、『漱石全集　第十六巻』所収、岩波書店、一九九五）

また、私が物理学者の中で最も尊敬する人物の一人であるニールス・ボーアの「専門家」と「哲学者」についての痛快な言葉を思い出す。

〈専門家と哲学者との違いは何であるか。専門家はあることについていくらかを知ることからはじめ、より少ないことについてより多くのことを知ることを続け、結局、どうでもいいことについてすべてを知って終わる人物である。一方、哲学者はあることについていくらかを知ることからはじめ、より多くのことについてよりわからなくなり、すべてのことについて何もわからないで終わる人物である。〉

（Abraham Pais, *Einstein Lived Here*, Oxford University Press, 1994. 訳、傍点ともに引用者）

私自身、漱石やボーアがいうところの「専門家」ではないと自覚してはいるものの、そして自分のことを「哲学者」とよぶのはあまりにもおこがましいが、私は喜んで「哲学者」の道を歩みたいと思う。

主な参考図書（発行年順）

(1) 大林組プロジェクトチーム「現代技術と古代技術の比較による仁徳天皇陵の建設」（『季刊大林』20、一九八五）
(2) 松本清張『空白の世紀　清張通史2』（講談社文庫、一九八六）
(3) 松本清張『古代史私注』（講談社文庫、一九九三）
(4) 田久保晃『水田と前方後円墳』（農文協プロダクション、二〇一八）
(5) 吉村武彦・吉川真司・川尻秋生編『前方後円墳　巨大古墳はなぜ造られたか』（岩波書店、二〇一九）
(6) 週刊朝日MOOK『歴史道』Vol.12（朝日新聞出版、二〇二〇）
(7) 週刊朝日MOOK『歴史道』Vol.20（朝日新聞出版、二〇二二）

3

五重塔は なぜ倒れないのか

——揺れる「心柱」の秘密

東京スカイツリーに生きる「古代の心」

二〇一二年五月二二日、電波塔・東京スカイツリー（東京・墨田区）が、着工以来およそ四年を経て開業した。高層建築物としては、アラブ首長国連邦のドバイにそびえ立つ八二八メートルの「ブルジュ・ハリファ」が世界一の高さであるが、「塔」としては、高さ六三四メートルの東京スカイツリーが世界一を誇る。

計画当初、東京スカイツリーは約六一〇メートルとなる予定だったが、同時期に建設していた中国の広州タワーが同じ高さを想定していることがわかり、高さを六三四メートルに引き上げて〝世界一〟を死守したといういきさつがある。

この「六三四」という数字は、建設地域の旧国名「武蔵（ムサシ）」にちなんで決められたものだ。ちなみに、広州タワーの高さは結局、六〇〇メートルにとどまり、二〇一〇年九月に一般公開がはじまった。

東京スカイツリーには、足元からてっぺんまで日本企業の最先端技術の粋が集められている。

たとえば、地上三五〇メートルの展望台（天望デッキ）まで約五〇秒で到達する高速エレベーターは、一般的なマンションに設置されているエレベーターの一〇倍近い速さである。このような速さに伴う振動に耐えるため、エレベーター室が上下に走るレールのつなぎ目の段差は〇・〇〇一ミリメートル以下に抑えられており、実質的にゼロである。エレベーター室の上部と下部の覆いを斜めにして、空気抵抗を減らす工夫もなされている。

地上約五〇〇メートルから上の「ゲイン塔」に設置された地上デジタル放送用のアンテナも、毎秒一一〇メートルの最大瞬間風速に耐え得るように、従来の角張ったものではなく、流線形に設計されている。また、東京スカイツリーには約四万トンの鋼材が使われているが、それは世界最高レベルの技術の結果として、他に類を見ないほどの高性能を誇るものである。

このほかにも、天望回廊に使われているガラスや外壁の塗料、省エネ・高性能送信機、省エネLED、壁状の杭をつないだ基礎や制振装置などなど、枚挙にいとまがない。東京スカイツリーは、〝現代日本の最先端技術〟から成る文字どおりの〝金字塔〟といえる。

じつは、東京スカイツリーに使われているのは〝現代日本の最先端技術〟だけではない。二〇一一年三月一一日に発生した東日本大震災（「3・11」）のすさまじさは、いまだ記憶に生々しく残っているが、〝地震国〟日本の高層建築技術の中で最も重視されるのは、いうまでもなく免震、制振構造技術であろう。

免震構造とは、地震のエネルギーをできるだけ建物に取り込まないようにする工夫で、地盤と建物との間に「ある機構」を挿入することによって、地震エネルギーの伝播を抑制する構造のこ

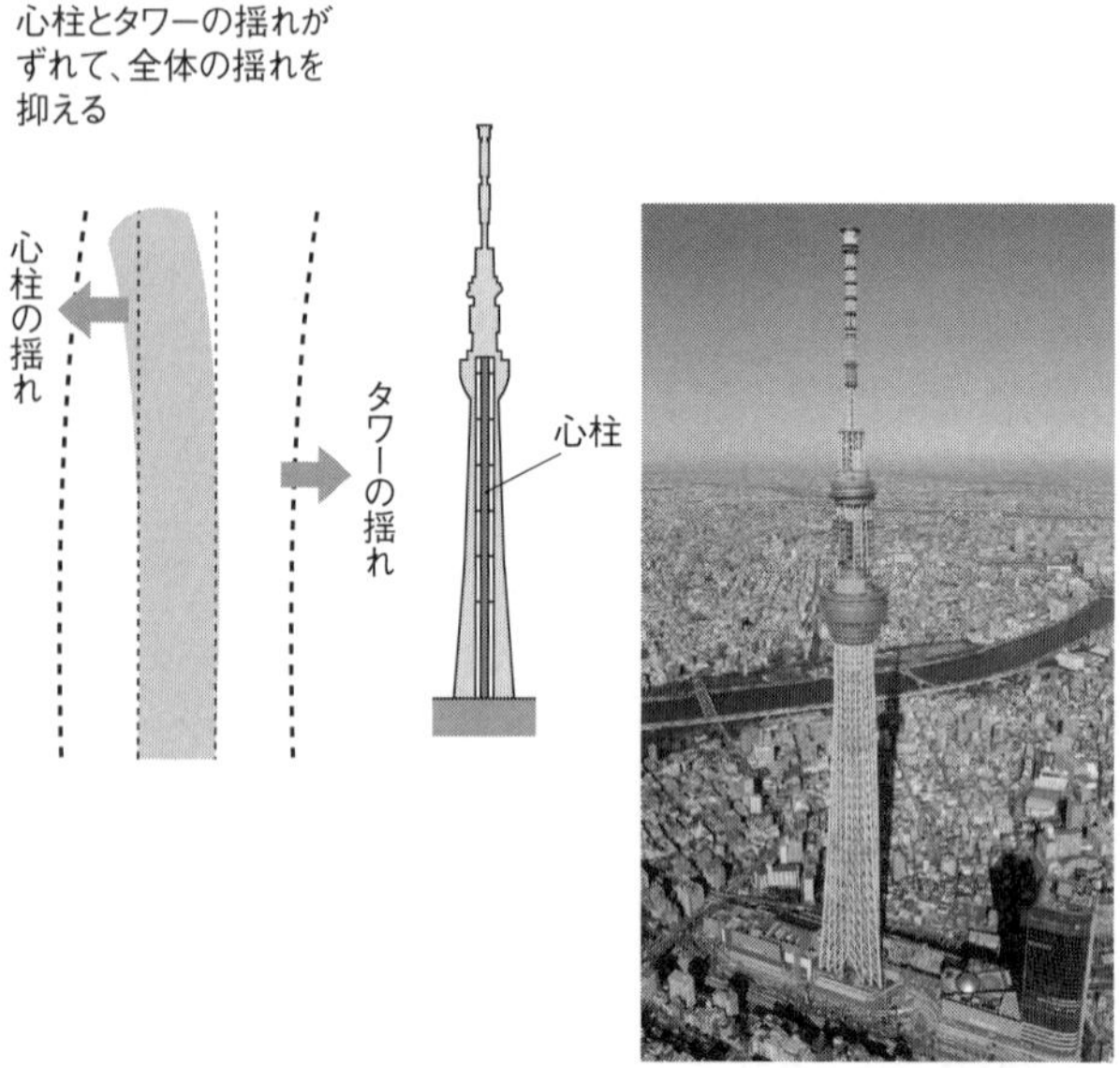

図3−1　東京スカイツリーの制振機構〝心柱〟（写真は共同通信社提供）

とである。また、制振構造とは、建物の揺れを制振機構の導入によって抑制しようとする構造のことで、主に風に対する揺れや地震時の揺れを防ぐ目的をもっている。

　東京スカイツリーには、塔のど真ん中に鉄筋コンクリート製、高さ三七五メートルの〝心柱《しんばしら》〟を挿入した「世界初」の制振システムが使われている（図３－１）。この心柱の下三分の一はツリー本体に固定され、上三分の二がツリー本体とは分離しており、地震や強風で本体が揺れる際に、本体とは異なる動きをして、結果的にツリー全体の揺れを抑えるはたらきを果たす。

いま、私はこの〝心柱制振システム〟を「世界初」と書いたのであるが、じつは、このような〝心柱制振システム〟は、以下に詳しく述べるように、現存する世界最古の木造建築である法隆寺五重塔をはじめとする日本古来の木塔（五重塔、三重塔など）に必ず使われた「古代日本が誇る伝統的技術」なのである。

一〇〇メートルに迫る仏塔があった！

五重塔に代表される仏塔の姿、形の美しさにはうっとりするばかりである。その構造の巧みさ、雄大さを知れば知るほど、そのような仏塔を建てた古《いにしえ》の宮大工に畏敬の念を抱かざるを得ない。

私が実際に見たことがある仏塔の中で、個々に名を挙げれば、奈良・薬師寺の東塔、室生寺の五重塔、京都・醍醐寺の五重塔、山口・瑠璃光寺の五重塔などが好きだ。また、日本最大の（最も高い）京都・教王護国寺（東寺）の五重塔は何度見ても、その迫力に圧倒される。

古刹《こさつ》というわけではないが、青森市にある青龍寺の五重塔（図３－２）は特筆に値する。一九九六年一〇月に落慶法要をした新しい五重塔であるが、青森檜葉《ひば》の無垢《むく》の木肌がまことに美しい。日本古来の木造建築技術をもつ数少ない一人であった大室勝四郎棟梁が渾身の想いで建てた総高三九・一メートルの、現代の堂々たる木造五重塔である。

高さとしては、前記の東寺（五四・八メートル）、興福寺（五〇・八メートル）、香川・善通寺（四五・五メートル）に次ぎ、日本で四番目である。若々しかった青森檜葉の無垢の木肌はいまは味のある飴色に変わったが、杉木立の山を背景に、青龍寺五重塔は凜として立ち、その姿は日本伝統の美を誇っている。

しかし、私が最も魅力を感じる寺といえば、それはやはり法隆寺である。個々の建物とともに、総合的な伽藍《がらん》のすばらしさ、風格となると、法隆寺の右に出る寺はない。また、伽藍のすばらしさとは別に、法隆寺の寺歴・縁起にも興味の尽きないものがある。

法隆寺は一三〇〇年以上前に建てられた古刹中の古刹で、世界最古の木造建築物を現世に遺している。法隆寺の伽藍を見ると、私はいつも、えもいわれぬ感動に襲われ、静寂の中にも胸が熱くなる感じを覚える。一三〇〇年以上もの間、さっそうと立ち続ける五重塔の美しさは格別である。

仏塔を建築様式で分けると、多重塔と多宝塔に大別される。

五重塔や三重塔の多重塔は、飛鳥時代に朝鮮半島から日本へ伝えられたものである。

多宝塔は、円筒状の塔身に隅棟が中央に集まる宝形《ほうぎょう》（方形）の屋根を載《の》せた宝塔の周囲に裳《も》階《こし》をつけた形式の、平安時代にはじまる仏塔である。

多重塔と聞いて、われわれの頭にまず浮かぶのは五重塔である。実際に、〝五重塔〟は〝多重塔〟の代名詞といってもよい。しかし、意外なことに、日本の多重塔で最も数が多いのは三重塔

図3-2　青森・青龍寺五重塔（1996年10月建立、青龍寺提供）

である。

慶雲《けいうん》三（七〇六）年に完成した奈良・法起寺の三重塔は、過去一二六二年、一六七八年の二回にわたって大修理を施されており、法隆寺の五重塔に匹敵する日本最古の三重塔である。

私の主観かもしれないが、姿の優美さやその歴史によって、一般的に最も人気がある三重塔は、薬師寺東塔であろう。この東塔は、薬師寺創建当初の唯一の遺構である。各層に裳階がつけられているので六重塔に見えるが、れっきとした三重塔である。二〇〇九年から大規模な解体修理が行われ、二〇二一年に竣工した。

日本に現存する木造の多重塔は五重塔、三重塔と奈良県桜井市にある談山《たんざん》神社の十三重塔（七〇一年創建、一五三二年再建）のみであるが、過去には七重塔、九重塔も造られた。遺された記録や基壇跡から判断すれば、想像を絶する高さのものもある。前述のように、現存する最高の木塔は京都・教王護国寺（東寺）の五重塔であるが、かつては、その二倍近い高さの木塔がそびえていたのである。

暦応《りゃくおう》三（一三四〇）年の「院家雑々跡文」という史料には、

春日東御塔五重塔	高一七丈
興福寺五重塔	高一五丈
東大寺七重塔	高三二丈
法勝寺八角七（九）重塔	高二七丈
東寺五重塔	高一六丈
宇津宮十三重塔	高一六丈

と、京都、奈良周辺のものと目される木塔の高さが記されているそうである（参考図書⑦）。法勝寺の八角塔は当初、七重塔であったが、すぐに、さらに二重が組み上げられて九重塔になったという。一丈は約三メートルだから、東大寺七重塔は約九六メートル、法勝寺八角九重塔は約八一メートルの高さということになる。じつに、高さ一〇〇メートルに迫る仏塔が、かつての日本に存在していたのだ。

東大寺七重塔（東塔、西塔の二塔である！）が建てられたのは、第四五代聖武《しょうむ》天皇（在位七二四〜七四九年）の天平《てんぴょう》時代である。そして、それらの塔は、それから約四〇〇年の間、存在していたという。当時の人びとが、その塔の高さにどれだけ驚いたか、私自身が、五十数年前に超高層ビル第一号（霞が関ビル、一四七メートル）を見たときの驚きを思い出すと、まさに想像を絶するものがある。

倒れない木塔

日本の歴史上、木造の仏塔は全国に五〇〇以上あり、それらの多くは兵火や雷火、失火、放火などによる焼失と建て替えを繰り返してきた。実際に存在した木塔の数は、それより何倍か多かったと考えられる（参考図書⑦）。江戸時代から近代にかけての〝廃仏棄釈《はいぶつきしゃく》〟、仏教排斥思想のために破壊された仏塔も少なくなかったろう。

たとえば、天保《てんぽう》年間（一八三〇～四四年）、藩主・徳川斉昭下の水戸藩では一九〇の寺が破却され、領内寺院から撞鐘《つきがね》、半鐘などが押収されて大砲の材料として使われたという記録がある。明治元（一八六八）年には、明治政府によって廃仏棄釈政策が実施され、全国的に多くの寺院が破壊されている。

日本では過去、数百という数の木塔が失われている。雷火のような天災による焼失はやむを得ないとしても、兵火や廃仏棄釈などの〝人災〟によって、数多くの日本の木塔が破壊されたのはまことに遺憾なことだ。いずれも、歴史の流れの中の〝事件〟あるいは〝愚行〟として諦めるほかはない。古今東西、人間が〝愚行〟を犯すのは不可避のようである。

ところで、数百に及ぶ木塔が破壊された歴史がある中で、「地震によって倒壊した例」がほとんど皆無であるのはじつに不思議なことである。地震国の日本にあって、木造の高層建築物である木塔が地震に倒されたことがほとんどない（一説には、過去二例）というのは驚くべきことだ。大正一〇（一九二一）年、六基の五重塔について震動測定実験を行った東京帝国大学地震学教室の大森房吉教授は、「五重塔を倒すほどの地震は存在しない」と報告している（参考図書(7)）。

約九六メートルの高さの東大寺七重塔、約八一メートルの高さの法勝寺八角九重塔が、奈良・京都の都にそびえ立っていた頃、その地域を襲ったマグニチュード六以上の地震は約二〇回に及ぶ（国立天文台編『理科年表』丸善）。それらの大規模地震によっても、古都にそびえる木塔は倒れなかった。

鴨長明が『方丈記』に記す文治《ぶんじ》元（一一八五）年の京都を襲った大地震は、特に白河界隈に大きな被害を与えた。白河にあった法勝寺も大きな被害を受け、周囲の築地塀《ついじべい》がすべて倒れ、諸門、金堂の回廊が倒壊し、阿弥陀堂も大破した。九重塔も相輪（塔の先端部。105ページ図3－6参照）が折れ、屋根がすべて落ちるという被害を受けたが、塔自体が倒壊することはなかった。

大正一二（一九二三）年九月一日、関東地方から広域を襲った「関東大震災」の際には、二五万四〇〇〇余の家屋が全半壊したと記録されているが、このときも木塔は一基も倒れていない。未曾有の被害をもたらした二〇一一年三月一一日の東日本大震災の際にも、仏塔が倒れたという報告はなかった。

歴史上、日本の木塔が地震で倒れたことは皆無といってよい。暴風で倒壊した例もなく、木塔の崩壊は、火災による焼失がほとんどなのである。前述の法勝寺八角九重塔も火災による焼失であった。その焼失のようすは、一四世紀後半に成立した『太平記』巻第二一に詳しく記録されている。塔そのものの記述も含まれ、非常に興味深い。

法勝寺の八角九重塔が、民家の失火から飛んできたほんの小さな火の粉のために焼けたようすが臨場感あふれる筆致で書かれているのである。このとき、花頂山知恩院の五重塔、醍醐寺の七重塔も同時に焼けたようである。

私自身が、〝倒れない五重塔〟を目のあたりにしたのは、室生寺五重塔が一九九八年九月二二日、台風七号のために大きな被害を受けたときである。先に述べたように、室生寺五重塔は私が大好きな五重塔の一つである。

室生寺は奈良県の室生山の斜面にある寺で、森に包まれるように五重塔や金堂などの伽藍が配置されている。五重塔の高さは約一六メートルで、屋外に建っている五重塔としては日本で一番小さい。室生寺は「女人高野」とよばれているが、この五重塔はまさに天女のような端麗な容姿である。階段の下から仰ぎ見る五重塔は、周囲の杉木立に溶け込んでいるかのごとく美しい。

この美しい五重塔が痛々しい姿になった。

太さ一・五メートル、高さ四五メートルの杉の大木が西からの強風で根のところからなぎ倒され、五重塔の西北の庇《ひさし》を上から下まで見るも無惨な姿に破壊したのである。不幸中の幸いだったのは、この大木が「心柱」を外して倒れたことだった。

この台風の直後、私は現場に駆けつけ、倒れた杉の大木と〝半身創痍〟の痛々しい五重塔を自分の目で見たのであるが、あらためて〝倒れない五重塔〟に心を動かされた。台風による強風に杉の大木は倒されたが、可憐な室生寺の五重塔はもちこたえたのである。さすがの強風も五重塔を倒すことはできなかった。

室生寺の五重塔は二年後の一〇月、松田敏行棟梁らによって見事に修復された（参考図書⑧）。

五重塔の「構造」を見る

以下、高層建造物でありながら、地震や大風で倒されることがない日本の木塔の構造を検討していくにあたり、五重塔を木造多重塔の代表として話を進めることにする。

日本の五重塔は、中国の空筒構造の楼閣式仏塔とは異なり、上層に登るような構造にはなっていない（一九五九年に再建された現代の四天王寺五重塔は例外）。日本の五重塔で人間が入れる（入る）構造になっているのは、初重のみである。初重には通常、本尊や四仏像などが安置されている。

たとえば、青森・青龍寺五重塔（91ページ図3－2）の初重には、大日如来とみなされる八角形の心柱の周囲四方に普賢菩薩（東南）、文殊菩薩（南西）、観世音菩薩（西北）、そして弥勒菩薩（北東）の姫小松材を使った寄せ木造りの木像が安置されている。

日本の五重塔が、上層に登るような構造にはなっていない、つまり、楼閣や展望台のような実用的目的をもたないのは、これらの仏塔が純粋に仏教上の卒塔婆《そとば》であり、同時に〝見られる〟ことを目的とする建築物だからである。上層に登ることを目的とする塔ではないが、初重から四重

図3–3　青龍寺五重塔の内部（五重）の木組み（筆者撮影）

までの天井にあけられた、小さな上り口から梯子を使って五重まで登ることは可能である。私は、かなり窮屈な思いをして、完成直後の青森・青龍寺五重塔の五重まで登る機会を得た。

五重塔の中は木組みの塊である。二重あたりは多少、空間的な余裕があって、立つこともできるが、上層へ登るにつれて木組みの密度が高くなり、腰をかがめないと動きが取れなくなってくる。図3－3は、青龍寺五重塔の内部（五重）の木組みを示すものである。

優美壮麗な外観からは想像できないような、空間をぎっしりと埋めるむき出しの木のかたまりと空間に充満する真新しい青森檜葉の香りに、圧倒される思いであった。

茶室の躙《にじ》り口《ぐち》よりもずっと小さな、高さ五〇センチメートルほどの〝かしたみ〟とよばれる

図3-4　青龍寺五重塔の五重回廊　写真右下の小さな戸口が"かしたみ"

戸口から地上約二一メートルの五重の回廊へ這《は》い出ると（図3－4）、そこには、うっすらと雪に覆われた青森市郊外のすばらしい眺望が開けていた。

いま、五重塔は木組みの塊であることを述べた。

それでは、その木組みは建築物として、どのような構造になっているのだろうか。高層建造物でありながら、地震や大風に強い日本の木塔を生み出す構造とは、どのようなものなのだろうか。

塔の中心を太い心柱が貫いているが、この心柱の直接的な役割は相輪を支えることであり、塔そのものの構造とは無関係である。つまり、最も太い柱であるにもかかわらず、心柱は塔の荷重を支えることにはまったく貢献していない。なにしろ、宙吊りの心柱もあるくらいなのである（宙吊りでは、塔の荷重を支えるのは不可能である！）。

心柱のほかに、五重塔の構造の大きな特徴として、各重を貫く「通し柱」が一本もないことがある。つまり、五重塔は鉛筆のキャップあるいは帽子が五個積み重なったような「キャップ構造」になっているのだ。

五重塔の全荷重は、たとえば法隆寺の五重塔では四本の四天柱と一二本の側柱《かわばしら》、つまり一六本の柱で支えることになる。法隆寺五重塔の総重量はおよそ一二〇万キログラム、一六本の柱の合計底部面積は六・四一六平方メートルといわれる（西岡常一・小原二郎著『法隆寺を支えた木』ＮＨＫブックス、一九七八）。これらの値から、柱の底面積一平方センチメートルあたりにかかる荷重を計算すると、約一八・七キログラムになる。

標準的な大人の両足の底面積は五〇〇平方センチメートル程度である。体重が一〇〇キログラムの人ならば、足の底の一平方センチメートルあたりにかかる荷重は〇・二キログラムである。極端な例として、体重二〇〇キログラムの力士の場合を考えて、仮に両足の底面積が標準的な大人と同じ五〇〇平方センチメートルだとしても、一平方センチメートルあたりにかかる荷重は〇・四キログラムにすぎない。

法隆寺五重塔の初重の柱には、一平方センチメートルあたり、およそ二〇キログラムの荷重がかかっている。二足歩行の人間の場合（他の動物の場合でも同様であろう）と比べ、まさに桁違いの大きさの荷重である。しかも、法隆寺五重塔の柱は、そのような巨大な荷重に、一三〇〇年以上もの間、耐え続けているのである。驚異的なことだ。

五重塔を、そのような驚異的な荷重ばかりでなく、地震や大風にも耐えさせているのが、きわめて巧妙な木組み構造なのである。

心柱は〝大黒柱〟

五重塔の中心を貫く〝大黒柱〟が心柱である。事実、五重塔建造の木材の中で、最も念入りに選ばれ、加工され、そして最も太いのが心柱である。

法隆寺五重塔の心柱に使われたのは、樹齢二〇〇〇年以上、根元の直径が二・五メートル以上の檜である。この檜の大木を真ん中から縦に四つ割りにし、それを断面が八角形になるように削られたものが使われている。一番太い根元で約八〇センチメートルある。

法隆寺五重塔の心柱の全長は約三二メートルであるが、それは長さ約一六メートルの八角形の二本の部材をつないで作られている。

この二本の部材をつないだときに、ずれたり曲がったりしないように、また、つなぎ目が完全に合うように継手仕口《つぎてしぐち》が作られている。さらに、結合をより完全にし、心柱を補強するために、心柱の四方から添え木が当てられている。

直径が一メートルほどの丸木をそのまま心柱に使わず、わざわざ大木を縦に四つ割りにしたうちの一本を使ったのはなぜだろうか？

芯を含んだ柱はのちにひび割れしたり、曲がったりして建物をゆがめることがあり、ひどいときには建物を壊してしまうからである。実際、法隆寺には、心柱に限らず、四つ割りにせずに芯を含んだままの大きな柱は一本も存在しない（前掲『法隆寺を支えた木』）。

図3－5に、建立間もない青森・青龍寺五重塔の心柱を示す。この心柱は、樹齢約四〇〇年、根元の太さが約一三〇センチメートルの青森檜葉の原木から切り出したもので、根元の太さが約六四センチメートルの八角柱となっている。心柱の総高は約三六メートルであるが、下から九メートル、一二メートル、一五メートルの三本の部材がつながれ、総重量は約四・五トンである。

五重塔の心柱は、まさに〝大黒柱〟とよぶにふさわしいきわめて重要な柱なのであるが、じつは、前述のように、この心柱は相輪を支持しているだけで、五重塔そのものの荷重を支えることにはまったく貢献していない。

現在の法隆寺五重塔の心柱は基壇上の石組みで支えられているが、当初はそこから約二・七メートル下の地中に据《す》えられた心礎（礎石）の上に、掘立柱《ほったてばしら》式に立てられていた。大正一五（一

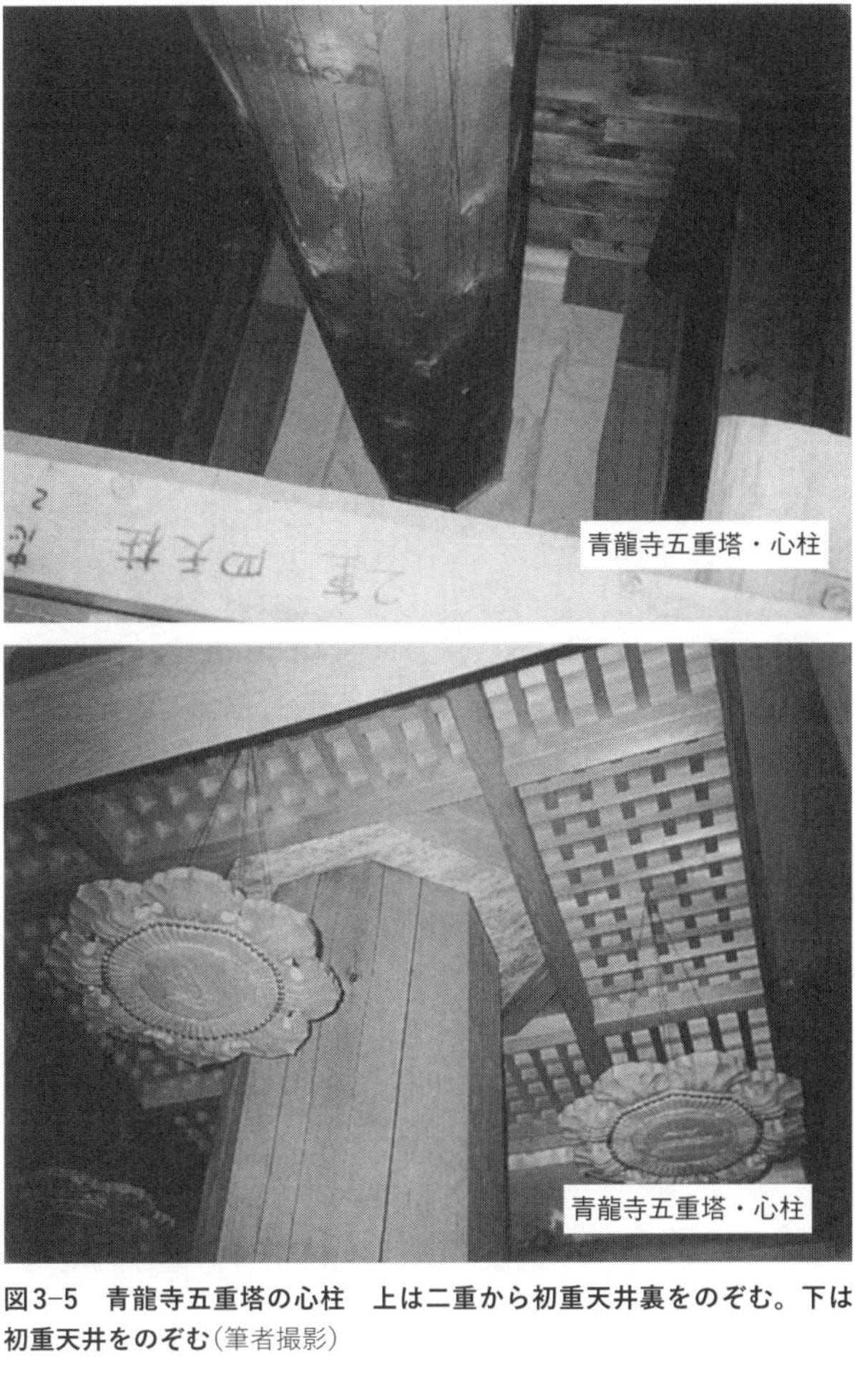

図3-5　青龍寺五重塔の心柱　上は二重から初重天井裏をのぞむ。下は初重天井をのぞむ（筆者撮影）

九二六）年、腐朽して空洞化した心柱の土中部分の下の心礎上面の舎利孔《しゃりこう》が発見され、そこに舎利容器一具が安置されていることが判明した。ともあれ、心柱の下部が空洞化していた、という事実は、心柱が五重塔の荷重を支えていないことの証左である。

法隆寺の心柱は地中の心礎の上に立つ掘立柱であったが、その後に建てられた薬師寺東塔、西塔、醍醐寺や東寺の五重塔の心柱は、いずれも地上の礎石の上に立てられたものである。また、平安期から鎌倉期にかけては、塔の初重の梁《はり》の上に立てられる構法の木塔が多くなる。平安時代に建てられた京都・一乗寺、浄瑠璃寺の三重塔、鎌倉時代初期の京都・海住山寺の五重塔などに、この構法の例が見られる。

江戸時代後期になると、なんと心柱を上層の肘木《ひじき》や土居桁《どいげた》（梁）から吊り下げる、いわゆる〝宙吊り心柱〟の構法が出現する。上野・寛永寺、日光東照宮、香川・善通寺、山形・善寶寺《ぜんぼうじ》の五重塔などが、この〝宙吊り心柱〟の構法を採用している。私は二〇一六年に善通寺五重塔にも登らせていただき、その宙吊り心柱を実際に見た。

前述の青森・青龍寺の五重塔の心柱（図3－5）が、この〝宙吊り心柱〟なのである。

幸い、青龍寺の織田隆玄住職とその五重塔を建てた大室勝四郎棟梁の協力を得て、その〝宙吊り心柱〟をつぶさに観察・調査することができた。木塔建築技術に関して門外漢の私にとって、総重量四・五トンもの巨大な心柱が、あの五重塔の中で宙吊りにされているのは想像を絶する驚きであった。

青龍寺五重塔の断面図を図3－6に、宙吊り心柱の各部の写真を図3－7(a)～(d)に示す。

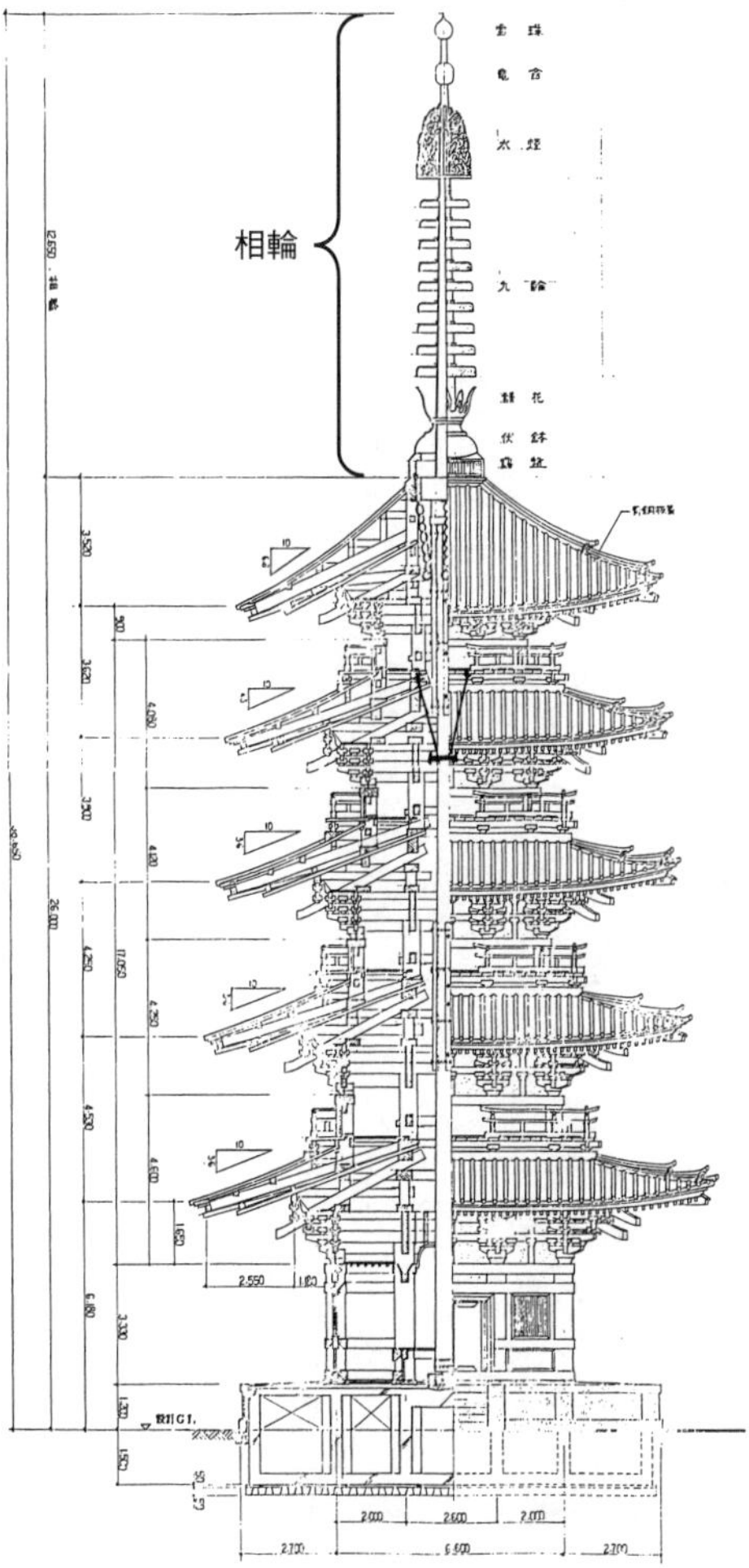

図3–6　青龍寺五重塔の断面図（青龍寺提供）

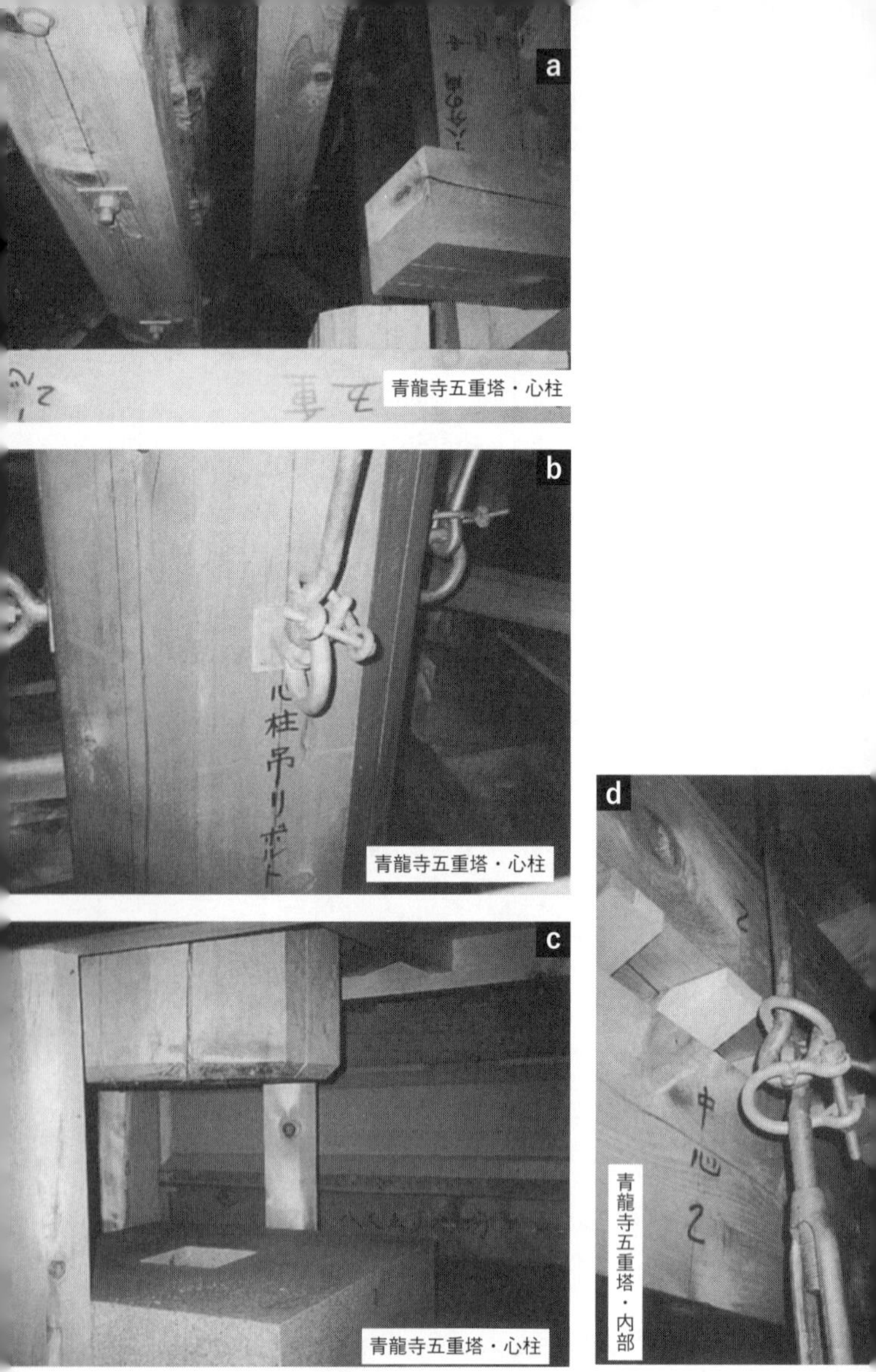

図3-7　青龍寺五重塔の宙吊り心柱(筆者撮影)

心柱は、五重の土居桁から柱の周囲四点で吊るされている（図3－6、図3－7(a)(b)）。心柱を吊っているのは、タンバックルで連結された（図3－7(d)）二本の亜鉛メッキSS400鋼棒（直径二五ミリメートル）である。宙吊り心柱の底部は図3－7(c)に示されるように〝礎石〟から三〇センチメートルほど浮いている。

また、103ページ図3－5上（初重天井裏に敷かれ心柱を囲むように見えるのはビニールシートのようなもの）や図3－7(c)からわかるように、心柱は五重塔の構造物にまったく触れていない。実際、私は初重で心柱を押してみたが、簡単に揺らすことができた。つまり、私が宙吊りの心柱を揺らしたときは、天高くそびえる相輪も揺れていたことになる。

ところで、日光東照宮の五重塔の初重が、東京スカイツリーの開業に合わせて、初めて公開された（二〇一二年五月二二日〜二〇一三年三月三一日）。

私も早速、その〝宙吊り心柱〟を見に行った。中心を貫く直径六〇センチメートルの心柱が四重から鎖で吊り下げられており、その最下部は礎石の上で浮いている。創建当時はどのくらいの隙間だったのかわからないが、いまは一〇センチメートルほどになっている。

もちろん、許されることではないが、初重で見られる心柱を何かで押せば、それが相輪ともども揺れるのは間違いない。

揺れる五重塔

幸田露伴の名作に『五重塔』という小説がある。腕は確かだが「のっそり」とあだ名される、うだつの上がらない十兵衛という大工が、紆余曲折の末に谷中《やなか》・感応寺（〝感応寺〟は架空の名）の五重塔を建てる話である。

それは、「五重巍然《ぎぜん》と聳《そび》えしさま、金剛力士が魔軍を睥睨《にら》んで十六丈の姿を現じ坤軸《こんぢく》動《ゆる》がす足ぶみして巌《いはほ》上に突立ちたるごとく、天晴《あつぱれ》立派に建つたる哉《かな》、あら快よき細工振りかな、希有ぢや未曾有ぢや」というぐらい立派な五重塔である。

しかし、落成式間近のある日、とてつもない大嵐が江戸を襲う。露伴が文庫本で数ページにわたってありとあらゆる副詞、形容詞、たとえを使って描写するほどの大嵐である。江戸市中の家屋は軒並み飛ばされ、江戸八百八町、百万の民は生きた心地がしない。そびえ立つ五重塔がひっくり返るのではないか、と誰もが心配する。

確かに、「五重塔は揉まれ揉まれて九輪は動《ゆら》ぎ、頂上の宝珠は空に得読《えよ》めぬ字を書き、岩をも転ばすべき風の突掛け来り、楯をも貫くべき雨の打付《ぶつか》り来る度撓《たわ》む姿、木の軋《きし》る音、復《もど》る姿《さま》、又撓む姿、軋る音、今にも傾覆《くつがへ》らんず様子」という具合である。ところが、大工・十兵衛は、「塔は大丈夫倒れませせぬ、何の此程《これほど》の暴風雨《あらし》で倒れたり折れたりするやうな脆《もろ》いものではござりませねば」と自信たっぷりである。

しかし、「塔は大丈夫か」という上人からの使いがしばしば来る。十兵衛は「上人様までが信じてくれないのか」とくやしがるが、いまや倒れんばかりに揺らぐ塔を諸人が危惧するのももっともと、釘一本でも抜けたら自分の命を絶つ覚悟で六分鑿《のみ》をもって五層に上る。結局、大嵐は去り、十兵衛の五重塔は立派にもちこたえ、そればかりでなく、釘一本ゆるまず、板一枚はがされなかった。

本章で述べてきた五重塔に関する知識を念頭において『五重塔』を読み返すと、露伴の筆致は、とても想像で書いたとは思えないほどのリアルさである。露伴自身が、実際に大嵐に揺れる五重塔を〝体験〟したのではないか。私には、想像だけで、あのようにリアルな状況が書けたとはとても思えないのである。できることなら、私も体験してみたい。

この「谷中・感応寺五重塔」のモデルになったのは、寛政《かんせい》三（一七九一）年に建立され、昭和三二（一九五七）年に放火心中のために焼失した東京・谷中の天王寺五重塔である（『早稲田文学』一九五〇年三月号）。『五重塔』が書かれたのは明治二四～二五（一八九一～九二）年で、露伴二四歳のときである。

じつは、この谷中・天王寺五重塔の心柱が〝宙吊り心柱〟だった。

五重塔の耐震・耐風構造

繰り返し述べたように、五重塔が地震や大風で倒壊しないのは、小説の世界の話だけでなく、歴史的事実である。

五重塔はなぜ倒れないのか。

地震や大風に、五重塔はどのように〝対応〟するのであろうか。

高層の建造物である限り、五重塔が地震や大風による物理的な〝力〟を受けるのは不可避である。五重塔が、そのような〝力〟に倒されないのは、〝力〟に対する〝対応〟が巧みだからであり、その秘密が五重塔の構造に隠されているはずである。

私は、〝宙吊り心柱〟の構法で青森・青龍寺の五重塔を建てた大室勝四郎棟梁に、「なぜ心柱を宙吊りにしたのですか」と伺《うかが》ったことがある。答えは簡単明瞭で、「地震や大風に強い五重塔を造るには、心柱を宙吊りにするのが一番いいんです」ということだった。

当時、九二歳を越えていた大室棟梁は一三歳のときから大工の仕事をし、小さい頃、やはり大工だった父親に、乾燥する板の積み上げを手伝わされ、小遣銭をもらっていたそうである。せっかく積み上げた〝井桁の塔〟が風で倒され、くずれてしまうことがしばしばあった。そうすると、

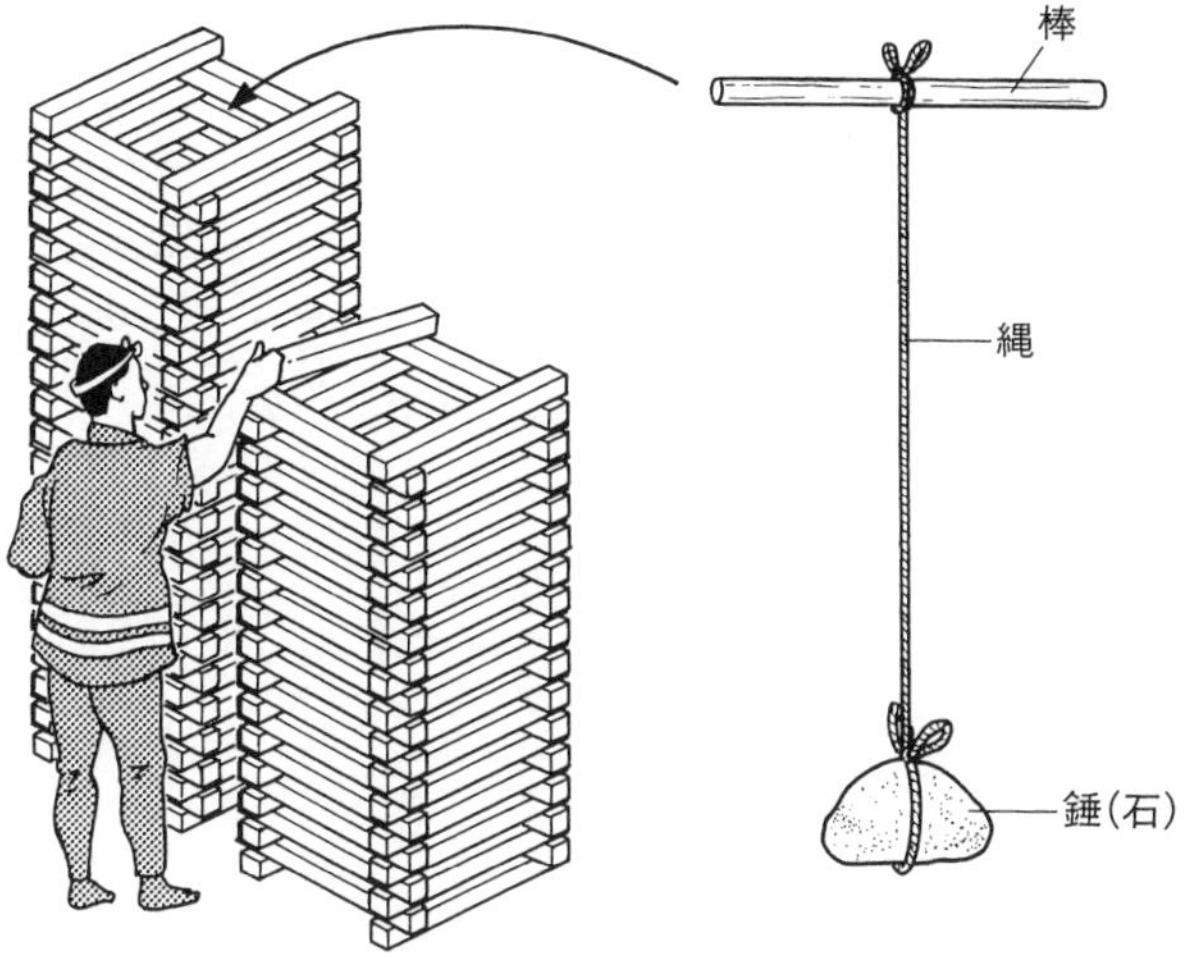

図3–8　乾燥材の〝井桁の塔〟が倒れるのを防ぐ〝宙吊り錘〟

努力が徒労に終わり、小遣銭をもらえない。

ところが、誰に教わったのか、図3－8に示すように、錘《おもり》（石）を縄でくくり、それを横棒に吊るして〝井桁の塔〟の上にかけると、相当の風が吹いても〝塔〟が倒れないことに気づいたのである。図3－8に示す宙吊りの錘が、風に対してのみならず、地震の揺れに対しても大きな効果、つまり「耐風性」のみならず「耐震性」にも大きく貢献するのは明らかだ。

大室棟梁の子ども時代のこの経験が、それから八十余年後の一九九六年、青森・青龍寺五重塔落慶につながったのである。

大室棟梁は、「心柱を宙吊りにすれば、塔ができあがった後、何年かして部材が乾燥したり変形したりしても、塔が壊されないからいいんです」とも付け加えた。

木材は基本的に、乾燥すれば収縮する。また、荷重によって変形する。収縮や変形は木材の軸方向（繊維方向）では小さいが、繊維に直角の方向では大きい。つまり、木造の五重塔は建てられた後、完全に落ちつくまでの間に必ず縮み、変形するのである。

薬師寺西塔は一九八〇年、約四五〇年ぶりに再建されたが、塔の高さは東塔より三三センチメートル高く、また屋根の反《そ》りも東塔に比べるとかなり偏平に造られている。西塔を建てた西岡常一棟梁によれば、およそ二〇〇年後に、西塔は東塔と同じ高さ、同じ形になるという。つまり、新しく建てられた西塔の木材は、およそ二〇〇年間にわたって変形し続けるわけだ。

ところが、繊維方向に伸び、塔の荷重を支えていない心柱の収縮・変形は、非常に小さいので、心柱が固定されていると、五重屋根との間には大きな隙間ができて、激しい雨漏りを招き、ひいては木材を腐らせる原因になる。これを防ぐには、心柱を持ち上げて下部を切り詰めるほかはないが（最初から心柱と五重屋根を接触させなければよいが、そうすると最初から雨漏りが起こることになる）、それは大変な作業である。

心柱が宙吊りになっていれば、106ページ図3－7(c)に示したように、下部と礎石の間に隙間があるので問題ない。よしんば心柱が下降し、隙間が狭められても、心柱下部を切り詰めるのは簡単である。

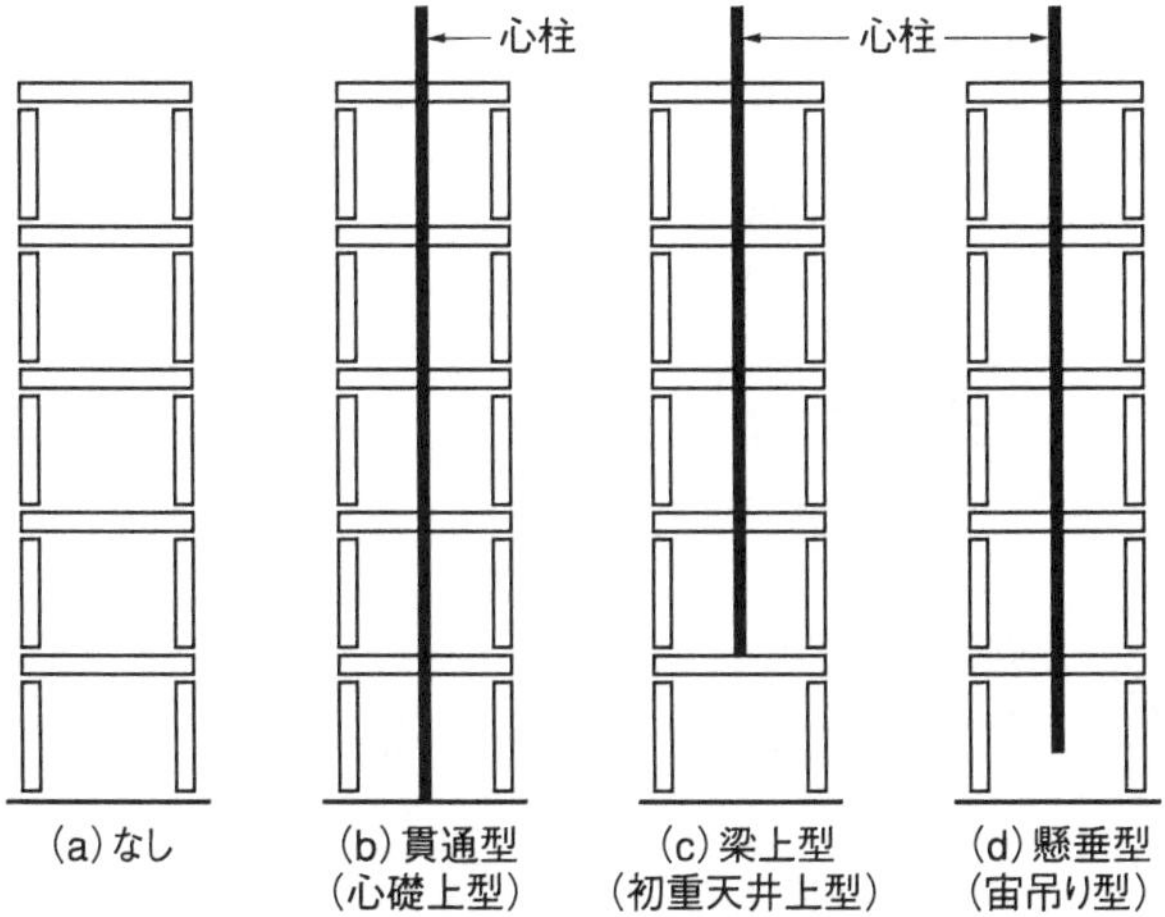

図3–9　振動実験模型の概念図（石田修三「心柱を科学する」、参考図書(7)より）

話を五重塔の耐震・耐風性に戻す。

宙吊り心柱が五重塔の耐震・耐風性に果たす役割は、一種の「振り子作用」で説明できる。しかし、現存する五重塔の中で、宙吊り心柱をもつものはむしろ例外的であり、法隆寺五重塔をはじめ多くの塔は心礎、あるいは初重天井の上に立つ心柱をもっている。立つ心柱の耐震・耐風性は「振り子作用」では説明できない。どう考えればよいのか。

建築学者の石田修三氏は、図3－9の概念図で示すような振動実験模型を作り、三つの型の心柱(b)～(d)が五重塔の耐震性に与える影響について調べた。

その結果によれば、耐震性を示す一つの要素である〝倒壊に要する地動速度〟において、最も優れているのが(b)の貫通型（心礎の上に立つ）心柱であった。貫通型よりは劣るものの、(c)の梁上型（初重天井の上に立つ）心柱、(d)の懸垂型（宙吊り型）心柱は、心柱なしの(a)の場合に比べ、二倍以上の耐震性を示した。

いずれの型であれ、心柱が五重塔の耐震性向上に及ぼす効果が、実験的にはっきりと示された。しかも、圧倒的多数の五重塔に採用されている、心礎の上に立てられた貫通型心柱が耐震性において、最も有効であることが科学的に示されたのである。前述の東京スカイツリーの心柱は、この貫通型である。

石田氏は、「心柱は、首振りを含め、一般に層変位の集中を抑制する」と結論し、五重塔の心柱はちょうど観音開きの扉を固定する閂《かんぬき》のようなはたらきをするので「心柱の閂作用（効果）」とよんでいる。そして、その「心柱の閂作用（効果）」が多重塔の高度の耐震性能を決定づける、という「心柱閂説」を提唱している。

五重塔の耐震・耐風性を考えるうえで、もう一つ忘れてはならないのが、前述の「キャップ構造」である。五重塔は鉛筆のキャップ、あるいは帽子が順に重ねられたような通し柱のない構造をしており、建物全体は構造的につながってはいない。したがって、地震による横振動が上層に伝わりにくい。

西岡常一棟梁は、地震の際の五重塔の揺れについて、「法隆寺の金堂を調査しているときに地震がありまして、揺れましてん。塔、どないなるかとすぐ外へとんで出て見たんですわ。そしてじっと見ていたら、そりゃ器械ではかったわけやないからはっきりとはいえんけれども、初重がこう右に傾けば、二重が左に傾く。二重が左に傾けば、三重は右に傾く。たがいちがい、たがいちがいに波を打つようになった。各重がたがいに、反対に反対に動きよる。ということは中心は動いとらんわけでしょう。側だけが動いてる。ああいうので塔が地震には強いのじゃないかと思います。そしてあんまり大きなのが来たときには、心柱がこんどは止める役をしよるんです。とにかくビルでもこのごろは軟構造ということがいわれますけれども、もう千三百年前にちゃんと塔は、いまでいう軟構造にできてるということですわ。各重ごとにうまいこと動くようにできてますわ」（参考図書⑵）というきわめて興味深いことを述べている。

五重塔の耐震性について、西岡棟梁の、この言葉以上の証言はないだろう。

一九九六年一〇月、奈良国立文化財研究所（現・独立行政法人国立文化財機構奈良文化財研究所）などによる解析調査結果が、西岡棟梁の証言に数値的裏づけを与えた。法隆寺五重塔の基壇と各重の梁の上などに計一六個の微動計を設置し、一〇〇〇分の一～一〇〇分の一ミリメートルの〝常時微動〟を測定し、揺れの方向や振動数などを調べたのである。

塔本体は〇・九ヘルツで水平に揺れながら、同時に二・五ヘルツの振動数で弓形にしなる動きをしていた。一方、基壇の振動数は二～五ヘルツで、基壇と塔本体の振動数に最大五倍以上の差があることになる。

つまり、振動周期の違いによって共振することなく、揺れる力を緩和し、分散させているのである。

五重塔が地震や大風に強いのは、心柱の「振り子作用」や「閂作用」、そして各重の「キャップ構造」によるものと考えて間違いないだろう。

古代の匠《たくみ》の智慧と経験には、つくづく畏敬の念を抱かざるを得ない。

柔構造の超高層ビル

関東地方一円に壊滅的な打撃を与えた大正一二（一九二三）年の「関東大震災」の後、日本の建築・土木学界では、耐震性の建築物は「剛構造」であるべきか、あるいは「柔（軟）構造」であるべきかの論争が続いた。

剛構造とは、建築物をできるだけ剛、堅固に設計したほうが地震に対して安全であるという耐震設計思想に基づく構造方式である。剛構造は常識的でわかりやすい。設計手法も力学的に単純であるため、一九六〇年代後半に超高層ビルが出現するまで、すべての建物に耐震壁や筋違《すじかい》を設けて、地震力に対する変形を極力少なくしようとする剛構造設計思想が取り入れられていた。

剛構造は鉄筋コンクリート造りで、骨組みも壁も強くして地震の揺れに対抗しようという考えの建物である。〝ビルの本場〟アメリカでは、エンパイアステートビルをはじめとして、この剛構造のビルがほとんどである（しかし、アメリカでは地震が少ない！）。

だが、剛構造のビルは、どうしても重くなる。強くしようとすればするほど重くなる。その重さに耐えようとすれば、さらに強くしなければならないというジレンマが生じる。

一方の柔構造は、建物に十分にしなやかな変形能力を与え、建物の揺れの固有周期を長くし、作用する地震力を全体として小さくしようとする構造である。つまり、「柳に雪折れなし」の思想であり、地震から見れば、「暖簾《のれん》に腕押し」「糠《ぬか》に釘」ということになる。

結論として、低中層ビルの場合は剛構造も有効であるが、超高層ビルはどうしても柔構造でなければダメなのである。事実、現代の日本の超高層ビルはすべて柔構造で建てられている。

〝柔構造〟の思想が、具体的には、数々の免震・制振構造として、現代の超高層ビルに取り入れられている。

免震装置としては、たとえば図3－10に示すような硬質ゴムシートと薄い鉄板を交互に何層にも重ねたものがある。これは、建物の大きな鉛直荷重を十分に支えるとともに、水平方向には〝柔らかい剛性〟をもつものである。この積層ゴム免震装置を建物の基礎とその上部との間に挿入することによって、建物全体としての揺れの固有周期が長くなり、結果的に建物に加わる地震

図3–10　積層ゴム免震装置（竹中工務店提供）

の力を小さくできる。

また、図3－11のような、ポリオレフィン系高分子を主成分とする粘性体の剪断《せんだん》抵抗力によって振動エネルギーを吸収し、減衰させる装置も開発されている。

制振装置として研究・実験が進められ、実用化されているものの一つが、アクティブ・マス・ダンパー・システム（ＡＭＤＳ）とよばれるものである。これは、受動的制御のものとは異なり、建物や塔の頂部に付加重量を載せて振動の慣性反力で揺れを制御しようとしたり（どことなく宙吊り心柱の〝振り子作用〟を想起させる）、建物の下部や対角位置

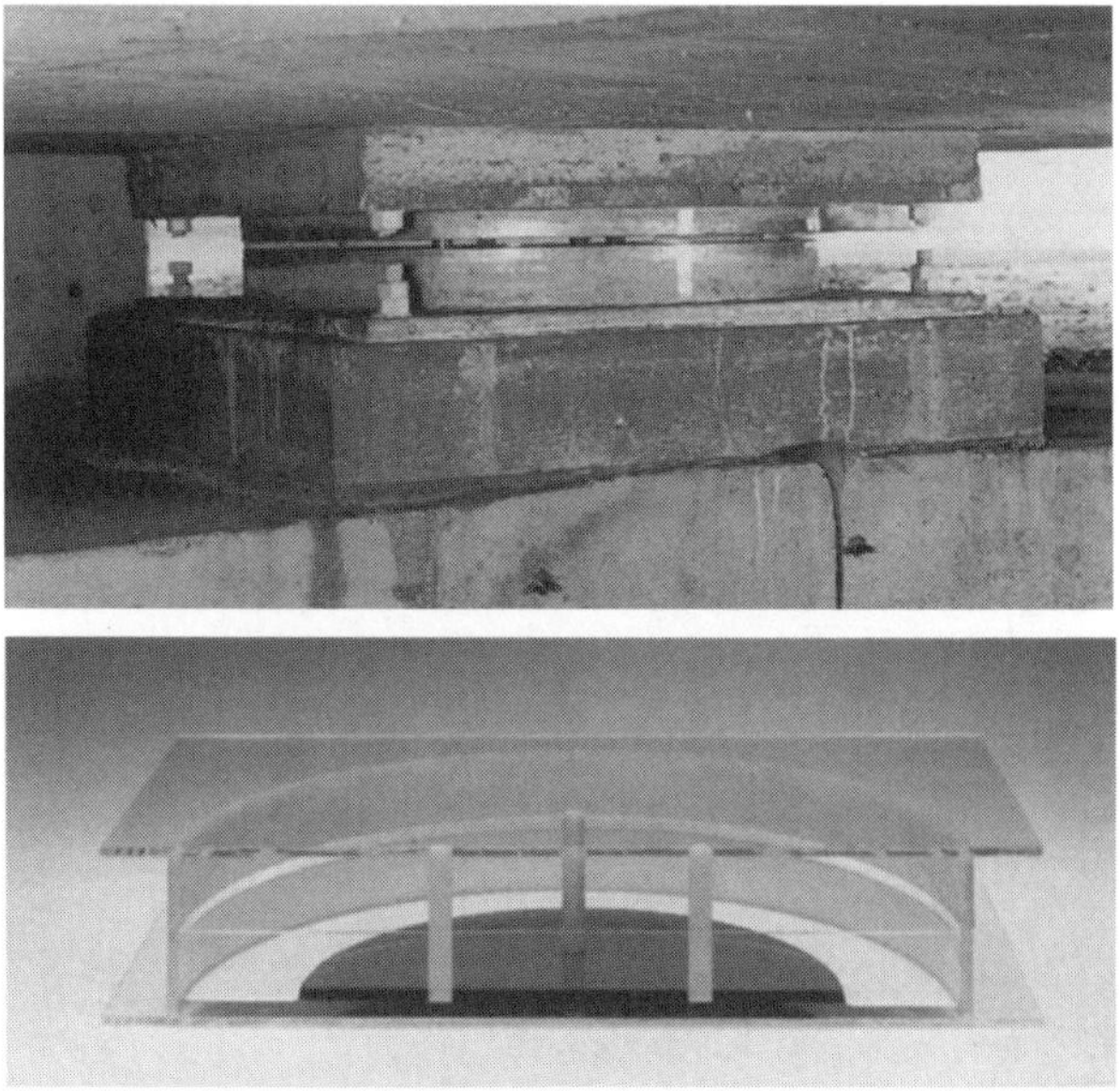

図3-11　粘性体振動エネルギー吸収装置（竹中工務店提供）

に制振装置を設置したりする能動的制御法である。建物の揺れをセンサーで感知し、制御理論を駆使して能動的（アクティブ）に付加荷重を動かし、その反力で、状況に即して建物の変形や振動を最小限に抑えようとするのである。

高層ビルというわけではないが、二〇一二年一〇月に保存・復元工事が完了した東京駅丸の内駅舎にも、このような免震・制振装置がふんだんに施されている。

現代の超高層ビルに取り入れられている柔構造の原理も、最先端の免震・制振装置も、すべて、はるか一三〇〇年以上前の古代日本の匠の智慧と経験に、その原点を求めることができる。

柔らかくしなやかな五重塔は、長い揺れの固有周期をもち、耐震・耐風性が大きいこと、また、五重塔の木組みの柔軟性、接合部の隙間や変形によって地震や風のエネルギーが吸収されること、これらすべての五重塔の特性と、それを生んだ〝柔構造〟の思想が、現代の超高層建築に、ことごとく活かされているのである。

さらに、木造建築のすばらしさについてもう一言、付記しておきたい。

法隆寺などの古刹が創建以来、何度か解体を含む修理を経て今日に至っていることからもわかるように、木組みを主として構築される木造建造物は、解体・修理が可能である。そして、腐朽した部材の交換によって、新たな命が吹き込まれる。

しかし、近年の鉄筋コンクリートの建造物は、一度建てたら破壊されるまで、解体・修理などは不可能だ。古代日本の匠の智慧と経験によって実現した五重塔に代表される木造建築は、いわば永遠の命を吹き込まれた永続的な建造物なのである。

近年、人間の経済活動や社会活動の持続可能性を重視する「SDGs：Sustainable Development Goals（持続可能な開発目標）」という概念が流行しているが、古代日本の匠たちは、一〇〇〇年以上も前からそのような考え方に立脚していた。その思想の根幹をなす日本の文化・文明の本質が、自然との永続的な調和を志向する姿勢にあったからである。

次章では、その日本の文化・文明が基盤にあってこそ存在し得る、伝統技術の秘密に迫ることにする。

主な参考図書（発行年順）

(1) 西岡常一・宮上茂隆著、穂積和夫イラストレーション『法隆寺』（草思社、一九八〇）
(2) 西岡常一・高田好胤・青山茂著、寺岡房雄写真『蘇る薬師寺西塔』（草思社、一九八一）
(3)『名宝日本の美術　第二巻　法隆寺』（小学館、一九八二）
(4)『名宝日本の美術　第六巻　薬師寺』（小学館、一九八三）
(5) 鹿島建設編『超高層ビルなんでも小事典』（講談社ブルーバックス、一九八八）
(6) 久徳敏治著『技術の竹中・建築構法の航跡』（竹中工務店、一九八九）
(7) 上田篤編『五重塔はなぜ倒れないか』（新潮選書、一九九六）
(8) 松田敏行著『室生寺五重塔千二百年の生命』（祥伝社、二〇〇一）

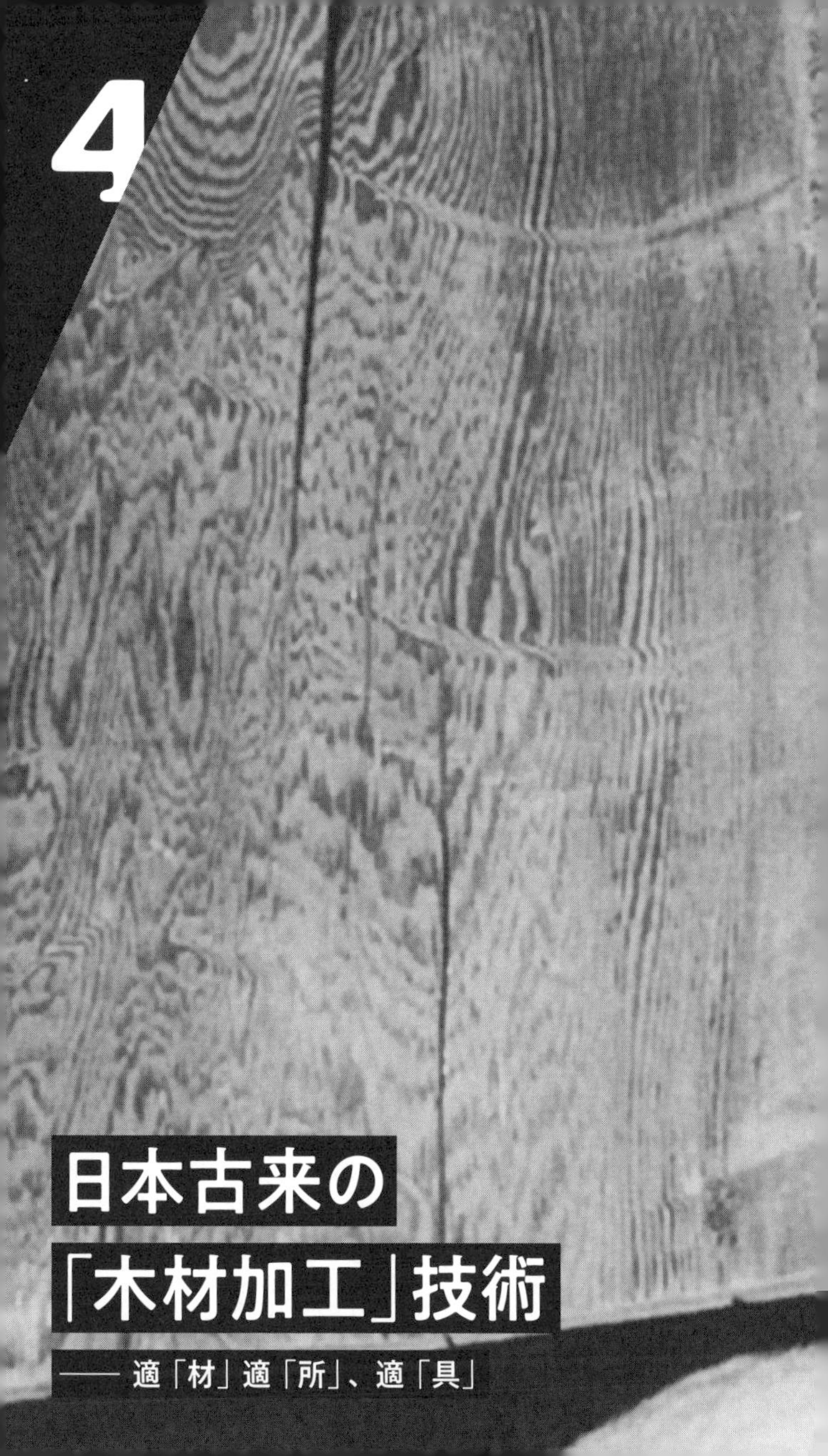

4 日本古来の「木材加工」技術

—— 適「材」適「所」、適「具」

「木の文化」「木の文明」

日本文化の基底の一つは、縄文時代以来の「照葉樹林文化」であるといわれる（上山春平編『照葉樹林文化』中公新書、一九六九）。この「照葉樹林文化」の上に、日本の「木の文明」が成立している（川添登著『「木の文明」の成立(上)』参考図書⑺）。

「文明」とは、精神と物質をつなぐ装置である。たとえば文明の表徴《ひょうちょう》が〝建築〟に具現化されるとすれば、明治維新後に西欧文明を受容するまで、民家などの一般建築物のみならず、神社仏閣・宮殿・城閣、モニュメンタルな建築物の主要部一切を、すべて木材で建築した日本の文明は、まさしく「木の文明」である。

もちろん、第2章で述べた〝古墳時代〟に古墳の内部構造を巨大な石材で組み立てたり、近世には壮大な城郭の石垣を築いていることなどからもわかるように、日本が〝石の技術〟をもっていなかったわけではない。しかし、それら〝石の技術〟は土木工事に用いられたのみであって、「日本の建築」に石が用いられることはなかった（〝土木〟と〝建築〟、およびそれらを峻別する思想については、前掲の川添登氏の著書の中で興味深い考察がなされている）。

川添氏はまた、石と木について、「石は地球の造山作用の圧力によってつくられた最も優れた自然の圧縮材であるのに対して、太陽を求めて空へ伸びる生命力を繊維として内包している木材は、自然が生んだ最も優れた引張材である。だから石で文明を築いたヨーロッパが、圧縮の文明であったのに対して、木、しかも軟木を用いて来た日本文明は引張力の文明である」（川添登著『黒潮の流れの中で』筑摩書房、一九六九）というきわめて深い示唆に富んだことを述べている。

ヨーロッパの文化・文明の基底は、人間が自然と対立し、自然を支配することにあったといえよう。それに対し、日本の文化・文明の基底は自然と調和することにあった、といって間違いない。

日本の文化・文明を象徴的に集約するのが「木の文化」（参考図書(4)）であり、「木の文明」である。そして、この「木の文化」「木の文明」が、和辻哲郎いうところの〝風土〟の三つの類型、すなわちモンスーン、沙漠、牧場（和辻哲郎著『風土』岩波文庫、一九七九）の中の〝モンスーン〟と不可分であることも明らかである。

降水量に恵まれた温帯モンスーン地域に位置する日本列島は、古代より長い間、豊かな森林に覆われていた。およそ三〇〇〇年前の縄文時代晩期には日本列島全域に森林が分布していた。現在は、太平洋岸、瀬戸内海沿岸などの地域、つまり、人口の密集した工業地域で森林は姿を消しているが、日本列島全体を眺めれば、森林地帯は決して少なくない。有史以来、森の種類は変化したが、日本人は木の文化・木の文明の中で連綿と生きてきたのである。

	種数	主な樹種名
常緑広葉樹	53	ソヨゴ、クロガネモチ、ナナミノキ、カゴノキ、ヒサカキ、ヤブツバキ、アラカシ、クロバイ、マツラニッケイ、アオガシ、ヤブニッケイ、シキミ、ヤマモモ、ツブラジイ、アカガシ、ツクバネガシ、イチイガシ、ヒイラギ、ウラジロガシ、ネズミモチ、カナメモチ、リンボク
落葉広葉樹	112	イヌシデ、アカシデ、ウリハダカエデ、アサダ、イロハモミジ、ケヤマザクラ、ウワミズザクラ、クマノミズキ、コナラ、エノキ、ムクノキ、アキニレ、カラスザンショウ、アカメガシワ
針葉樹	10	アカマツ、モミ、ツガ、スギ、カヤ、イヌガヤ、ナギ
その他(つる性など)	32	フジ、カギカズラ、トキワアケビ、テイカカズラ
計	207	

表4-1　春日山原始林の樹種構成

(参考図書(5)より)

近年、日本列島における森林地帯が急速に狭められている憂いはあるものの、日本の森林の〝永続性〟は、ヨーロッパやアメリカと比べれば非常に高いことが明らかである。

有史以来、森林に覆われた日本列島で生活してきたわれわれの祖先は、当然のことながら樹木についてかなりの知識をもち、材料として活用し、精神生活の面においても慣れ親しんできた。

古代の日本人の日常生活や精神生活を、文字を使って最も鮮明に伝えてくれている『古事記』『日本書紀』そして『万葉集』をひもといてみよう。

『記・紀』の中に記載されている樹木の種類は五三種、二七科四〇属に及ぶ（大野俊一『日本林学会誌』第一六巻、第四号、一九三四）。

『万葉集』では〝山〟がたくさん詠まれているが、〝万葉の世界〟を代表する山といえば、春日山であろう。春日山は平城京の東に連なる山で、聖なる山と考えられていた。

古来、信仰の対象になっていた春日山一帯は、平安時代の初頭に禁伐令が出されていたこともあり、今日までほぼ原始の状態を保ってこられたようである。推定樹齢一〇〇〇年以上の「公園大杉」、樹齢二〇〇～四〇〇年、直径一メートル以上の杉などの巨木がうっそうと生い茂る春日山原始林（〝原始林〟とはいえ、一六世紀に豊臣秀吉が杉苗一万本を植栽したという話もある）には、表4－1に示すような樹木をはじめ、約八〇〇～一〇〇〇種以上の植物が混生しているという（参考図書(5)）。

『記・紀』の木

日本の神話の中で、スサノオノミコト（素戔嗚尊あるいは須佐之男命）が八岐大蛇《やまたのおろち》を退治したのは誰でも知っている有名な話である。『古事記』上《かみ》つ巻《まき》、『日本書紀』巻第一神代上《かみよのかみのまき》に登場する逸話だ。

この八岐大蛇には、その名のとおり、頭と尾がそれぞれ八つずつあることはよく知られているが、「蘿《ひかげ》と檜《ひのき》椙《すぎ》と生ひ」という、その胴体の特徴は見落とされがちである。〝蘿〟は常緑羊歯植《しだ》物である〝日陰《ひかげのかずら》蔓〟のことと推測され、つまり、八岐大蛇の身体には羊歯が生い茂り、檜や椙（杉）が生えていた、というのである。

『日本書紀』では、「その身に蘿と檜椙と生ひ」が「松柏《まつかへ》、背上《そびら》に生《お》ひて」となり、木の種類が松と柏に変わっている。いずれにせよ、八岐大蛇は背中に檜と杉あるいは松と柏の木を背負って動いていた、という大変な蛇なのである。

八岐大蛇の背中に木が生えていること、そして、その木が膨大と思われる樹種（表4－1参照）の中から檜と杉あるいは松と柏が選ばれていることはきわめて興味深い。

ギリシア神話の中に、英雄ペルセウスがゴルゴーンという怪蛇からエチオピアの王女アンドロメダーを救う話があるが、そのゴルゴーンは「その頭髪はことごとく蛇で、歯は猪《いのしし》の牙《きば》のよう、手は青銅、黄金の翼をもって飛行した」（呉茂一著『ギリシア神話』新潮社、一九六九）というようなもので、日本の八岐大蛇とは様相が大いに異なる。やはり、木を背負う八岐大蛇は、木の文化・木の文明に生きる日本の神話らしい怪蛇である。

木を背負う怪蛇・八岐大蛇と対したスサノオノミコトは、八岐大蛇の退治後、日本の将来を思い、日本国土に杉、檜、樟《くすのき》（楠）、槙《まき》を生み出し、それらを植林している。スサノオノミコトの子のイタケルノミコト、その妹のオオヤツヒメノミコト、ツマツヒメノミコトも、父にならってよく木の種を播いた。こうして、日本の森林が形成されたのである。まさに、スサノオノミコトは木の文化・木の文明の国、日本の〝父〟というべきであろう。

だが、スサノオノミコトは、日本の木を生んでくれたばかりではない。

本章の主題として、木材の〝適材適所〟について考えを進めていくが、杉と樟（楠）は舟材に、檜は宮殿造営用に、槙は棺材に……と、その用途まで教えてくれているのである。

「スサノオノミコトの教え」を実践して

日本に繁茂する数多くの樹種の中から、スサノオノミコトは、舟は杉と樟（楠）で、宮殿は檜で、棺は槙で作れ、と教えた。

古代日本人は、このスサノオノミコトの教えを忠実に守ったようである。遺跡や古墳などからの出土品や現存する寺社の建物が、それを証明している。

『古事記』によれば、第一一代垂仁《すいにん》天皇の時代に「二俣椙を、二俣小舟に作りて」と、舟が杉材で作られたことが書かれている。つまり、実際に杉材で舟を作ったことが記されているのだが、事実、ほぼ同時代（弥生時代後期、二〜三世紀）のものと思われる静岡市の登呂遺跡から発掘された田舟（丸木舟）も杉材製だった。

現存する世界最古の舟は、一九五四年にエジプト第四王朝（紀元前二五〇〇年頃）のクフ王の大ピラミッドの南側で発見された〃太陽の舟〃であるが、これもまたレバノン杉で作られていた。復元された結果、長さ四三メートル、幅五・五メートルを超す巨舟であった。

樟（楠）も同様で、『古事記』に〃鳥之石楠船《とりのいはくすぶね》の神〃、つまり〃鳥のように軽快で、堅固な楠造りの船の神〃という神が登場する。また、『日本書紀』にも「（蛭児を）天磐櫲樟船《あまのいはくすぶね》（丈夫な樟の船）に載《の》せて、風の順《まにま》に放《はな》ち棄《す》つ」と書かれていることから、樟（楠）が舟材として用いられていたことがわかる。事実、これまでに近畿地方で発掘された古墳時代のほとんどの舟は樟（楠）材で作られている（参考図書⑷）。

『古事記』や『日本書紀』の記録、そして実際に発掘されている古代の舟から、農作業などに使う簡単な舟は杉材、物資などを運搬する堅固な舟（船）は樟（楠）材で作られていたようである。

「棺を作れ」とされた槙はどうか。

近畿地方の古墳から出土した木棺はほとんど例外なく高野槙《こうやまき》で作られている。また、日本ばかりでなく、朝鮮扶余《ふよ》の陵山里にある歴代百済《くだら》王の古墳にある棺もすべて高野槙で作られていた

（尾中文彦『木材保存』第四巻、第七号、一九三九）。

韓国公州の博物館に当時の実物の棺があり、その大きさは長さが二メートル余、幅と深さが八〇センチメートル、板の厚さは一〇センチメートル余であるという（参考図書⑷）。原木が相当の大きさであったことが想像できる。

高野槙は世界で一属一種、日本にしか産しない樹種であるので、古代朝鮮のこれらの棺材は当然、日本から運ばれたものであろう。朝鮮にも種々の木材があったにもかかわらず、あえて日本から運んだということは、日本の高野槙が、棺材として比類なき優れたものであったことの証左である。

続いて、いまに遺る日本の古代建造物を支えてきた檜について述べよう。

現存する世界最古の木造建築である法隆寺は、建立以来一三〇〇年以上を経たいまでも凛とした美しさの伽藍を保っている。創建時の優美な姿をいまに伝える薬師寺東塔も、一二〇〇年以上前の建立である。法隆寺と薬師寺は、いずれも檜材で造られている。

『古事記』下《しも》つ巻《まき》、第二一代雄略《ゆうりゃく》天皇紀の中に第一二代景行《けいこう》天皇の宮殿讃美の「まきさく　檜《ひ》の御門《みかど》」という言葉がある。

〝まきさく〟は「真木栄《まきさ》く（建築用材となるよい木が栄える）」で、「檜」の枕詞である。つまり、景行天皇の宮殿が檜造りであることを称えたものだ。

日本に現存する神社の数は少なくないが、日本の歴史上、最も大きな意味をもつのが出雲大社と伊勢神宮（正式名は〝神宮〟であるが、本書では通称〝伊勢神宮〟と記す）であることには異論があるまい。『日本書紀』巻第二神代下第九段に、出雲大社の創立と関わりが深いと思われる「其の宮を造る制《のり》は、柱は高く大《ふと》し。板は広く厚くせむ」という記述がある。この〝制〟のとおり、巨大な出雲大社の本殿は太く高大な檜材で造られ、屋根は檜皮葺《ひわだぶき》になっている。

一方の伊勢神宮の起源も古く、日本国家の成立と深く関わっている。

伊勢神宮は、皇祖・天照大神《あまてらすおおみかみ》を祭神とする内宮《ないくう》（皇大神宮《こうたいじんぐう》）と、食物・農業の神・豊受大《とようけおお》神《みかみ》を祭神とする外宮《げくう》（豊受大神宮）から成る。皇大神宮の鎮座由緒は天孫降臨に発するが、神殿の宮処《みやどころ》は転々とし、『日本書紀』によれば現在地に奉斎したのは垂仁天皇二五年のときである。

この伊勢神宮も総檜造り（屋根は茅葺《かやぶき》）として有名であるが、何よりも注目されるのは、二〇年ごとに建て替える「式年遷宮《しきねんせんぐう》」制度である。

伊勢神宮の式年遷宮の制度が定められたのは七世紀の第四〇代天武天皇のときで、第四一代持統天皇が即位した持統四（六九〇）年に皇大神宮の遷宮、六九二年には豊受大神宮の遷宮が行われた。以後、戦国時代に乱れたこともあったが、現在まで式年遷宮の制度が伝えられており、われわれは二〇年ごとに真新しい総檜造りの神宮を見ることができるのである。式年遷宮のおかげで、千数百年を越える長い年月にわたって、古代の建築様式が現代まで正確に伝えられている。

法隆寺金堂や法輪寺三重塔、薬師寺金堂・西塔などの堂塔をふんだんな檜材を使って修復・再建した最後の宮大工棟梁といわれる西岡常一棟梁は、「わたしら一宮大工にとりますと、木ゆうたらヒノキですがな。ヒノキという木があったから、法隆寺が千三百年たった今も残ってるんです。ヒノキという木がいかにすぐれていたか昔の人はすでに知っておったんですわな。……神代からの伝承を受けて、仏さんの宮居《みやいり》であるところの伽藍はヒノキ一筋ということやと思います」（西岡常一著『木に学べ』小学館、一九八八）と述べている。

杉や楠、槙、檜のほかにも、日本各地の古代遺跡や古墳からの出土品を調べてみると、さまざまな道具類が、ほぼ一定の種類の木材によって作られていることがわかる（参考図書⑷）。農具は樫《かし》、櫛は柘植《つげ》、食事椀は欅《けやき》という具合である。そしてこれは、現代における各木材の利用法と同じだ。つまり、日本の古代人は、積年の経験を通して、身のまわりにあるさまざまな樹木の性質を熟知し、それらを文字どおり〝適材適所〟に使っていたのである。

舟はなぜ杉、樟か

舟は水に浮かべるものであるから、まず第一に問題になるのは比重である。どんな木でも水に浮く、と思いがちだが、じつはそうではない。水に沈んでしまう木、つまり、比重が一より大きな木もあるのだ。

ところで、金属や鉱物、ガラスなどの比重は温度を指定すれば、ほぼ一義的に定まるが、吸水・吸湿性がある木材の比重は一義的に定まらないので厄介である。吸水率によって、木材の重さ（M）も体積（V）も変わってしまうからである。

一般に、木材の比重（r）は次の三種で定義される（厳密にいうと、物理的には〝密度〟の定義になっているが、便宜的に〝比重〟とよぶことにする）。それぞれの記号の添字のgは生材（green）、aは気乾（air-dry）、oは全乾（oven-dry）を表す。

(i)　生材比重　$r_g = M_g / V_g$〔g/cm^3〕

(ii)　気乾比重　$r_a = M_a / V_a$〔g/cm^3〕

(iii)　全乾比重　$r_o = M_o / V_o$〔g/cm^3〕

比重が樹種によって異なるのはいうまでもないが、同一の樹種でも個体差、部位差、経時差があることに留意しなければならない。

もちろん、舟材としては比重が小さいものほどよい。世界で最も軽い木は模型飛行機の骨組などに使われているバルサで、r_aは約〇・一七である。国産材で最も軽いのは桐（r_a＝〇・二九）

だが、模型ならともかく、実用的な舟の材料としては強度の点で失格である。

では、なぜ杉なのか。

杉は比較的軽い（r_a＝〇・三八）木材であるうえに、強度的にも劣るものではないが、杉の特徴はなんといっても、セスキテルペンやクリプトメリジオール、クリプトメリオールなどの精油が材中に約一パーセントも含まれることである。

木材独特の香り（におい）の源となっているのが揮発性の精油である。香料植物として有名な白檀《びゃくだん》には、多くの精油成分が含まれている。精油は、香りの源であると同時に、防腐、防虫、防水効果、あるいは動物に対する忌避効果などによって、樹木、木材自体を保護するはたらきをもっている。つまり、精油を多く含む樹種は、つねに水に接する舟材に適していることになる。

また、杉が北から南まで日本に広く分布する樹種であり、直径五メートル、高さ五〇メートル以上にもなる大木であること、さらに、木目が素直で材質が軟らかく、十分な大工道具が揃わない古代においてもきわめて加工しやすかったことなどが、舟材として広く用いられた理由であろう。

スサノオノミコトに舟材として指定された、もう一つの樟のr_aは〇・五二であり、決して軽い木というわけではない。それにもかかわらず舟材として用いられたのは、樟の材中に数パーセントにも及ぶ樟脳と樟脳油が含まれているためである。樟脳はセルロイド、無煙火薬、フィルムなどの化学製品の製造や防虫剤、防臭剤、医薬品などに使用される有機化合物である。

　現在のように種々の化学ペイントや防腐剤がなかった古代において、きわめて優れた天然の防腐剤としての樟脳・樟脳油が多量に含まれる樟は、比類なき舟材であった。樟は強度的にも優れているうえに、高さ二〇メートル以上に達する大木である。『古事記』の〝鳥之石楠船《とりのいはくすぶね》〟や『日本書紀』の〝天磐橡樟船《あまのいはくすぶね》〟は、まさに想像に難くない。

　古来、樟は木彫用材としても多く用いられている。

　日本の木彫仏について記された最も古い記録は、『日本書紀』巻一九「欽明《きんめい》天皇一四（五五三）年五月七日」の条に見られる。河内国から「泉郡《いずみのこおり》の茅渟《ちぬ》の海中から、仏教の楽の音がします。響きは雷の音のようで、日の光のように輝いています」という知らせが入り、第二九代欽明天皇は早速、溝辺直《いけへのあたひ》を遣わす。

「是の時に、溝辺直、海に入りて、果して樟木《くすのき》の、海に浮びて玲瓏《てりかかや》くを見《みで》つ。遂《つひ》に取りて天皇《すめらみこと》に献《たてまつ》る。画《ゑ》工《たくみ》に命《みことのり》して、仏像《ほとけのみかた》二躯《ふたはしら》を造らしめたまふ」というわけで、日本で最初と思われる仏像は樟で造られた。

　樟が木彫仏像材として選ばれた第一の理由はやはり、樟脳による独特の香りと耐水・防腐性の強さであったろう。さらに、材質が滑らかで、当時の道具で加工するのに適当であったことも挙げられよう。また、仏像を一木造りで彫刻するためには大木が要求されるが、前記のように樟は高さが二〇メートルにも達する。種々の史料から、古代の日本に樟の大木が多く生えていたことが知られている。

以上述べたように、舟材に求められる性質は、軽さ、強度、耐水・防腐性に優れていることと、大木が得られることである。これらを考慮すれば、スサノオノミコトが杉と樟を舟材に指定したことは、まことに理に適ったことといわねばならない。

ところで、木材の重さについて若干付け加える。

国産材で最も重いのは赤樫《あかがし》、柞《いすのき》で、気乾比重r_aが一・〇五に達するものもある。世界で最も重い木材は、中南米産のリグナムバイタで、r_aは約一・二三である。これらの木材を筏《いかだ》に組んでも水に沈んでしまう。

樹種によって比重はさまざまであるが、じつは、木の実質部、つまり細胞の壁の比重は樹種によらずほぼ一定で、r_aは約一・五〇なのである。木を構成している細胞は形や大きさや主成分が、どんな樹種でもほぼ等しく、壁の厚さ、道管が占める体積が樹種によって異なるだけなのである。だから、完全に圧縮した木材が得られるとすれば、その比重は樹種によらずほぼ一・五〇になり、すべての圧縮材は水に沈むことになる。

棺はなぜ槇か

土葬の遺体を納める容器が棺である。

遺体の埋葬は旧石器時代から行われているが、一般的な棺の使用は新石器時代に入ってからである。棺は材質によって石棺、木棺、陶棺、粘土棺、金属棺、乾漆棺などに分けられる。日本では縄文時代に、大きな甕《かめ》に石などで蓋をした甕棺などが用いられている。縄文時代から弥生時代にかけて、板石を組み合わせた箱式石棺が用いられたが、しだいに木棺が用いられるようになり、その習慣は現在まで続いている。特に、第三六代孝徳《こうとく》天皇（在位六四五〜六五四年）の代に、臣下の棺は木で作り、庶民の死者は土中に埋めよ、ということになったため、石棺は急速に廃れた。

木棺に使用する材には、どのような性質が求められるのか。

木棺は遺体を納める容器であり、それを人間が運び、土中に埋めたり高所に安置したりする作業のことを考えれば、木棺材に求められる性質は基本的には舟材に求められる性質と同様と思われる。つまり、耐湿・耐水性、防腐性に優れ、強く、そして適度に軽いことなどが木棺材に求められる性質である。また、死臭ただよう遺体のことを考えれば、香りも重要な要素だ。これらの要求を満たす樹種を選べば、檜（檜葉《ひば》）、高野槙、杉、樟であろうか。

これらの候補材の中で、樟は比重の点で劣る。また、『日本書紀』の、臣下の棺は木で作れ、と定めた孝徳天皇紀・大化二年三月二二日の条に「棺槨《き》は以て骨を朽《くた》すに足るばかり（棺は骨を朽ちさせるに足ればよい）」と書かれているくらいであるから、遺体に対し防腐効果をもつ樟は木棺材として不適当である。

さらに、古来、木棺が刳貫《くりぬき》式でなく、板を組み合わせた構造になっていることを考えれば、乾湿に対して寸法が狂いやすい杉が除かれるかもしれない。事実、昔から高級な風呂桶は檜あるいは高野槙で作られてきた。東京生まれの私にとって、気持ちのよい風呂桶、湯舟といえば、もっぱら檜材のものであるが、関西では高野槙材が最高の風呂桶材とされていたそうである。木の研究家として名高い小原二郎氏の実験によれば、高野槙は乾湿に対して狂いにくく、腐朽に強く、いつまでも木肌の色が変わらないそうである（参考図書(4)）。

結局、風呂桶材としては檜と高野槙が双璧であることは紛れもない事実である。

にもかかわらず、スサノオノミコトが槙を木棺材に指定した、そして遺跡からの出土品で明らかにされているように、実際に高野槙が木棺材として好まれて使われてきた決定的な理由は、その耐久性に加え、高野槙の特有の匂いにあるのではないかと想像される。残念ながら、私自身は高野槙の匂いを実際に嗅いだことがないのだが、高野槙の性質を説明するどんな書籍にも、高野槙が〝特有の匂い〟〝独特な匂い〟を有することが書かれている。高野槙の〝特有の匂い〟が死臭を抑え、あるいは死者への手向けの香りになったのではないか。

ちなみに、現在の一般的木棺材は何か。

地方によって異なる可能性があるが、私が住む静岡県内の木棺製造業者の話では、最も一般的なのは、なんと、ベニヤだそうである！　ベニヤ材の外装として桐の木目を印刷した紙を貼ったり、若干高級品になると実際の桐の薄片を貼ったりするらしい。きわめて稀に、総檜造りの木棺の注文があるそうだが、「槙の木棺も杉の木棺も作ったことがない」とのことであった。

いずれにせよ、現在は、高野槙の木棺に入る人は絶無のようである（皇族は現在も高野槙だろうか？）。すぐに灰にされてしまうにしても、ベニヤ板の木棺に入るのはいささか寂しくはないか。

宮はなぜ檜か

さて、いよいよ本章のクライマックスに入る。古来、日本の神社仏閣を支えてきた檜の話である。

これまでの考察から、あらゆる角度から見て檜がきわめて優れた木材であることは明らかである。つまり、事情さえ許せば、建築、舟、木製品などを問わず、檜は何にでも用いたい樹種である。

ヒノキ属には日本に檜と椹《さわら》の二種、台湾に台湾檜の一種、北米にピーオーシーダー（米檜）、アラスカシーダー（米檜葉）など三種の合計六つの樹種がある。これらの中で、日本の檜が物理的にも外観的にも最も優れている。檜の古名は〝真木《まき》〟（前述のように〝檜〟の枕詞は〝まきさく〈真木栄く〉〟である）であるが、〝木の国〟日本において、これぞ「木の中の木」「木の王者」と考えられたからであろう。

一般的な木造建築用材に求められる基本的な性質としては、保存性・耐久性に優れていること（特に温帯モンスーン気候の日本においては耐湿性が重要）、十分な強度があること、中くらいの堅さであること、などがある。さらに、神社仏閣、宮殿の建築用材に限定すれば、たとえば伊勢神宮の神殿を想い起こせばわかりやすいが、大木が得られること、木目・木肌が美しいこと、自然の光沢があること、香りがよいこと、などが付け加えられよう。また、保存性・耐久性といっても、神社仏閣の場合は、数百年、千数百年以上の保存性・耐久性が求められるだろう。

もう一つ忘れてならないのは、古代の大工道具のことである。

大木から大きな板材や角材を得るには大型の縦挽き鋸《のこぎり》（大鋸《おが》）が必要だが、法隆寺や薬師寺が建立された飛鳥時代、奈良時代の日本には、この大鋸は存在しなかった。大鋸が大陸から日本に輸入されるのは室町時代中期であり、普及するのは江戸時代になってからである。この大鋸がない時代、板材や角材は伐り倒した木の木筋に沿って割る〝割木工（打ち割り法）〟によって得られていた。つまり、室町時代以前の神社仏閣、宮殿用材の重要な性質として、木目が通直であることが加えられるのである。

ここで改めて、檜の一般的性質を列挙してみよう。

比重は軽く、〇・四四。辺材は淡黄白色、心材は淡黄褐色または淡紅色。木目は通直、緻密で狂いが少ない。中くらいの堅さで加工しやすく、表面仕上げはきわめて良好。光沢があり、香りもよい。保存性が高く、よく水湿に耐え、日本建築の材としては第一位である。

こうなれば、神社仏閣・宮殿建築用として、檜の右に出る樹種は見当たらない。

現在でも、〝檜普請の家〟は高級な家の代名詞になっている。また、能が演じられる能舞台は総檜造りである。現存する最古の能舞台は京都の西本願寺に遺る天正《てんしょう》九（一五八一）年建造のもので、それを含め、現在、日本には数え切れないほど多数の能舞台があるが、それらはすべて例外なく総檜造りのはずだ。

能以外の舞台、劇場では一般的に杉が使われていたが、上等あるいは高級な劇場では、やはり檜が使われている。したがって、「檜舞台」といえば、大劇場あるいは格式の高い劇場の一般的な意味になり、そのような劇場に出演すること、さらには名誉の場所に出ることを「檜舞台を踏む」というのである。

ところで、欅も高さ三〇メートル、直径二メートルにも達する大木であり、日本の広葉樹を代表する良材である。また、その性質を考慮すれば、建築用材として大きな魅力をもつ木である。

欅は、現在では、その重くて堅い材質と表面の光沢、そしてさまざまな形の木目の化粧的価値が珍重され、家具や彫刻などに用いられるのが普通であるが、昔は確かに、城や寺社、宮殿の建築に欅が用いられたのである。〝昔〟といっても、欅が建材として用いられるのは、前述のように、大鋸が日本に輸入された室町時代以降のことであるが、特に、桃山時代の城郭建築には多く用いられた。

欅が建築材として用いられるようになったのは、もちろん第一には、その優れた性質と、大鋸という道具が使えるようになったためであるが、雄渾《ゆうこん》あるいは豪壮な木目が、台頭してきた武士階級、そして彼らが好んだ建築様式に、うまく合致していた、ということもあるのだろう。

ところで、仮に、飛鳥時代に大鋸があったとしたら、欅が法隆寺や薬師寺の建築に用いられたであろうか。強度の点では、欅は檜をはるかに凌駕している。

だが、答えは「否」であろう。

日本人の檜に対する精神的な憧憬の要素を除外してみても、やはり、檜が、その優れた性質によって、寺社、宮殿の建築に用いられたことは疑いない。

檜と欅の強度を比べてみると、欅のほうが圧倒的に優れている。特に、曲げ強さ、圧縮強さの差は歴然である。ところが、欅と檜の強さが年を経るとどのように変化するか、つまり強度の経年変化について驚くべき結果が得られているのである（図4－1）。

確かに、新木の欅は檜に比べ、圧倒的に強い。しかし、欅は年を経るにしたがって急速に弱くなっていくのである。それに対し檜は、驚くべきことに、最初の二〇〇年くらいは、じわじわと強くなっていき、最大三〇パーセント近くも強度が増す。そして、その後は非常にゆっくりと弱くなっていき、新木の強さに戻るのには千数百年を要するのである。つまり、一三〇〇年以上を経た法隆寺に用いられた檜材は、現在もほぼ創建時の強さを保っていることになる。

図から明らかなように、欅と檜の曲げ強さはおよそ五〇〇年後には逆転するし、圧縮強さもおよそ一〇〇〇年後には逆転する。つまり、数百～千数百年のオーダーで建造物の〝寿命〟を考えるならば、やはり「建材は檜、宮は檜」という結論になることが証明されるのである。

法隆寺の〝昭和の大修理〟を指揮した西岡常一棟梁は「五重塔の軒を見られたらわかりますけど、きちんと天に向かって一直線になっていますのや。千三百年たってもその姿に乱れがないんです。おんぼろになって建っているというんやないんですからな。しかもこれらの千年を過《す》ぎた木がまだ生きているんです。塔の瓦をはずして下の土を除きますと、しだいに屋根の反りが戻ってきますし、鉋《かんな》をかければ今でも品のいい檜の香りがしますのや。これが檜の命の長さです」

（参考図書⑼）と述べている。

木には、「樹齢」と「耐用年数」の二つの命があるという。

西岡棟梁の言では、木材は、上手に使えば、樹齢と同年の耐用が可能だそうである。法隆寺の創建時、主要部材として使われた檜の樹齢は二〇〇〇年以上だそうであるから、〝木のいのち、木のこころ〟を知り尽くした飛鳥の大工、工匠の手になる法隆寺の檜は、これから後、少なくとも七〇〇年くらいはもちそうである。

豊臣秀頼による法隆寺の〝慶長《けいちょう》の大修理〟には、欅のほかに松と杉が大量に使われたそうである。松、欅の寿命は四〇〇年くらい、杉は八〇〇年くらいといわれる。

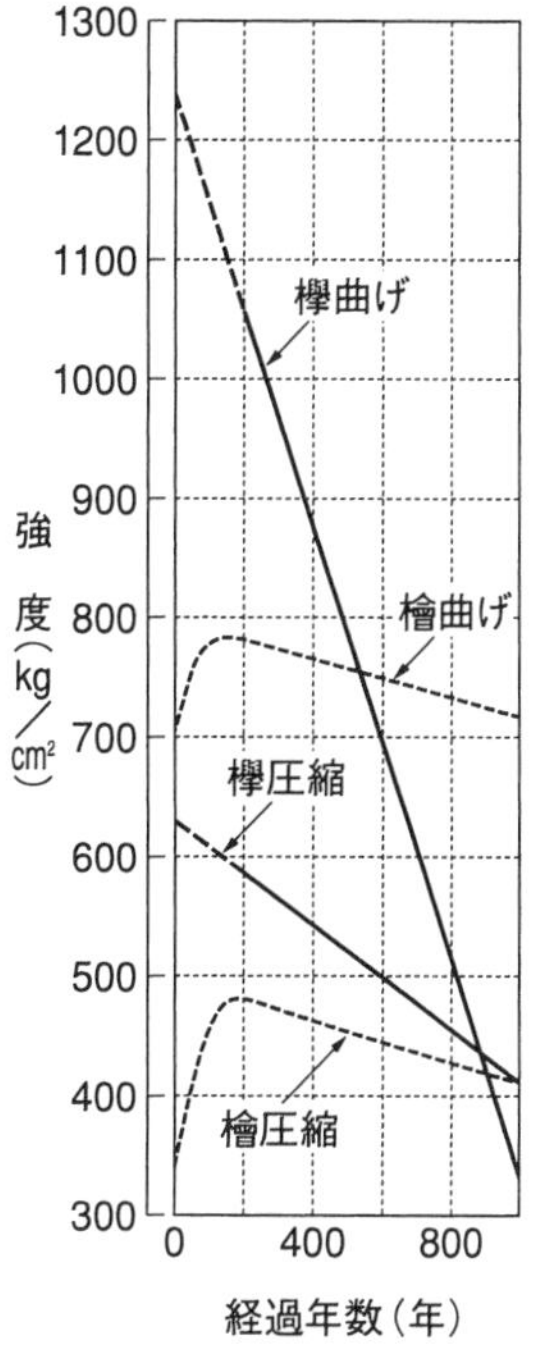

図4−1
欅と檜の強度の経年変化
（参考図書⑵より一部改変）

法隆寺創建時にも、金堂の屋根の下地材などには杉板も少し使われたが、〝昭和の大修理〟のとき、それらの杉板はさわっただけでボロボロにくずれ、まるで火に燃えて形だけ残った段ボールの紙のようだったという。〝昭和の大修理〟では、このような杉板や〝慶長の大修理〟のときに使われた欅、松、杉材がすべて檜材に取りかえられた（参考図書(2)）。

結局、スサノオノミコトがいうように「宮は檜で」なのである。

檜はなぜ強いのか

木材の強さを支配する重要な要素は、その化学的組成分で、最大の組成分は、いうまでもなくセルロースである。木材の強度を保つ、このセルロースが欅の場合、年を経ることによって急激に減少していく。ところが、檜の場合には、セルロースの減少はきわめてゆっくりで、千数百年後でもほとんど変化がない。欅と檜の経年強度変化は、一義的には、このセルロースの量の経年変化で説明される。

しかし、図4－1に示したように、檜の強度が最初の二〇〇年ぐらいは減じることなく、むしろ増すことを説明するには、ほかの要素を考えなければならない。

話が若干飛躍するようだが、物理学的な考察を試みてみよう。

物質は原子が集合したものである。図4－2に示すように、模式的に原子を四角で表せば、物

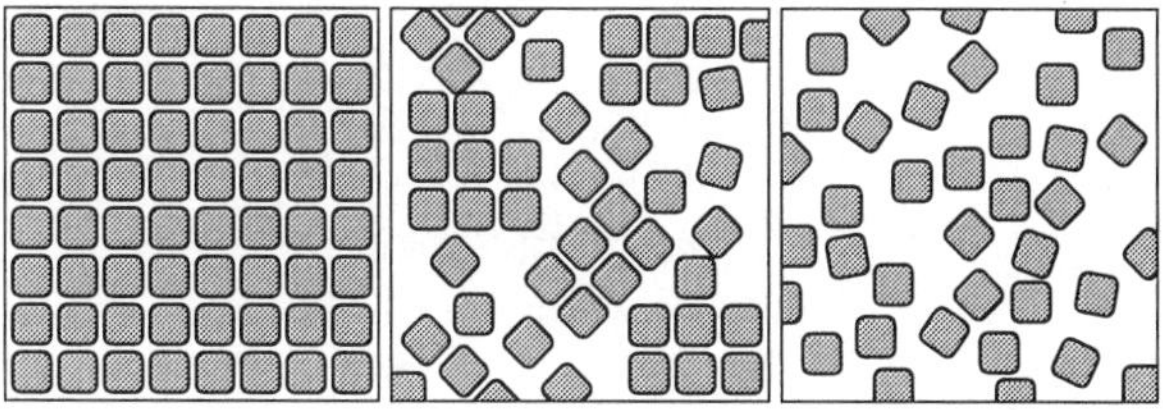

(a) 単結晶　(b) 多結晶　(c) 非結晶

図4-2　原子の集合状態による物質の分類

質は原子の集合状態によって、「単結晶」「多結晶」「非結晶」の三種に分類される。もちろん実際の物質は立体であるが、図4－2では平面のみが描かれている。立体は、この平面の積み重ねと考えればよい。

一般的に、原子が三次元的に規則正しく配列された物質を〝結晶〟と定義する。ある塊全体にわたって、そのような規則正しさが保たれているとき、そのような物質を〝一つの結晶〟という意味で単結晶とよぶ（図4－2(a)）。ある塊の中で、部分的には単結晶であるが、全体的には多くの単結晶でできているような物質が多結晶（図4－2(b)）である。原子がバラバラ、不規則、そして雑然と並んだような物質が非結晶（図4－2(c)）である。

話をセルロースに戻す。

木材中の主要なセルロースは非結晶であるが、大気中に長く放置されているあいだに結晶に変化し、セルロースの結晶化によって、材質は堅く（強く）なっていく。つまり、セルロースの結晶領域が増大するにつれて、木材は〝強く〟なるのである。

セルロースの経年変化が木材の強度に与える影響は、正・負の二面があることになる。つまり、絶対量が減ることによる負の影響と、結晶領域が増すことによる正の影響である。結果的な強度は、これら正・負の影響の相対的大きさで決まることになる。

ホロセルロース（リグニンを除去した細胞壁体で、セルロースとヘミセルロースから成る）の結晶領域の経年変化を図4－3に示す。

最初の三〇〇年間ほどは、ホロセルロースの結晶領域は増大する。つまり、この結晶化（正の影響）だけを考えれば、145ページ図4－1に示される檜に限らず、どんな樹種の木でも、最初の数百年は強度を増すことになる。ところが、欅の強度が年を経るにしたがって小さくなる一方であるのは、セルロースの絶対量の減少が急激であり、負の影響のみが顕在化した結果であろう。

檜と同じ針葉樹に属する杉は、多くの用途に使える、古代以来今日まで日本を代表する良材で、檜に次いで長もちする木である。ここで檜と杉との比較を簡単にしておきたい。

山陽新幹線・新神戸駅のすぐ近くにある竹中大工道具館は、古今東西の大工道具を保管・展示するきわめてユニークな博物館である。竹中大工道具館の地下に展示される針葉樹と広葉樹、合計八種の原木見本は圧巻、迫力満点である。

それらの原木見本の中から、図4－4に杉（上）と檜（下）の写真を示す。これらは、ほぼ同じ太さ（杉は五〇センチメートル、檜は四一センチメートル）であるが、年輪や心材、辺材の色

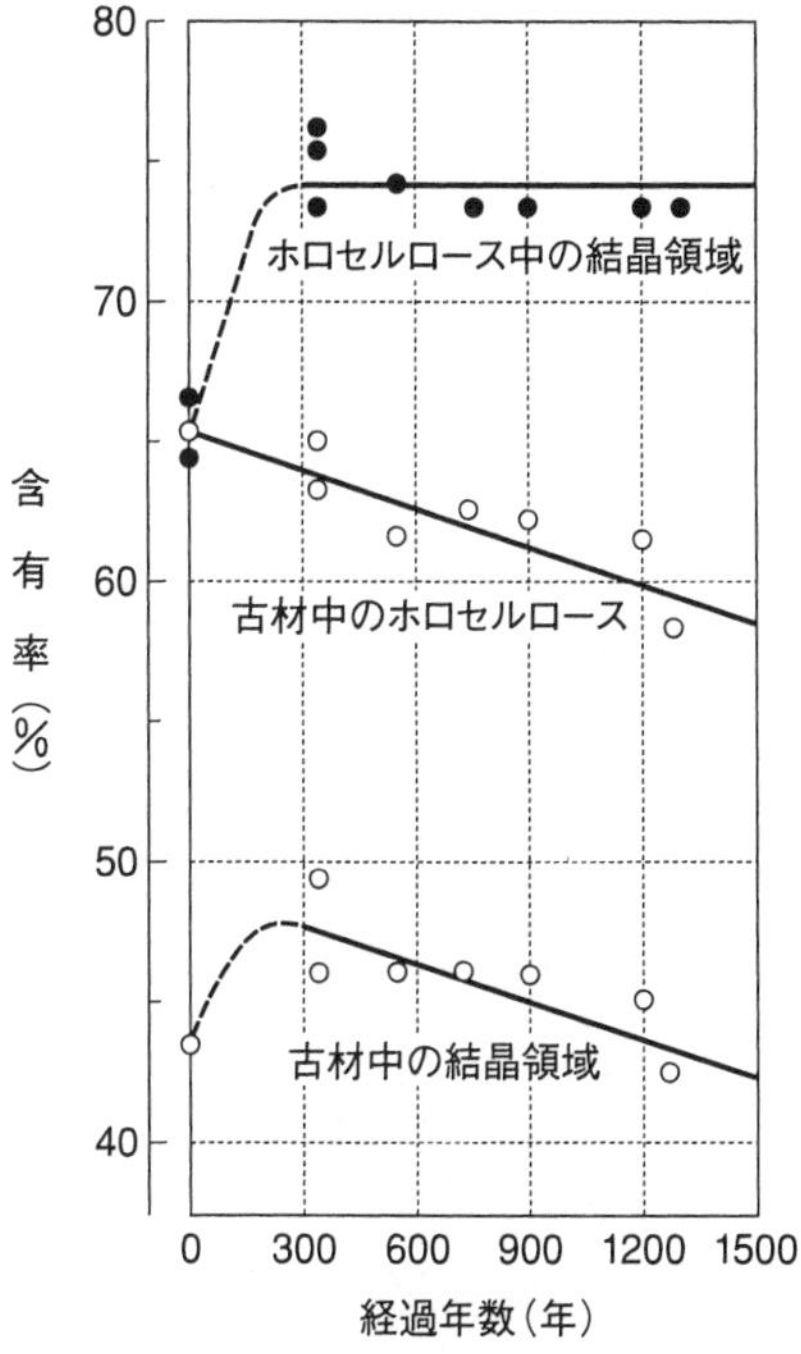

図4−3　ホロセルロースの結晶領域の経年変化
（参考図書(2)より）

は対照的である。杉には約八〇本、檜には約一一〇本の年輪が見られる。つまり、それぞれの太さに成長するまでに、杉は約八〇年（一年に約六・三ミリメートル成長）、檜は約一一〇年（一年に約三・七ミリメートル成長）を要したことになる。

もちろん、たとえ同じ樹種であっても、育った環境によって木の成長速度は異なるが、右の比較は、杉と檜の成長速度の一般的な比較と考えても大きな誤りではないだろう。檜の強さ、長もちの秘密は、その、ゆっくりした成長とも関係している。

ふたたび話は飛躍するが、現代のエレクトロニクスはシリコン（Si）をはじめとする半導体結晶によって支えられている

図4-4　杉と檜の年輪（竹中大工道具館展示。西村章特任顧問提供）

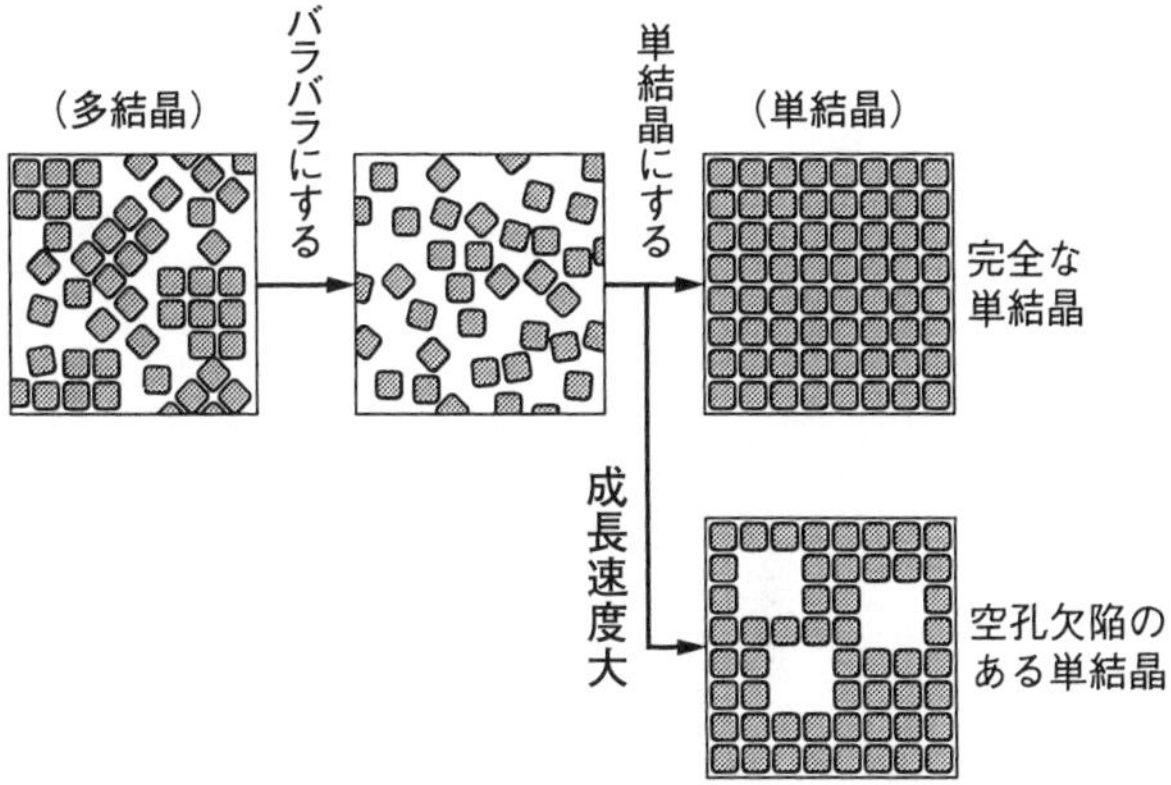

図4-5　半導体単結晶の育成

（参考図書⒁）。

この半導体単結晶は、図4－5に模式的に示すように、多結晶を高温で熔融し（構成原子を一度バラバラにする）、それがゆっくり冷却する過程で単結晶化することによって得られる。

生産性のことを考えれば、冷却速度を大きくして、成長速度を大きくしたほうがよいのだが、あまり大きくすると、原子がきちんと詰まらない部分（空孔欠陥とよぶ）ができてしまう。成長速度の増大にしたがって増加する空孔欠陥などの結晶欠陥は、集積回路（ＩＣ）などの性能に重大な悪影響を及ぼすのである。

一般的にいえば、木材の強さも原子（セルロース分子）の詰まり具合に依存するはずである。そして、その詰まり具合は、木材の成長速度と逆比例するであろう。つまり、図４－４に示される杉と檜の成長速度の違いが、それぞれの木の強さと寿命とに深く関係しているのだと思われるのである。

スサノオノミコトの〝適材適所〟の教えは、現代のエレクトロニクスとの符合から見ても、ただひたすら見事というほかない。

五重塔を支えた大工道具

法隆寺をはじめとして、一〇〇〇年以上も立ち続ける木造建造物が日本には少なくない。温帯モンスーン気候の、これだけ湿気の多い日本で、木造建造物が腐朽することなく一〇〇〇年以上もの間、凜とした姿を保ち続けるのは不思議なことでもある。

それは、木を知り尽くし、真の適材適所を実践し、木を使いこなした古代の匠たちの〝技《わざ》〟の結晶であり、たまものである。また、第6章で述べる古代の朽ちない釘が果たした役割も決して小さくない。木に打ち込まれた釘が腐れば、木に悪影響を与えるからである。

加えて、大工道具が日本の朽ちない木造建築に果たした役割は甚大であったと私は思う。もちろん、そのような大工道具を作り、使いこなした鍛冶や大工らの職人、さらには、第6章で述べる高品質の和鋼・和鉄を生み出した「たたら師」たちが背後にいることを忘れてはならない。

西岡常一棟梁は、「道具は大工の手の延長です。そないになるまで使えなくてはなりません。

大工の仕事は頭でするんやなくて、最後は自分の腕で仕上げななりません。（中略）（大工の）仕事を成り立たせるのが道具ですわ。道具なしには腕のよしあしはないんです。だから職人は道具を大事にするんです。自分や家族に飯を食わせるのと同時に、自分がどんな人間かを写し出すのが道具です。（中略）道具を見たら腕がわかるかって聞かれますけど、そりゃ、わかりまっせ。一番大事なものをどう扱っているかを見れば、その人の仕事に対する心構えが見えますな」と述べている（参考図書⑼）。

大工道具は大工を支え、大工は大工道具を支え、ひいては日本の木造建築を支えているのである。材料と対話をし、それをモノにするための、その対話の通訳者になってくれるのが道具である（参考図書⑴）。

古代日本の大工道具

〝木の国〟日本には、古来多種多様な木があり、同じ種類の木であっても一本として同じものはなく、それぞれが複雑な性質をもっている。このような木を相手にしてきた日本の大工道具もまた、多種多様である。木材には「構造材」と「化粧材」とがあり、それらの加工、仕上げが互いに異なることが、さらに、大工道具を多様にする。

日本では古来、このように多種多様な大工道具が使われてきたのであるが、残念ながら、それらの現物を見ることはできない（時折、古代の大工が梁の上や屋根裏に置き忘れた道具が見つかることがあるらしいが、これは貴重な〝遺品〟である）。

それは、道具というものが、大切に保管され、あるいは鑑賞される美術・工芸品とは異なり、〝使われるもの〟であり、使われた結果、必然的に亡びていく運命にあるものだからである。また、社会には、道具は誰もが使うありふれたものという観念も古くからあり、美術・工芸品などのように、「保存するもの」「後世に遺すもの」とは見なされておらず、そのような場も機会も存在しなかったのである。

村松貞次郎氏は前掲の参考図書(1)の中で「日本刀ブームの中で、つまらぬ刀にまで何十万円とかいう値がつくのを見ると、大工道具が、その鍛冶があわれであり、いとしくてならない」「国宝・重要文化財などと、建築は華々しく脚光を浴びているが、その蔭にあった工人と道具が日の目を見ないのは、どうしたことだろうか」と述べているが、私もまったく同じ想いである。

それだけに、一九八四年に神戸市中山手に設立され、二〇一四年に移転・リニューアルされて現在に至っている前記の竹中大工道具館は奇特であり、きわめて貴重な存在である。

その「設立趣旨」によれば、この大工道具館は、「わが国の建築は、明治初期まで木造建築一筋の歴史を歩み、木造建築の様式の多様化、造形美、それを具現した高度な技術と優れた職人の技能は他の国に例がなく、独特の進歩発展を遂げてきました。それを支えたのが、道具の王者といわれる『大工道具』であります。その大工道具も、品質が良いものほど摩滅するまで使われるという厳しい宿命をもっているため、後世に残るということが大変難しくなっています。また、近年のめざましい機械化、電動化の進展によって、その大工道具そのものが次第に姿を消していく傾向にあり、まことに惜しまれてなりません。（中略）建築の生産方式のシステム化が進み、工場生産と省力化による効率化が優先し、電動工具が普及する現代にあって、次第に消えていく古い時代の道具、優れた道具を民族遺産として収集、保存し、これらの研究、展示を通じて工匠の精神や道具鍛冶の心を後世に伝えていくため」に設立されたのである。

私は、この竹中大工道具館に惜しみない拍手を送り、心からの敬意を表したいと思う。

古代の大工道具を知る貴重な資料は、古文書の記述と絵巻物や職人歌合絵《うたあわせえ》、職人尽絵《しょくにんづくしえ》などの絵画資料である。特に、当時の生活のようすが描かれている絵巻物は貴重である。

建築作業現場がまことに生き生きと描かれている絵巻としては『春日権現験記絵巻《かすがごんげんけんきえまき》』（一三〇九年）、『松崎天神縁起絵巻』（一三一一年）、『石山寺縁起絵巻』（一四世紀後半〜一五世紀後半）、『川越三芳野天神縁起絵巻』（一七世紀中頃）などが有名である。

『春日権現験記絵巻』には、直垂《ひたたれ》、袴に草履をはいて、尺杖《しゃくづえ》をもった棟梁（親方）と、素足で作業に従事する大工・工匠たちの姿が生き生きと描かれている。そして、この絵の中に、鋸、

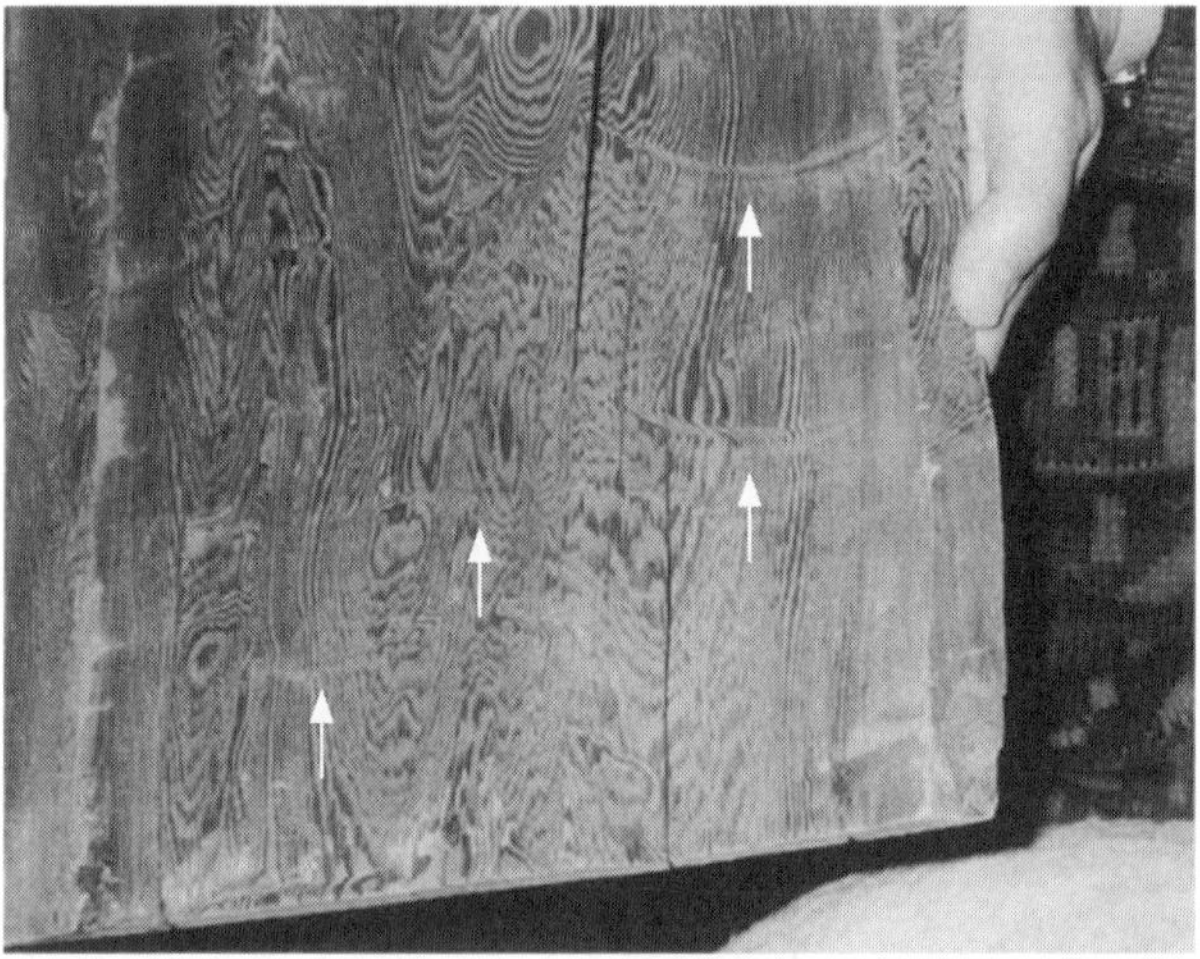

図4-6　手斧の削り跡(矢印)がはっきり残る法隆寺の板(松山・白鷹刃物工房で筆者撮影)

手斧《ちょうな》、槍鉋《やりがんな》、鑿《のみ》、木槌《きづち》、墨壺《すみつぼ》、曲尺《かねじゃく》、準《みず》縄《ばかり》などの道具が見えるのである。古代の大工道具の形状と使用法を知るうえでまことに貴重な資料である。

　また、実際に大工道具を作る道具鍛冶や、使う大工らにとっては、実際の加工の痕跡も貴重な資料になるそうである。

　西岡棟梁の助言のもとに、古代の大工道具を復元した（それらのいくつかが前述の竹中大工道具館に展示されている）白鷹幸《しらたかゆき》伯《のり》鍛冶から、貴重な話を聞いたことがある。

　西岡棟梁から「これは貴重なものなので、大切に保管してください」という手紙といっしょに一枚の板きれが送られてきた。それは、一九三五年の法隆寺解体修理のときに出た板で、樹齢二五〇〇年の檜板、法隆寺が建てられたのがおよそ一三〇〇年前だから、ざっと四〇〇〇年の歴史をもっている板である。その板には樹齢を示す美しい木目とともに手斧の削り跡がはっきりと残っている(図4-6)。

結局、西岡棟梁の〝助言〟は、この一枚の板きれのみだった。「白鷹よ、この削り跡から手斧を復元してみい」という暗号だったのである。白鷹鍛冶は早速、実際に木を削りながら、悩み悩み、手斧を作った。その手斧を薬師寺金堂、西塔、法輪寺と、造営のあるたびにもっていって試してもらい、最終的には西岡棟梁の合格をもらったそうである。竹中大工道具館には、そのようにして復元された手斧の一部が展示されている。

縦挽き鋸の登場以前――良材が可能にした打ち割り法

伐採した木を木材に加工する、つまり、製材のときに活躍する道具は、周知のとおり鋸である。

原則的に、鋸には縦挽きと横挽きがある。前者は木材を繊維(木目)方向に平行に切るもので、後者は繊維を直角に切断するものである。

柱や長い板材を得るには、縦挽き鋸が必要である。実際、図4-7に示すような大鋸《おが》とよばれ

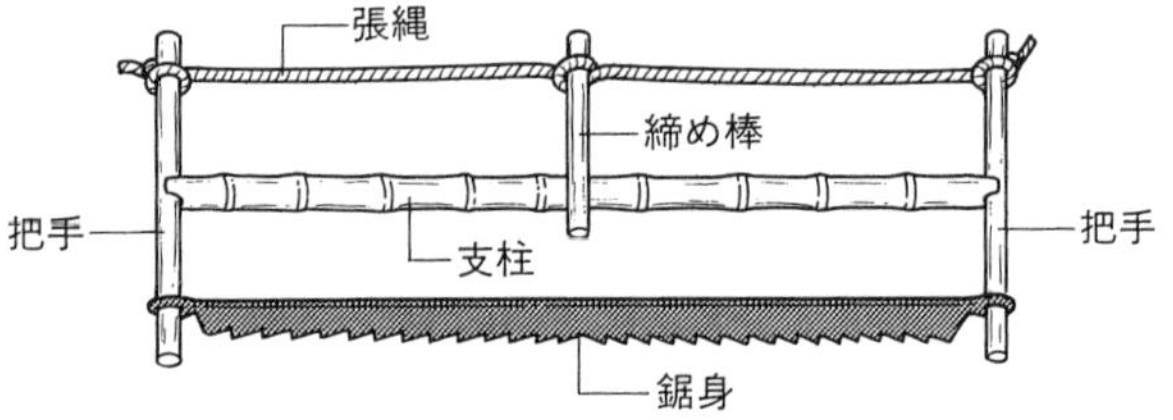

図4-7　大鋸

る大型縦挽き鋸が使われているようすが、たとえば『三十二番職人歌合』（室町時代）の中に描かれている。

ところが、すでに触れたように、このような縦挽き鋸が日本に出現するのは室町時代（一三三八～一五七三年）になってからのことである。つまり、法隆寺や薬師寺が建立された頃には、縦挽き鋸は存在しなかった。事実、室町時代以前の絵巻物などの中に描かれているのは、横挽き鋸のみである。

それでは当時、どのようにして柱や板材を得ていたのか。

伐り倒した木を木目に沿って打ち割ったのである。前述の『春日権現験記絵巻』などには、木槌と鑿を使って、点々と穴をあけているようすが描かれている。これに楔《くさび》、あるいは楔型の割り鑿を打ち込んで割ることで、柱や厚板が得られるわけだ。私は東大寺大仏殿建立に使われた薄板の実物を手に取って見たことがある。

このように打ち割り法で柱や板を製材するとなると、使われる樹種は檜や杉のように木目がきれいに真っすぐに伸びた良材に限られる。別のいい方をすれば、室町時代以前の日本には、そのような良材が豊富にあったということだろう。また、打ち割り法で製材できるならば、縦挽き鋸で製材するよりもはるかに迅速に作業は進む。

打ち割り法が優れているのは、時間的迅速性のみではない。むしろ、いっそう本質的な利点がある。

鋸によって木目に関係なく、あるいは木目を切断して製材するのは、たとえ外観は整っているとしても、木の性質、自然の姿を無視していることになるので、材に狂いが生じるのである。現在でも、東北の民芸品として有名な曲物《まげもの》には、打ち割り法で得た材を使っているそうである。

つまり、打ち割り法は、本来の木の性質を考えるならば、理想的な製材法なのである。結局、室町時代以前の日本では、縦挽き鋸が不要であった、といわざるを得ない。

だが、その日本においても、さすがに室町時代になると檜や杉の良材が不足してきたようである。木目が真っすぐに通った檜や杉の代わりに、木目の乱れた欅や松を使わざるを得なくなった。そして同時に、製材用の縦挽き鋸が必要になった次第である。実際、縦挽き鋸は室町時代に登場した。檜や杉のような良材の減少・欠乏と、縦挽き鋸の登場とは一体のものである。

大鋸を含む縦挽き鋸の登場は、それまで建築用材として使えなかった樹種を使用可能にし、木材の利用範囲を急速に拡大した点において、画期的なことではあった。

しかし、木の性質を活かしきれていない木造建築が登場するのも、このときからである。

もう一度、西岡棟梁の言葉に耳を傾けてみよう。

「飛鳥の当時は一本の木から鋸《のこぎり》や製材機で板を挽《ひ》くのやおまへんやろ。大きな木を割って板を作りますでしょ。これは木の性質をよく知ってな、うまくいきませんわな。今みたいに電動の工具で強引に板に仕上げてしまうというわけにはいきませんのや。じっくり乾燥させた木の性質を見極めて、これは板材にいい、これをこう割ればこんな性質の板が取れるということをようよう考えてありまっせ」「これが室町あたりからだめになってきますな。まず、木の性質を生かしていない。だから腐りやすく、すぐに修理をせないかんようになってきます。ひどいのは江戸ですわ」「江戸のころの修理や木の扱いを見ていますと、考えが現代に似て荒《すさ》んでいますな。木は正直でっせ。仕事は残るんですわ。仕事の一つ一つに考えまでが出てしまうんですな。木というのはそういう痕跡を残す不思議なもんなんです」（参考図書⑨）

仕上げ加工も室町時代を境に激変——手斧と鉋

製材された木材のうち、外に見える柱や床板、壁板などの表面には「仕上げ」加工が必要である。木組みの仕口《しぐち》なども、鋸や鑿で切断しただけでは接合がうまくいかない。表面の仕上げが精密になれば、木材の継手《つぎて》や仕口の加工も精巧になる。そのような木材の表面の仕上げに使われる

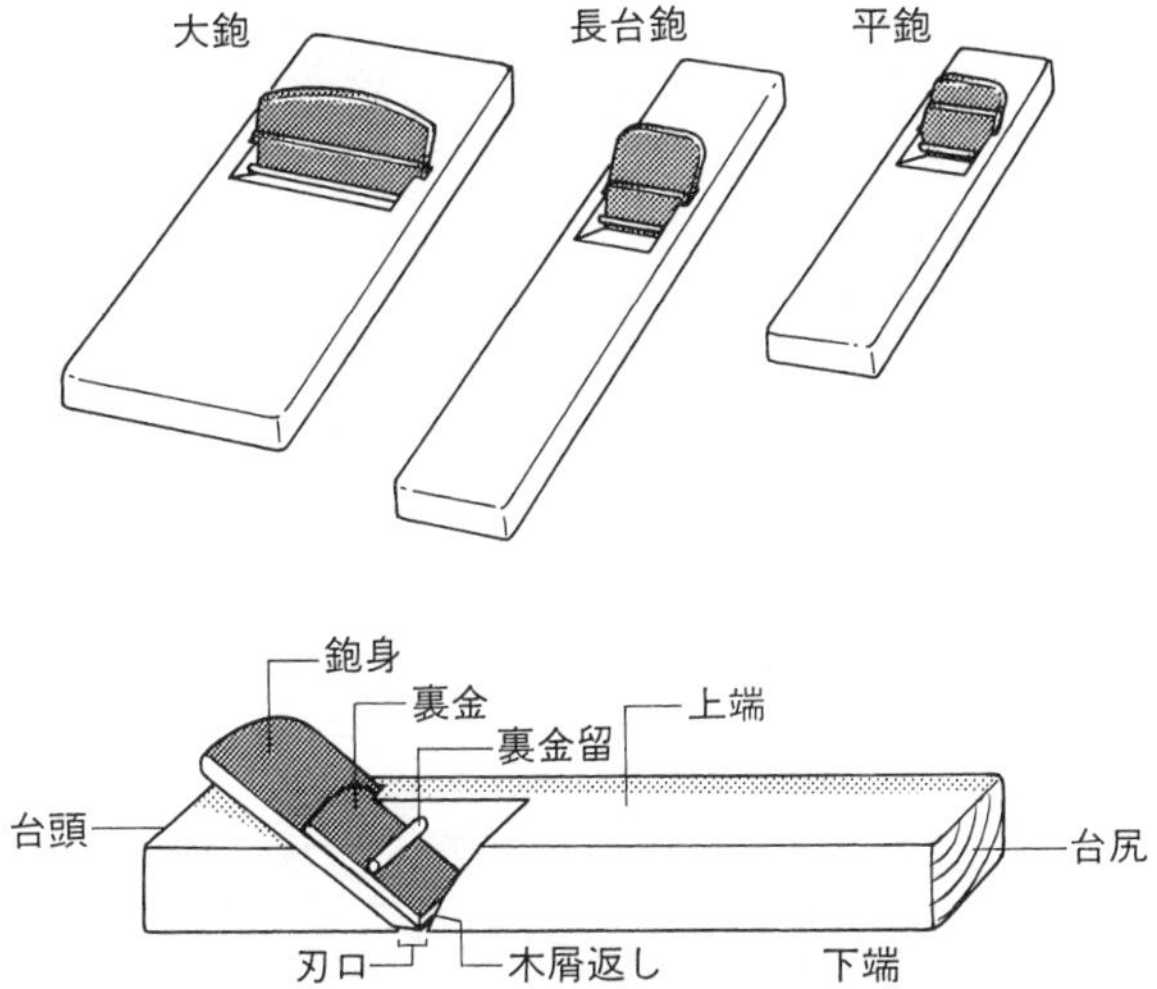

図4-8　台鉋

道具が鉋《かんな》である。

通常われわれが目にするのは、図4−8に示す台鉋《だいがんな》とよばれるものである。目的に応じて数十種類の台鉋がある。最近では電動鉋も普及している。台鉋も電動鉋も、木の表面を削る原理はまったく同じである。図4−8の下には、裏金がついた二枚刃鉋（合わせ鉋ともいう）が描かれている。

図4−9に、熟練者が一枚刃鉋と二枚刃鉋で削った鉋屑を示す。二枚刃鉋のほうが厚く削れることは事実である。熟練者が一枚刃鉋を使うと、鉋屑を二枚重ねても指紋が見えるくらいの薄さに削れるというから、見事というほかはない。

電動鉋も含め、台鉋は、きわめて効率よく木材を平滑な面に仕上げることができる

図4-9　一枚刃鉋（上）と二枚刃鉋（下）の鉋屑（竹中大工道具館提供）

便利な道具である。

　ところが、前掲の『春日権現験記絵巻』などの絵巻物を見ると気づくのだが、これだけさまざまな大工道具を使って作業している図の中に、台鉋が描かれていない。

　じつは、台鉋が出現するのも、縦挽き鋸と同様、室町時代以降のことである。というよりも、台鉋は縦挽き鋸と一対になって登場したものである。台鉋の効率を高めるのが〝台〟なのであるが、鉋をかけられる木材の面が鋸で切断したような平らな面でない

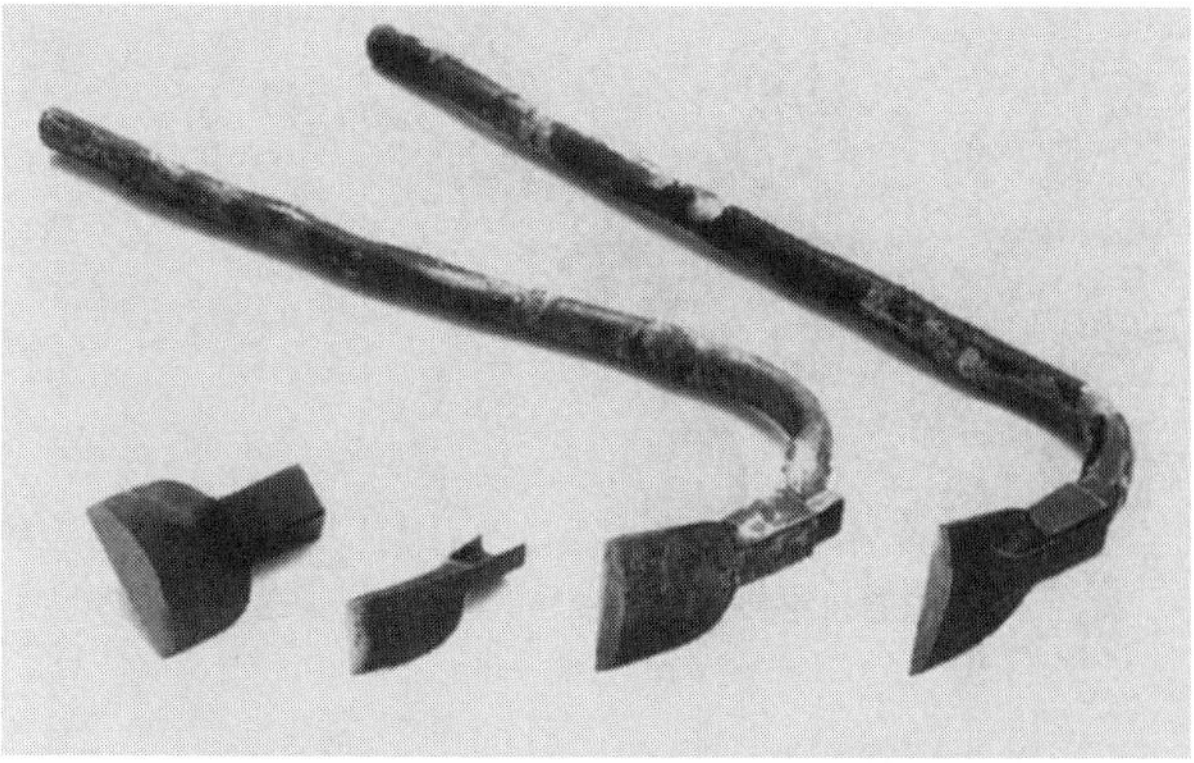

図4–10　現代の手斧(竹中大工道具館提供)

と、台鉋の効能を活かせない。打ち割りした木材のような凹凸がある面に台鉋をかけるのは、事実上、適していないのである。

台鉋や電動鉋は確かに便利で効率のよいものであるが、その加工原理は基本的に鋸のそれとまったく同じで、外観は平滑で美しいが、木の性質を無視し、木の繊維を無理やり切断する道具である。前掲の西岡棟梁の言葉は、そのまま台鉋・電動鉋にもあてはまる。

台鉋が存在しなかった時代、つまり縦挽き鋸が存在しなかった時代の、木材の表面の仕上げに使われた道具が手斧と槍鉋である。図4–10に、竹中大工道具館に展示されている現代の手斧を示す。古代の手斧と基本的に同じものと考えてよい。

槍鉋は、四〇センチメートルぐらいから一・五メートルぐらいの長さの棒状の柄《え》の先に、やや上に反った柳の葉あるいは剣のような両刃の刃を取りつけた道具

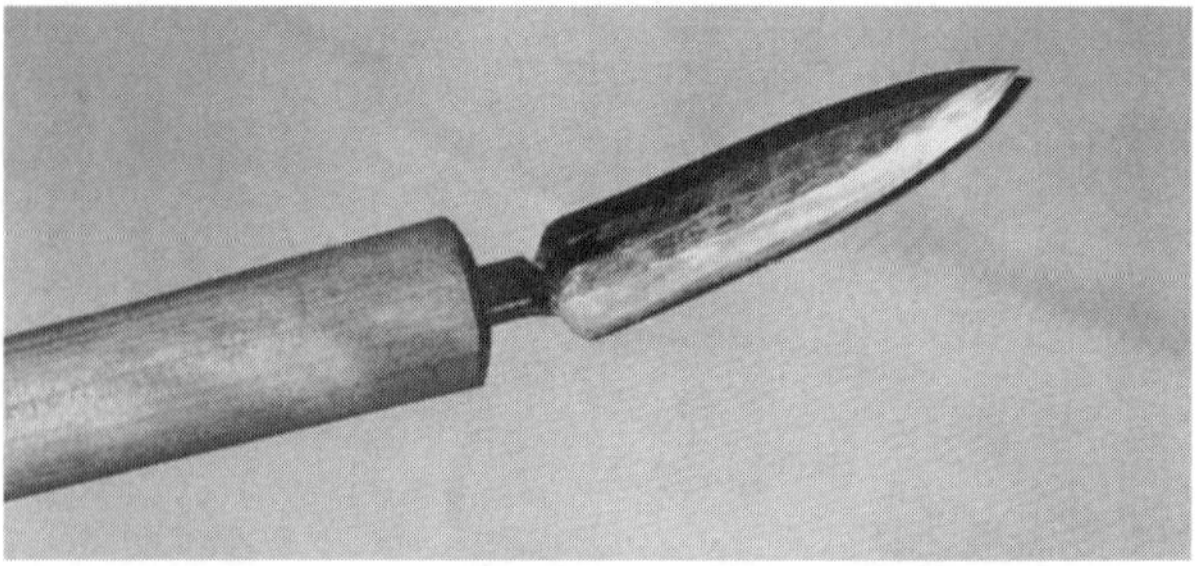

図4−11　復元された槍鉋の先端部（竹中大工道具館蔵。筆者撮影）

である。台鉋がなかった時代、そもそも鉋といえば、この〝槍鉋〟のことであり、〝槍鉋〟という言葉ができたのは〝台鉋〟が登場した室町時代以降のことであろう。図4−11は、竹中大工道具館に展示されている、白鷹幸伯鍛冶が復元した槍鉋の先端部分である。

打ち割りされた材は、まず手斧で荒仕上げされる。手斧で削った面を仕上げるのが槍鉋である。156ページ図4−6にも示したように、手斧で削った面は、その刃幅の境目が凸凹になって現れる。その凸部に槍鉋の刃を引っかけて削り取り、表面を平らにするのである。

槍鉋の先の刃に加わる力の大きさには人力の限界がある。槍鉋で堅い木目層を削るのは困難であり、削り取られるのは軟らかい層のみということになる。つまり、槍鉋では木の表面が繊維の層に沿って削られることになる。したがって、槍鉋の鉋屑は、図4−9に示した台鉋のものとは著しく異なり、図4−12に示すように、くるくると巻かれたものとなる。当然のことな

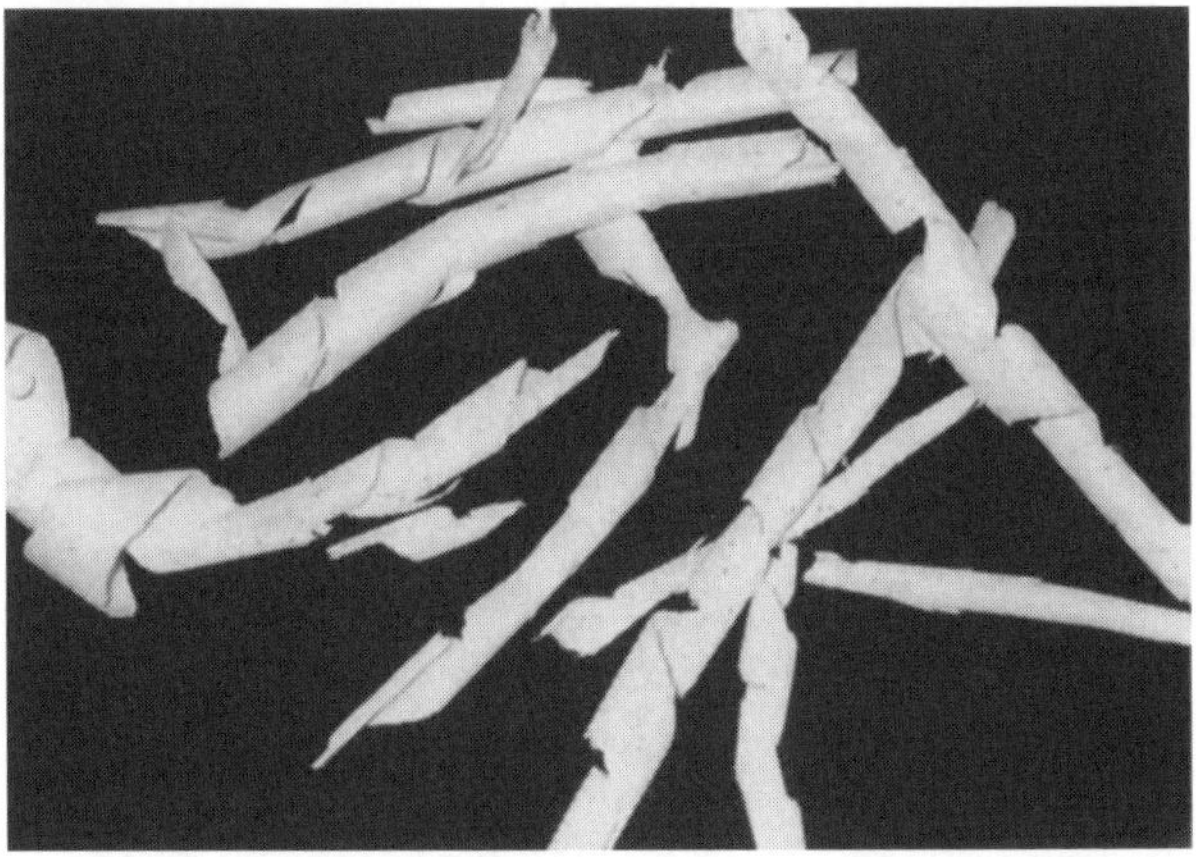

図4-12　槍鉋をかけた檜の鉋屑（竹中大工道具館にて筆者撮影）

がら、槍鉋がかけられた仕上げ面は台鉋による仕上げ面のように平坦にはならず、小波《さざなみ》を打ったような形状になる。

「細胞と細胞のあいだ」を切る

いままでに述べた大工道具の歴史と、加工木材表面の特徴を表4－2にまとめておこう。

台鉋や電動鉋で削った面は、確かに平滑で平坦である。しかし、削られた木の表面は木の繊維が切断されているため、水をたらすと、水を吸い込む。一方の槍鉋で削った面は凸凹しているが、木の繊維の堅い層が残されているので、水をたらしても、それをはじく。

西岡棟梁は、「切るというのは木の細胞と細胞のあいだを、すかっと切るんです。これやったら

	室町時代以前	室町時代以後
製材	楔／打ち割り	縦挽き鋸（大鋸）
表面荒仕上げ	手斧	台鉋（電動鉋）
表面最終仕上げ	槍鉋	台鉋（電動鉋）
加工表面の特徴	小波状凹凸 木繊維に従順	平滑・平坦 木繊維を無視

表4−2　大工道具の歴史と加工木材表面の特徴

木の表面がきれいやから水もたまらん、水をはじくから黴《かび》もはえん。それで耐用年数にも大きな違いが出てくる」と証言している（参考図書⑨）。槍鉋は台鉋に比べると、二倍ぐらいの力と時間を喰う能率の悪い道具だが、槍鉋は〝木の細胞と細胞のあいだ〟をすかっと切るのである。

大工道具に限らず、有史以来、人類の道具はつねに「進歩」している。道具はさらに、機械へと「進化」している。

近年、その機械は、半導体エレクトロニクスの発展を主たる駆動力として、自動化が日進月歩のスピードで進み、最近のわれわれは、道具はもとより機械をも意識することがなくなりつつある。このことは、一般人のみならず、実際に「物」の生産に従事している者にとっても同様であろう。

大工道具は〝道具の王様〟であり、西岡棟梁もいうように「道具は大工の手の延長」である。その大工道具ですら、ますます大工の手から離れている。「建築の生産方式のシステム化が進み、工場生産と省力化による効率化が優先し、電動工具が普及する現代」（前掲、竹中大工道具館設立趣旨）にあっては、その傾向はますます進んでいくであろう。

生産するものが何であれ、「効率」を高めるためには、部材やシステムの画一化・簡易化は必須である。きわめて簡単にまとめた表4－2にも、その概要が表されている。しかし、相手が木のような〝自然材〟の場合、画一化・簡易化すればするほど、本来の自然の姿から離れ、それがもつ自然の潜在能力を損なうことになる。〝木〟を〝人間〟に、つまり〝木材〟を〝人材〟、〝人財〟に変えて考えてみても、まったく同じことがいえるはずである。

半導体結晶にも切断に向いた方向がある

いったん話がそれるようではあるが、これから、現代のマイクロエレクトロニクスを支える半導体結晶の話をする。それがどう、古代日本の超技術と関わるのか、想像を巡らせながらじっくり読んでいただきたい。

エレクトロニクスは、われわれの生活に、人類史上最大の変革をもたらした〝新しい道具〟である。その〝新しい道具〟の基盤になっているのが、シリコン（ケイ素、Si）に代表される半導体結晶である（参考図書⒁）。

マイクロエレクトロニクスの代表的なデバイスであるマイクロチップは、図4－13(上)に示すよ

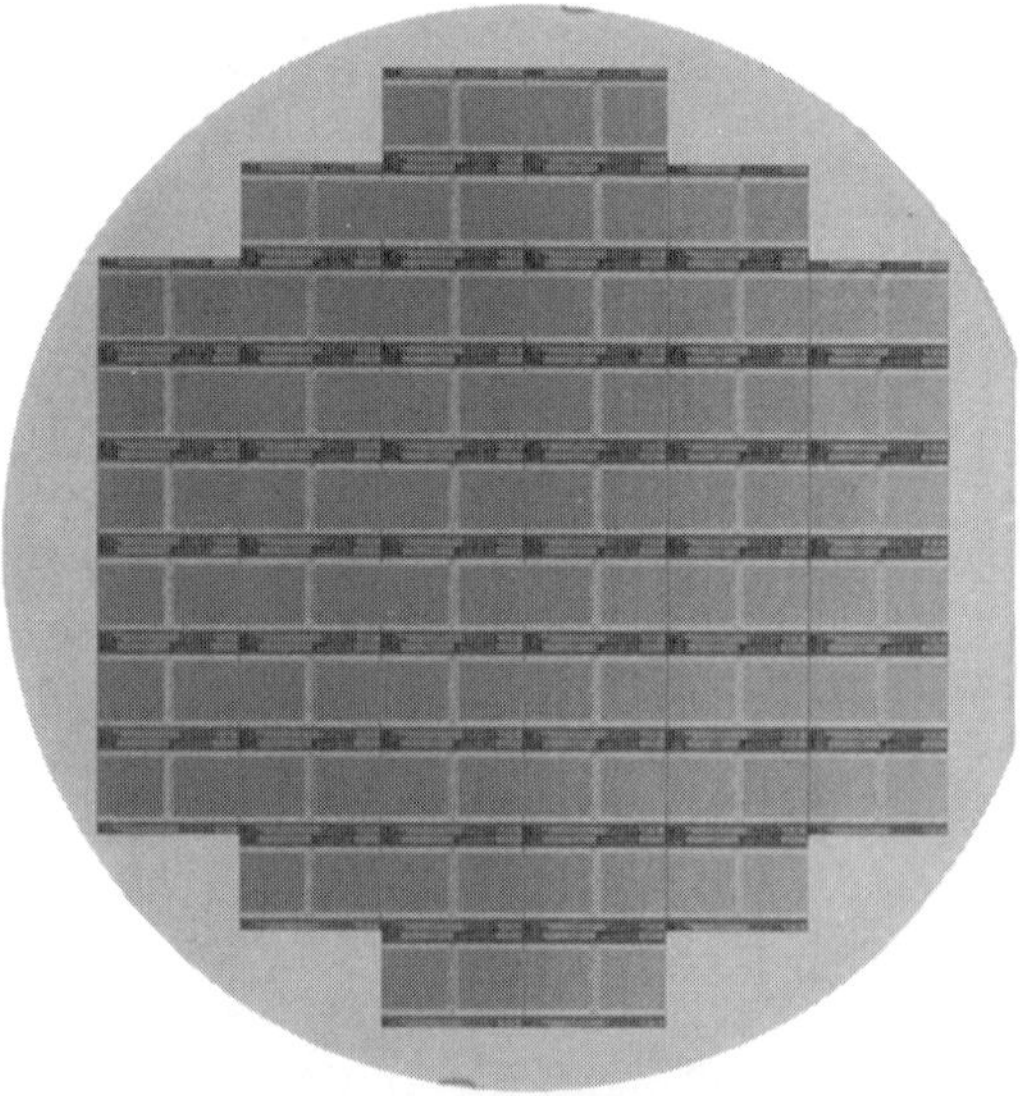

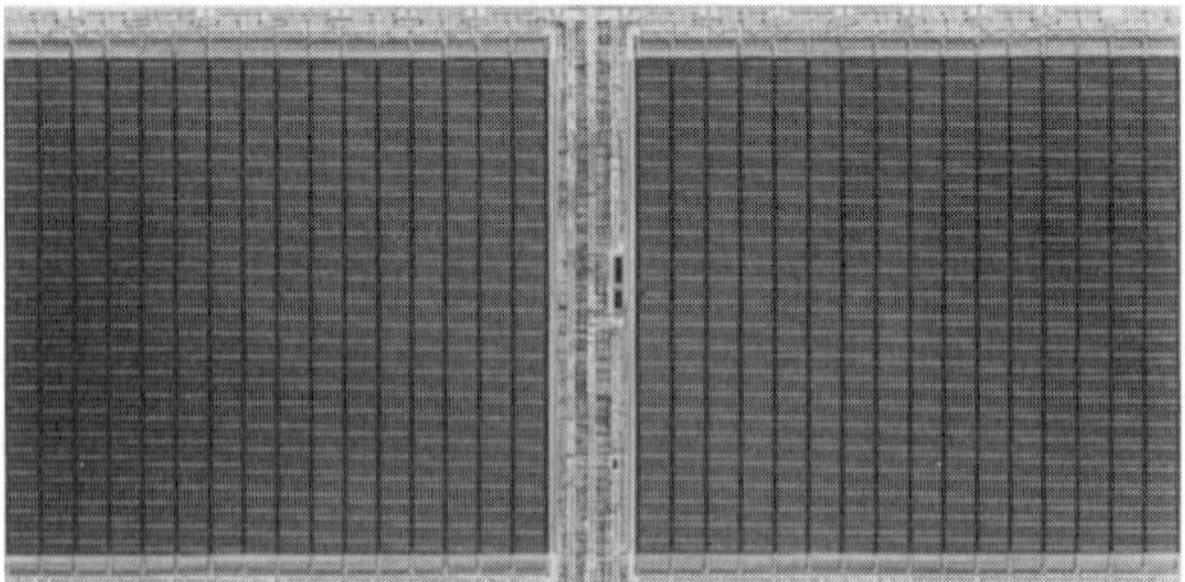

図4−13　シリコン・ウエハー上に形成された48個の64Mbit DRAMチップ(上)と、チップの拡大写真(19.48mm × 9.55mm)(下)(日本電気提供、参考図書⑽より)

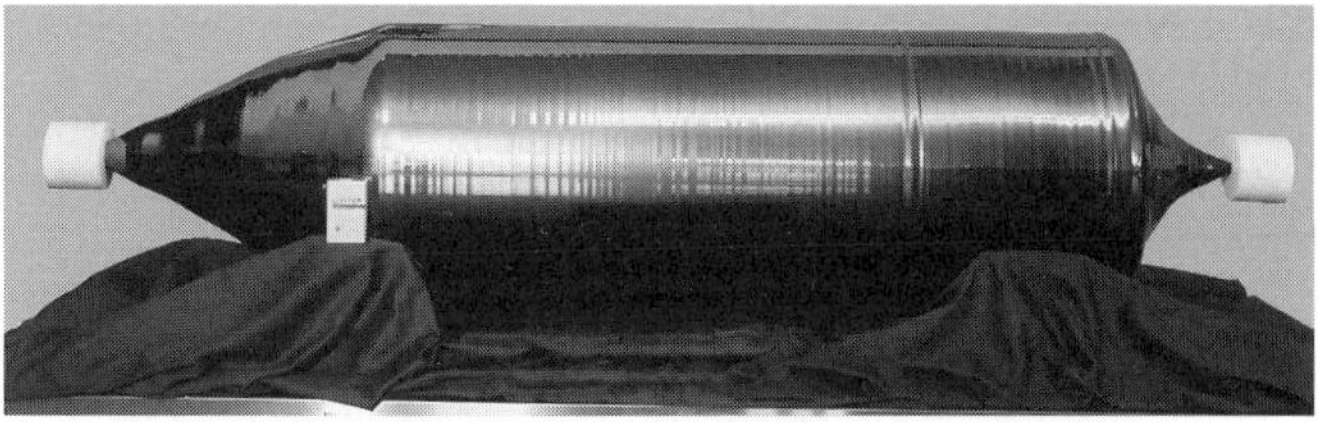

図4−14　シリコン単結晶インゴット。直径約40cm、総重量411kg（スーパーシリコン研究所提供）

うに、厚さがおよそ〇・七ミリメートルの円盤状のシリコン・ウエハー上に、一度に多数個（この場合は四八個）作られる。このチップを一個一個に切断し、一個のチップが電子デバイスとして製品化されるのである。図4−13(下)が、一個のチップの拡大写真であるが、この小さなチップの中に、真空管六四〇〇万本分に相当する機能が詰め込まれている。

このマイクロエレクトロニクス・チップの基盤となるのが、シリコン・ウエハーであるが、そのシリコン・ウエハーは、図4−14に示すようなシリコン単結晶インゴットを、表4−3に示すような種々のプロセスを経て、表面が鏡面状に研磨された厚さ一ミリメートルほどの円盤状にしたものである。

単結晶は、147ページ図4−2で簡単に説明したように、原子が三次元的に規則正しく配列した固体である。図4−15は、シリコン単結晶の模型を不特定の任意の方向から眺めた写真である。黒い球がシリコン原子を表している。ゴチャゴチャして、形状がはっきりわからないが、この模型をある特定の三方向から眺めると、図4−16

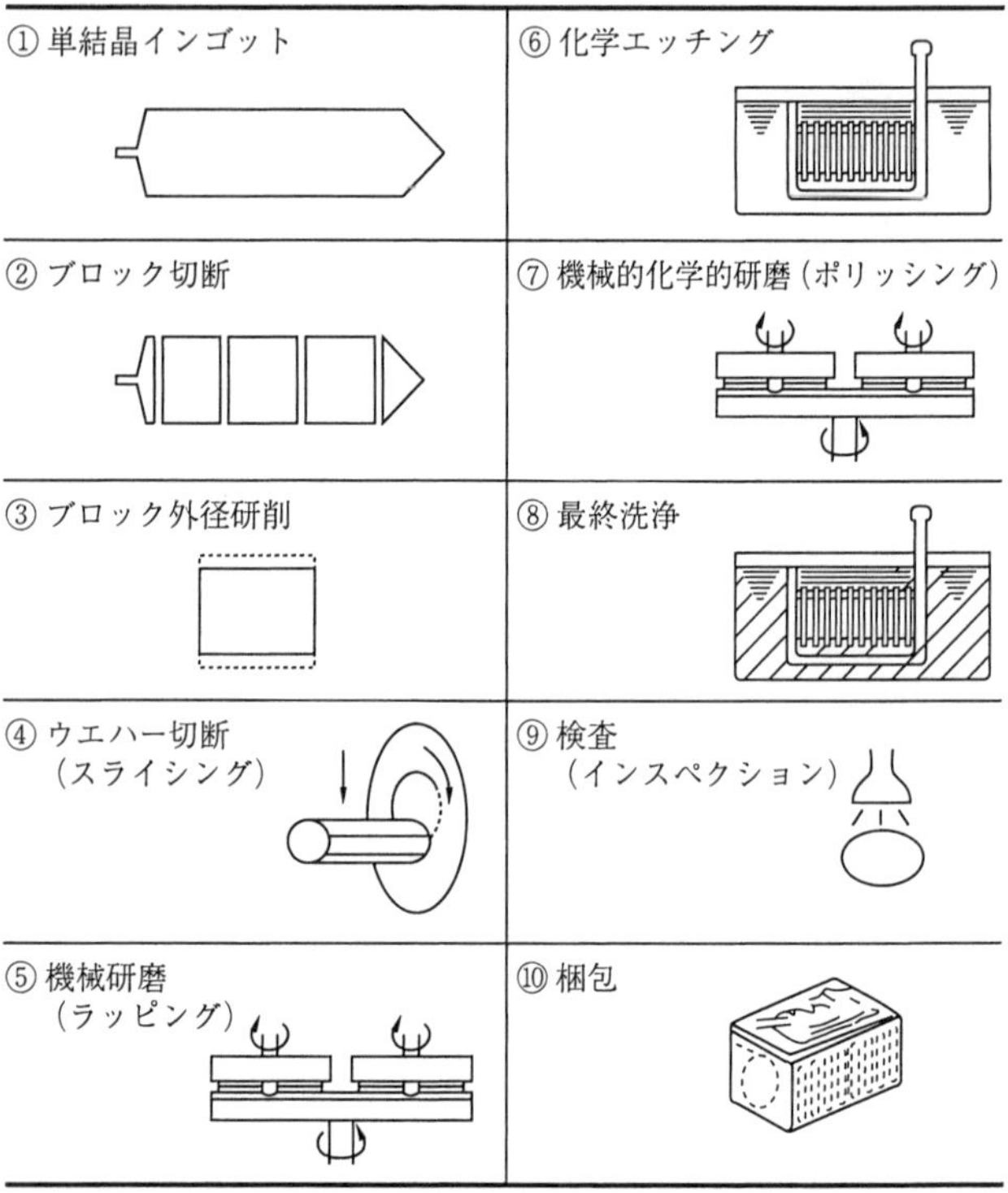

表4–3　単結晶インゴットから鏡面ウエハー加工、梱包までの主なプロセス（参考図書⑭より）

のように美しい形に見えるのである。上から正方形、正三角形、正六角形のトンネルが見える。

厚さがおよそ一ミリメートルのウエハーは、前述のように円筒状の単結晶インゴット（図4－14）を輪切りにして得られるが、切断は一般的に円盤状内周刃の回転鋸で行われ

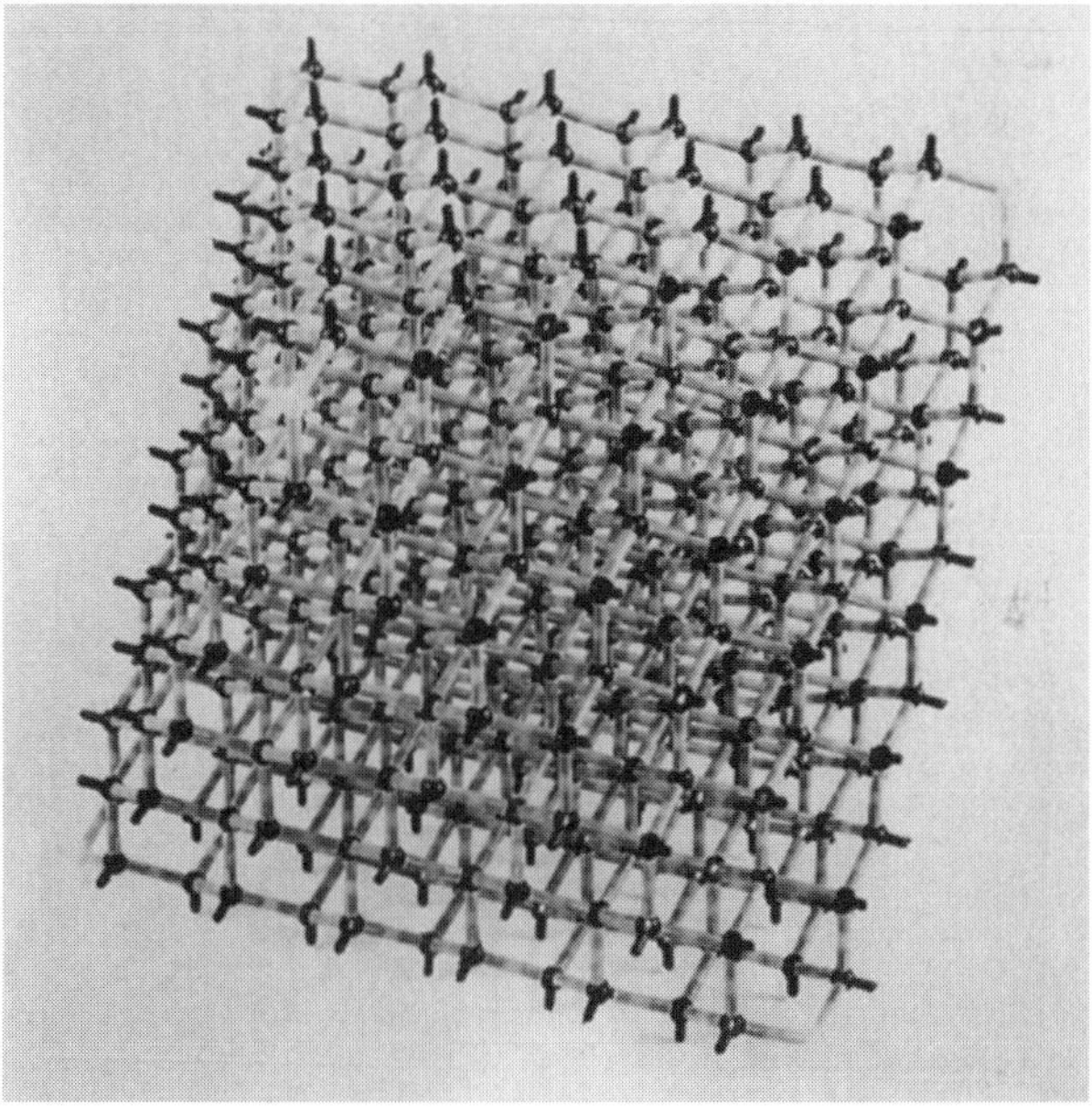

図4-15　不特定の方向から眺めたときのシリコンの単結晶模型（参考図書⒁より）

る。もちろん、切断は図4－16に示すような特定の方向を目指して行われるが、鋸刃の大きさと単結晶を構成する原子の大きさを考えれば、実質的に鋸刃による切断は図4－15の結晶を真上から、つまり、結晶を構成する原子の配列を無視して行われることになる。

この点において、現代のエレクトロニクスと、古代日本の超技術とが邂逅《かいこう》する。

このような方向に結晶を切断することは、ちょうど木目（木の繊維）を無視して、木を切断することに相当するからだ。

図4－16を見れば明らかなように、単結晶を構成する原子の配列の仕方、そして原子密度は方向に依存している。たとえばいま、図4－16の面に垂直に真上から結晶を切ろうとすれば、好都合な方向（黒い原子にぶつからない方向）、つまり自然な方向があることに気づくだろう。

図4－16に示す結晶を面に垂直の方向に薄くしていき、厚さが一ミリメートル程度のウエハー状にすると、ウエハーの表面に小さな傷をつけただけで、特定の方向に特定の面で簡単に割れる。この特定の面を結晶の〝劈開面《へきかいめん》〟とよぶが、この劈開面は原子のサイズのオーダーで平坦になっている。

このようにして、結晶が特定の方向に特定の面で、簡単に割れる現象は、檜や杉などが木目に

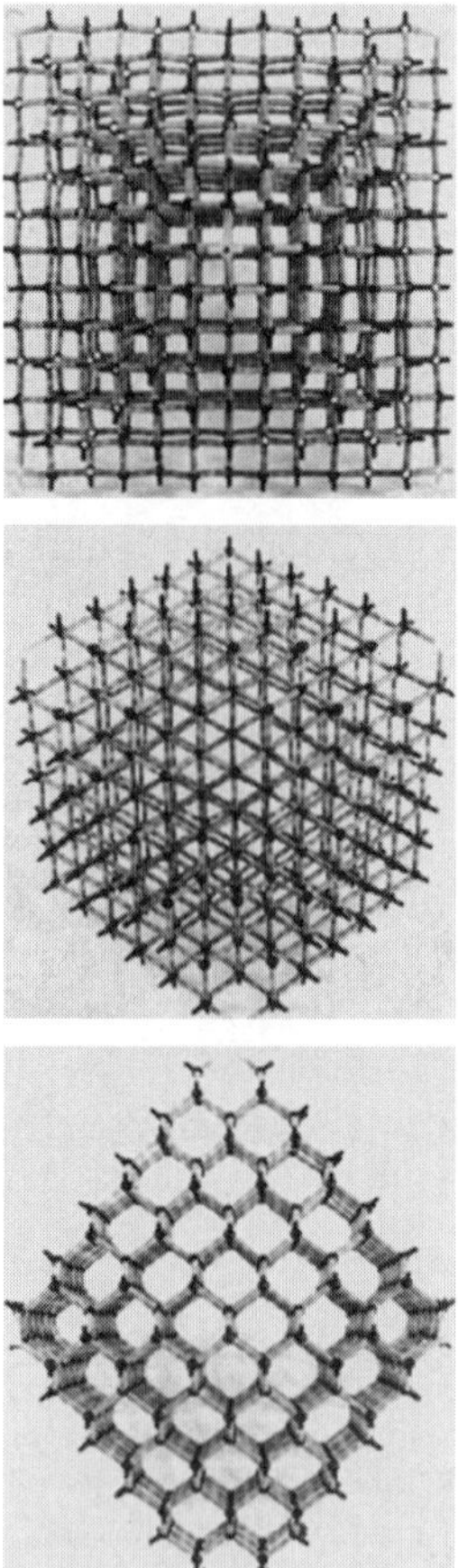

図4−16　シリコン単結晶模型（図4−15）を特定の３方向から眺めると……（参考図書⒁より）

平行に打ち割りされる現象と本質的にまったく同じなのだ。

ある特定の結晶方位のシリコン・ウエハーを真上から見たとき、そのウエハーの面に垂直な劈開面は図4－17に示すように、それぞれが九〇度で交わる四方向にある。つまり、長方形あるいは正方形のチップが〝打ち割り〟によって簡単に得られるのである。実際、168ページ図4－13(上)のようなウエハー上のチップを切断し、同図(下)のような各チップを得るとき、この〝打ち割り法〟が使われている。

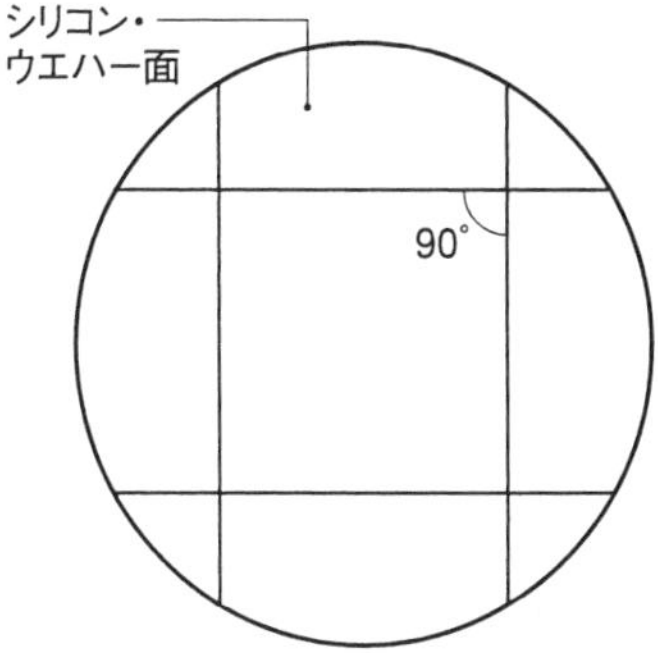

図4‒17　シリコン・ウエハーの劈開方向

単結晶の特定の面が特定の方向に割れやすいのは、そこで割れるのが〝自然〟だからである。最も無理がないからである。つまり、単結晶は、そのような性質をもっているのである。

半導体結晶も、木材とまったく同じように、鋸で無理やり切断されるよりも、自然に〝打ち割り〟されるほうがよいに決まっている。打ち割りされた木が鋸で切断された木よりも長もちするように、〝打ち割り〟された半導体結晶の表面は、鋸で切断された表面よりも優れた電気的、物理的、化学的、機械的特性を示すのである。

半導体結晶の表面加工

厚さ一ミリメートルほどの薄い円盤状のシリコン・ウエハーを、結晶本来の自然な面に沿って〝打ち割り〟するのは簡単である。ちょうど、せんべいを割るようなものである。ちなみに、ガラス板を割るときも、表面に直線のひっかき傷を入れて〝打ち割り〟する。

ところが、170ページ表4－3の④～⑦のプロセスで結晶を薄い面に平行に〝打ち割り〟するのは、現実的には不可能である。薄いせんべいを〝打ち割り〟でさらに薄くすることを想像してほしい。

ところで、鉛筆の芯に使われるグラファイトは図4－18に示すように、炭素原子が層状に結合した結晶で、層状に薄くはがれやすい（これも、前述の〝劈開〟である）。この性質が、そもそも鉛筆の原理であり、鉛筆の滑らかな書きやすさに関係している。ちなみに、この亀の甲形網の一層はグラフェンとよばれる。

また、最近はまったく見かけないが、昔はアイロンを分解すると、その中に薄く透明な雲母《うんも》の結晶板が入っていた。雲母の耐熱性、電気絶縁性が利用されていたのである。私は小さい頃、雲母板を何枚も何枚もはがして遊んだことがある。雲母を薄くはがせるのも、図4－18と同様の層

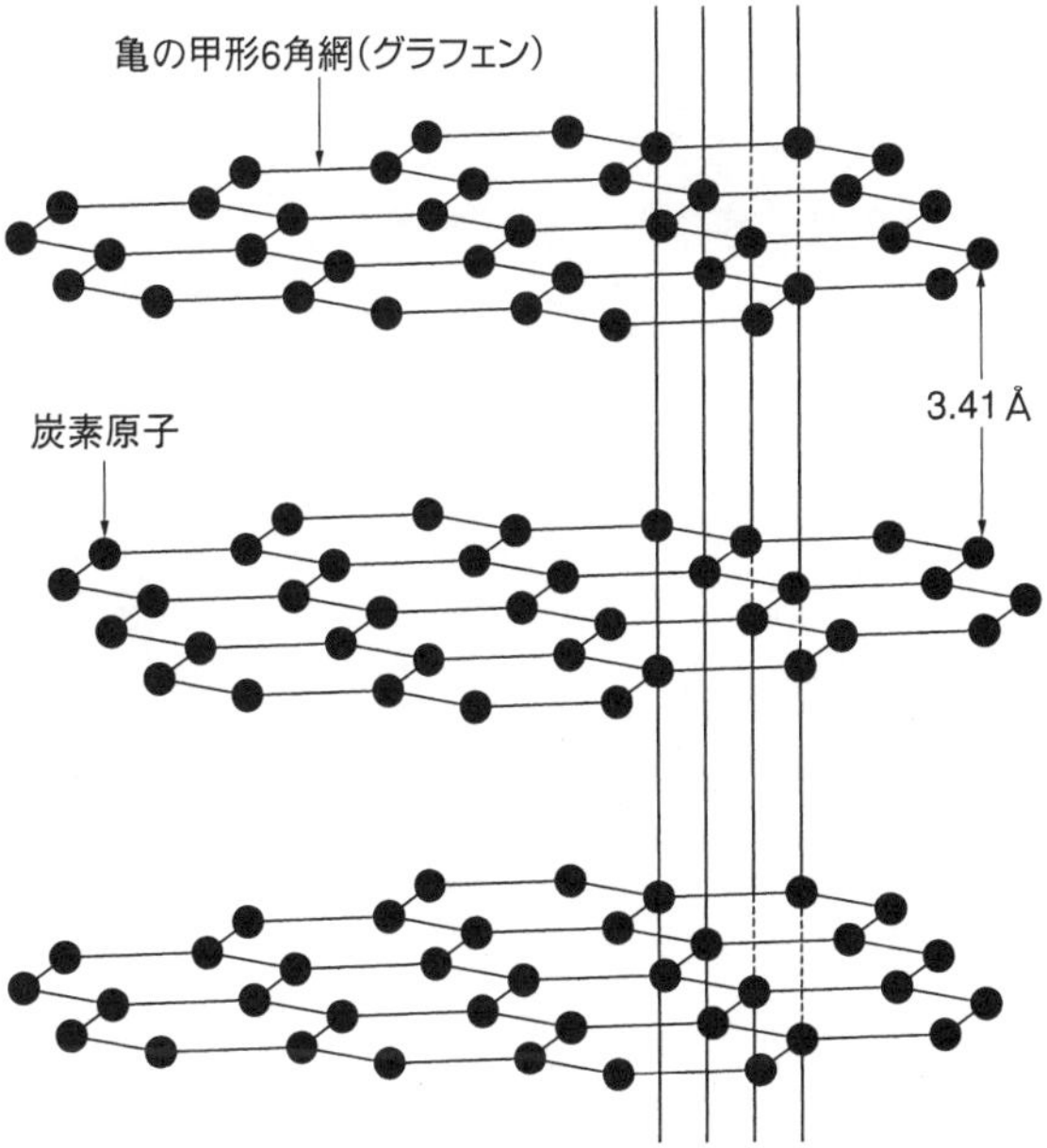

図4–18　グラファイトの3次元結晶格子(1 Å＝10^{-8}cm)

状結晶構造のためである。

シリコンもそのような層状構造になっていれば〝薄いせんべい〟が簡単に得られるのだが、あいにく、そうはなっていない。したがって、シリコン単結晶をウエハー状に加工するには、表4－3の④に示したように、回転鋸で切断することからはじめなければならない。

そして、表面をピカピカの鏡面に仕上げる第一歩である⑤の機械研磨（ラッピング）はちょうど、製材の鉋がけに相当する。⑥、⑦は、鉋で仕上げた面のワックスがけ（ポリッシン

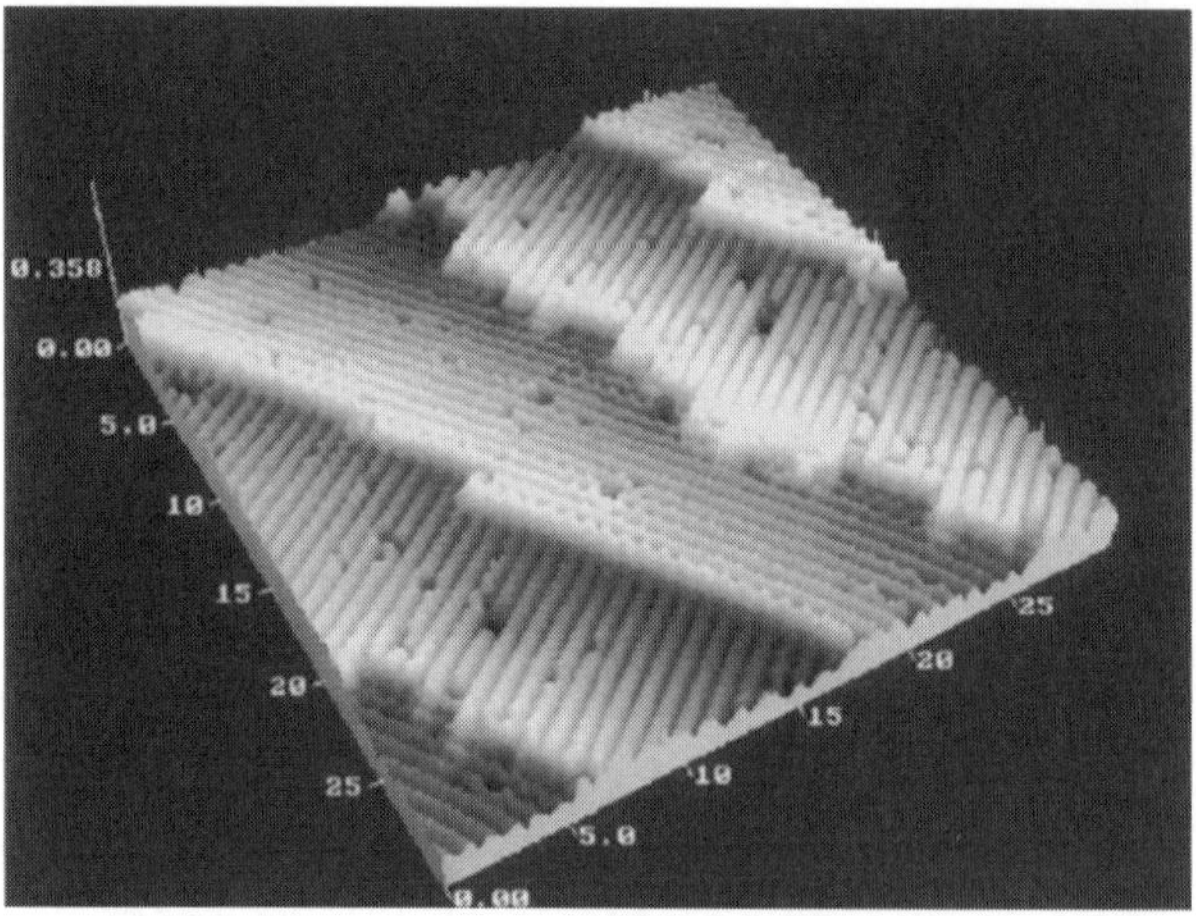

図4−19　シリコン・ウエハー表面の原子の突起と段差（単位はnm＝10^{-7}cm）（産業技術融合領域研究所・徳本洋志氏提供）

グ）と考えればよい。

現在まで、170ページ表4−3に示すようなプロセスを経て、マイクロエレクトロニクスを支えるシリコン・ウエハーが製造されてきた。それで、十分に優れた表面の性質をもつウエハーが得られていたのである。

しかし、これから将来の、マイクロエレクトロニクス・デバイスのさらなる発展を考えると、従来のプロセスで得られたウエハーの表面の性質に問題が生じそうなのである。その原因・理由は複雑であり、本書で詳しく説明する紙幅はないが（参考図書⑾などを参照してほしい）、その問題の一つは、表4−3の⑤の機械研磨にありそうだ。

前述のように、⑤の機械研磨は製材の鉋がけに相当するが、その鉋は電動鉋である。もう一度、166ページ表4－2を見て、木材加工の場合のことを思い浮かべてほしい。〝電動鉋〟を使った機械研磨で得られる結晶表面の特徴は、基本的に、台鉋や電動鉋で加工される木材表面のものと同じである。つまり、木の繊維に相当する〝原子の配列〟（172ページ図4－16参照）を無視している。

もちろん、完全に〝無視〟されているわけではない。結晶育成の段階から結晶方位は正確に制御されているし、表4－3の切断（②～④）のときも、結晶学的な原子の配列は考慮されている。しかし、現代のハイテクを駆使しても、原子レベルで見れば、最終段階のシリコン・ウエハーの表面には、図4－19に示すような原子の突起や段差が生じている（凹凸が、このように数原子のレベルに抑えられていること自体、驚異的なことではあるが）。

〝槍鉋〟による結晶表面の加工

確かに、シリコンのような半導体結晶は、グラファイト（175ページ図4－18参照）や雲母のように層状構造にはなっていない。しかし、図4－16（特に一番下の写真）を見れば、微視的には原子は、層状とまではいわないまでも、列状には並んでいる。

この層（木の繊維、木目に相当する）に沿って、原子をはがすような結晶研磨ができれば、よ

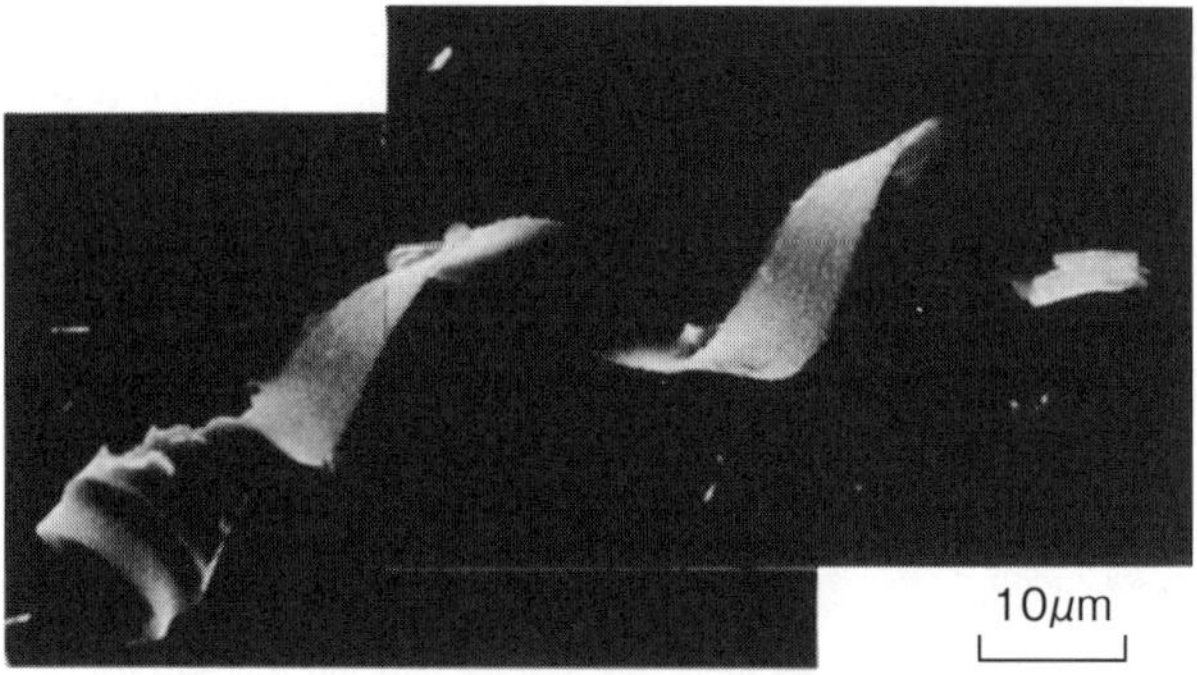

図4-20　シリコン単結晶の"鉋屑"の走査型電子顕微鏡写真（T. Shibata, A. Ono, K. Kurihara, E. Makino and M. Ikeda, *Appl. Phys. Lett.* 65, 1994, 2553より。北海道大学・柴田隆行氏（現・豊橋技術科学大学教授）提供）

り、自然な結晶表面が実現できる。すなわち、槍鉋がけのような結晶研磨ができないものか。

じつは、そのような研磨法の研究開発が、半導体結晶メーカーや大学で進められている。私は、そのような方法を〝槍鉋法〟とよびたいが、専門的には〝延性モード切削法〟とよばれる。

図4－20に、そのような〝延性モード切削〟、私にいわせれば〝槍鉋法〟で得られたシリコン単結晶の切削片（鉋屑）の走査型電子顕微鏡（SEM）写真を示す。この〝鉋屑〟の厚さは〇・一マイクロメートル（一万分の一ミリメートル）である。

図4－20のシリコン単結晶切削片と、165ページ図4－12の槍鉋の鉋屑とを見比べてほしい。いかに類似していることか。私が、〝槍鉋法〟とよぶ理由の一端を理解していただけるだろう。

従来の方法（脆性《ぜいせい》モード切削法とよぶ）と、延性モード切削法（〝槍鉋法〟）で加工したシリコン単結晶の表面を透過電子顕微鏡（ＴＥＭ）観察で比べてみると、従来の方法で切削した表面に多くの割れが入っているのに対し、延性モード切削面は非常に滑らかである。脆性モード切削によって生じた割れは、170ページ表４－３の⑥、⑦のプロセスで〝修整〟されるが、もちろん、このような割れはさまざまな悪影響を及ぼすため、極力なくさなければならない。

長年、半導体結晶の研究に従事してきた私は、古代の木材加工における打ち割りや槍鉋の技術、思想が、今後のマイクロエレクトロニクスの発展のための、大きなカギの一つになるであろうことを確信している。

主な参考図書（発行年順）

(1) 村松貞次郎著『大工道具の歴史』（岩波新書、一九七三）
(2) 西岡常一・小原二郎著『法隆寺を支えた木』（ＮＨＫブックス、一九七八）
(3) 今村博之他編『木材利用の化学』（共立出版、一九八三）
(4) 小原二郎著『日本人と木の文化』（朝日選書、一九八四）
(5) 筒井迪夫著『万葉の森　物語の森』（朝日選書、一九八九）
(6) 『竹中大工道具館展示解説』（竹中大工道具館、一九八九）
(7) 川添登著『「木の文明」の成立㊤㊦』（ＮＨＫブックス、一九九〇）
(8) 竹中大工道具館編「竹中大工道具館研究紀要　第3号」（竹中大工道具館、一九九一）
(9) 西岡常一著『木のいのち木のこころ㊝』（草思社、一九九三）
(10) 小川三夫著『木のいのち木のこころ㊞』（草思社、一九九三）
(11) 志村史夫著『半導体シリコン結晶工学』（丸善、一九九三）
(12) 竹中大工道具館編「竹中大工道具館研究紀要　第5号」（竹中大工道具館、一九九三）
(13) 木材活用事典編集委員会編『木材活用事典』（産業調査会事典出版センター、一九九四）
(14) 志村史夫著『ここが知りたい半導体』（講談社ブルーバックス、一九九四）
(15) 志村史夫著『生物の超技術』（講談社ブルーバックス、一九九九）
(16) 渡邉晶著『大工道具の日本史』（吉川弘文館、二〇〇四）

5

「呼吸する」古代瓦

——〝瓦博士〟との共同研究

屋根の上の力持ち

いまはどうだかわからないが、昔は五月になると小学校の音楽の時間には必ず、

甍《いらか》の波と雲の波
重なる波の中空《なかぞら》を
橘《たちばな》かおる朝風《あさかぜ》に
高く泳ぐや鯉のぼり

という唱歌「鯉のぼり」を歌ったものである。この歌（作詞者不詳）が歌われるようになったのは大正二（一九一三）年の「尋常小学唱歌（五）」以来のようであるが、長く日本人の愛唱歌の一つになっている。

日本を象徴する風景の一つは、「甍の波」だろう。

都会ではもはや見ることができないが、なだらかに連なる里の山を背景にした民家集落の屋根瓦たちのやさしい表情が私は好きである。私は仕事や道楽でいろいろな土地に行くことが少なく

ないが、注意して眺めると、日本各地にはいまでも、その土地土地の粘土を焼いた色や形が独特の瓦があることに気づく。

社寺、城郭、民家など、数多くの文化財建造物の屋根の再建・修復に従事した小林章男〝瓦博士〟は、その土地土地の独特の瓦を「方言の瓦」というすばらしい名前でよんだ。方言は一つの文化であるが、「方言の瓦」は単なる「文化」にとどまらず、その土地土地の気象、風土に適した「物」、まさに、長年の歴史と職人の工夫の積み重ねによって醸成された「物」である。

そのような「方言の瓦」は、戦後の「高度成長」とともに、日本の各地から急速に消えつつある。御多分にもれず、瓦もまた、現代社会が要求する「生産性」「経済性」「効率」のために、「規格化」（均一化、均質化）されて量産されるようになったためである。瓦に限ったことではないが、さまざまな分野で「統一規格」「量産」のために、この日本から個性的な「土着のもの」が急激な勢いで失われつつあることを、私はひたすら寂しく思う。

二〇年ほど前、私は前章に登場した白鷹幸伯鍛冶の紹介で小林章男〝瓦博士〟にお会いした。それが契機となって、「古代瓦と現代瓦の比較研究」を小林氏と共同ではじめた。一見単純に思える「瓦」だが、小林氏から教われば教わるほど、知れば知るほど、その奥の深さに驚かされ、私の「瓦」に対する興味は果てしなく拡がっていった。

日本が世界に誇る法隆寺に代表される古代木造建築のすばらしさについては、第3章で述べたように、木を知り尽くし、またその木を活かし尽くした西岡常一棟梁や西岡棟梁の弟子の小川三夫棟梁の著作などによって広く知られている。さらに、第4章で述べたように、白鷹幸伯鍛冶らの貢献により、木造建築に欠かせない大工道具や次章で述べる釘の重要性についても知られるようになった。

しかし、このような古代の木造建築物を、年間を通じて降雨量が多く、湿度も高い日本の風土から守ってきたのが屋根瓦であったことを、私は小林〝瓦博士〟から学んだ。瓦は、まさに「縁の下の力持ち」ならぬ「屋根の上の力持ち」なのである。

もちろん、屋根瓦の第一の使命は、雨や雪、火など、外部からの〝攻撃〟から建物を守ることである。しかし、古代瓦が果たしてきた役割は、それだけではない。雨の日は、木造建築物の天井裏から室内の湿気を吸って保湿し、天気になればそれを屋根から蒸発させるのである。

つまり、古代瓦は自ら〝呼吸〟をし、屋内の湿度調節をすることによって、高温多湿の日本の気候から古代木造建築物を内からも守ってきたのである。後で述べるように、〝呼吸〟をしない現代瓦は建物を外からの〝攻撃〟から守るだけである。

じつは、ひとくちに〝瓦〟といっても、その種類は多岐にわたる。

いま述べた瓦は、屋根、建物を外部からの物理的な攻撃から守るという、最も重要な役目をもつ屋根葺《ふき》瓦である。

図5−1　本瓦葺きの丸瓦と平瓦（参考図書(2)より）

古来の屋根葺きは〝本瓦葺き〟とよばれ、図5－1に示すような丸瓦（男瓦《おがわら》）と平瓦（女《め》瓦《がわら》）を合わせて一組として屋根を葺くものである。屋根の端（軒）の部分には、軒丸瓦と軒平瓦が置かれる。

このほか、棟の端を飾る棟端飾瓦《むねはしかざりがわら》（鬼瓦《おにがわら》もその一つ）や大寺院や天守閣の屋根に対で置かれる鴟尾《しび》、鯱瓦《しゃちがわら》などがある。

江戸の屋根事情

日本を象徴する風景の一つは「甍の波」だと述べたが、じつは、瓦が日本に伝来してから約一〇〇〇年もの間、瓦葺きは寺社建築や城郭建築に限られ、長らく一般家屋の屋根が瓦で葺かれることはなかった。瓦葺きの屋根の重量に耐え得る建物には、おのずと制約があったからである。

重い瓦屋根に耐え得るほど強靱ではなかった一般家屋の屋根は、軽い植物性屋根材を使った板葺き、茅葺《かやぶき》、柿葺《こけらぶき》であった。さらに、瓦葺の頑強な建物は権力者たちの象徴でもあったし、一般家屋に瓦葺を禁じることには、瓦の落下を防ぐ防災的な意味もあった。

しかし、江戸時代に日本の〝屋根〟事情は一変する。

「火事と喧嘩は江戸の華」といわれるように、江戸では世界でも類例がないほど大火が頻発し、都市の広大な市街地が繰り返し焼き払われた。慶長五（一六〇〇）年の関ヶ原の戦いの翌年から、大政奉還が行われた慶応《けいおう》三（一八六七）年に至る二六七年間に、江戸では四九回もの大火が発生したといわれる。同じ期間、江戸以外の大都市の大火は京都が九回、大坂が六回などであり、江戸の大火の多さは突出している（参考図書⑷）。

江戸の大火の中で、世界史的にローマ大火（六四年）、ロンドン大火（一六六六年）とともに〝世界三大大火〟の一つに数えられているのが、明暦《めいれき》三（一六五七）年の「明暦の大火」（俗称「振袖火事」）である。

この「明暦の大火」のようすは、浅井了意の仮名草紙『むさしあぶみ』（一六六一）に絵入りで詳細に記録されているが、江戸の大半が被災したこのとき、江戸城天守閣も焼失し、以来、今日に至るまで江戸城の天守閣は再建されていない。死者数についてはいくつかの説があるが、最大で一〇万人余に達したといわれている。

参勤交代などの影響で、当時の江戸の人口を正確に把握するのは困難であるが、寛永《かんえい》一七（一六四〇）年頃に約四〇万人、元禄《げんろく》六（一六九三）年に約八〇万人、享保《きょうほう》六（一七二一）年には約一一〇万人であったと推定されており（参考図書⑷）、「明暦の大火」の死者が一〇万人に及んだというのはべらぼうな数である。当時、七五歳だった幕府の儒官・林羅山《はやしらざん》は、この大火で自邸と書庫を焼失し、その衝撃もあってか、大火から四日後に死去している。

この「明暦の大火」を契機として、江戸の都市改造、市区改正が行われ、さまざまな防火対策が講じられた。たとえば、火除け地や延焼を遮断する防火線として広小路が設置された。現在の地名である上野広小路などはその名残である。〝火消〟組織の充実や『鬼平犯科帳』で知られる「火付盗賊改《ひつけとうぞくあらため》」の登場も、防火対策の一環である。

余談ながら、大奥では、この大火以前、髪を結い上げることなく安土・桃山時代と同じ垂髪だったが、「明暦の大火」以降、一般武家の妻女や町人と同様に日本髪を結うようになった。火事の際に、燃えやすいことを嫌ったのである。したがって、「明暦の大火」以前にもかかわらず、「大奥」を扱った映画に日本髪の女人がしばしば登場するのは、時代考証の観点からいえば正しくない。

さて、江戸の〝屋根事情〟については有為転変《ういてんぺん》がある。

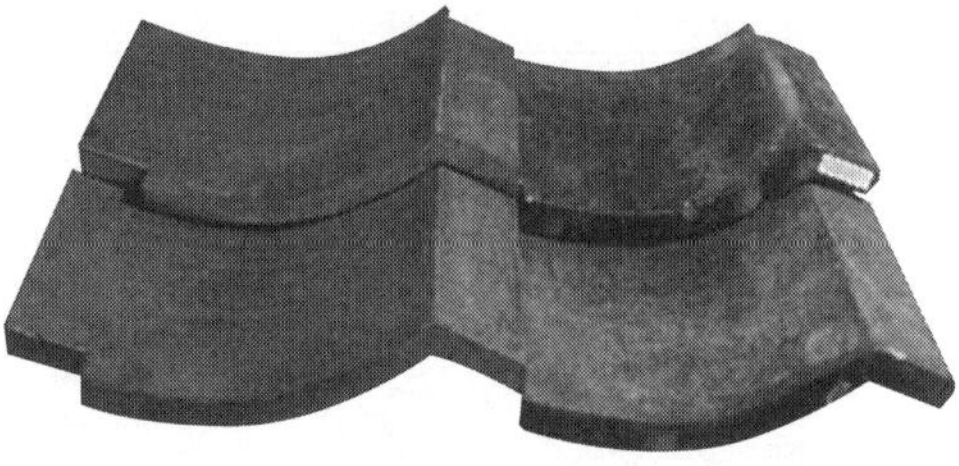

図5-2　桟瓦（参考図書(2)より）

記録に遺る江戸の最初の大火は、全市が焼亡したとされる慶長六（一六〇一）年の大火であるが、この後、幕府は屋根を茅葺きから板葺きにするよう命じ、大名屋敷や町家でも瓦葺きが増加した。しかし、大火の際、落下した瓦で怪我をする者が多かったという理由で、「明暦の大火」後、火に強いはずの瓦葺きが禁じられ、火が移りやすい植物性屋根材に延焼防止の目的で土を塗ることが命じられる。

結局、後に瓦葺き禁止令が解かれ、江戸には瓦葺きの家屋が激増することになるのだが、それに多大の貢献をしたのが、画期的な瓦の出現だった。

延宝《えんぽう》二（一六七四）年、三井寺の瓦工・西村半兵衛が本瓦葺きとして使用されていた丸瓦と平瓦を一体化して軽量化した「桟瓦《さんがわら》」（図5－2）を発明したのである。彼は軽量の瓦を開発するために、江戸に火除け瓦を見に行き、これをヒントに桟瓦を開発したといわれる。当時、この桟瓦は関東では江戸葺き瓦、関西では簡略瓦とよばれていた。現在の日本の一般家屋の屋根瓦のほとんどは、この桟瓦である。

桟瓦は屋根葺き瓦の軽量化に加え、それまで〝手作り〟されていた丸瓦や平瓦と異なり、木型による大量生産が可能であり、製造コストの大幅ダウンをも実現したのである。

古代瓦と現代瓦

話が前後するが、日本の瓦の歴史は飛鳥時代、第三二代崇峻《すしゅん》天皇元（五八七）年、古代朝鮮の百済《くだら》から仏教伝来のときに仏舎利が献上され、寺院建築に必要な寺工、瓦工、画工などの技術者が渡来したことにはじまる。

『日本書紀』崇峻天皇元年の条に、百済から日本へはるばる瓦製作の技術を教えに来た麻奈文《まなもん》奴《ぬ》、陽貴文《やうくゐもん》、㥄貴文《りようくゐもん》、昔麻帝弥《しやくまたいみ》という四人の瓦博士の名前が記載されている。仏教を取り入れた飛鳥の宮で、それまでになかった寺院が各所で建立され、日本人は百済の瓦博士の指導のもとで、それまで見たことも作ったこともなかった瓦を作り出したのである。

興味深いことに、その四人の瓦博士の役目は、それぞれ葺き方、寸法、釉薬、そして紋様デザインについて伝授することで、最も基本であると思われる粘土と焼成については日本人に任せたという。第1章で述べたように、日本人は粘土を形造って焼き物の器を作ることを縄文時代から知っていたので、瓦を焼く技術そのものについては、当時の人々にとってそれほど難しいことではなかったのだろう。

また、古代の瓦博士は瓦の〝土着性〟、つまり「方言の瓦」（183ページ参照）を正確に理解し、そのことを日本人に教えたものと思われる。事実、日本には四季があり、多湿で雨が多いため、朝鮮や中国などより瓦に対する気象条件が厳しかったのである。

以来、一〇〇年後の日本人は白鳳《はくほう》時代を経て天平時代に完全な瓦を製作するまでになった。その時代に葺かれた瓦の一部は元興寺や東大寺の屋根に遺り、およそ一三〇〇年を経たいまも現役の瓦として風雪に耐えて頑張っている。私は元興寺禅室の屋根瓦を見るたび惚れ惚れする。

先ほど、古代瓦は自ら〝呼吸〟をし、屋内の湿度調節をすることによって、高温多湿の日本の気候から古代木造建築物を内からも守ってきたが、〝呼吸〟をしない現代瓦は建物を外からの〝攻撃〟から守るだけである、と述べた。しかし、ほとんどの読者は〝瓦が呼吸する〟ということを訝《いぶか》しがるに違いない。

瓦の〝呼吸〟の有無は、瓦内部の気孔率と吸水率に依存する。古代瓦と現代瓦には、図5－3に示すように大きな違いがある。古代瓦は、全体積のおよそ三〇パーセントが〝気孔〟なのだ。その気孔率は、現代瓦の二倍にも達する。その結果、吸水率も大きく異なることになる。

日本の湿度は九〇パーセントに及ぶこともしばしばであり、古代瓦は、たとえ室内に置いておいても水分を吸収し、天気になれば吸収した水分を外へ放出する。

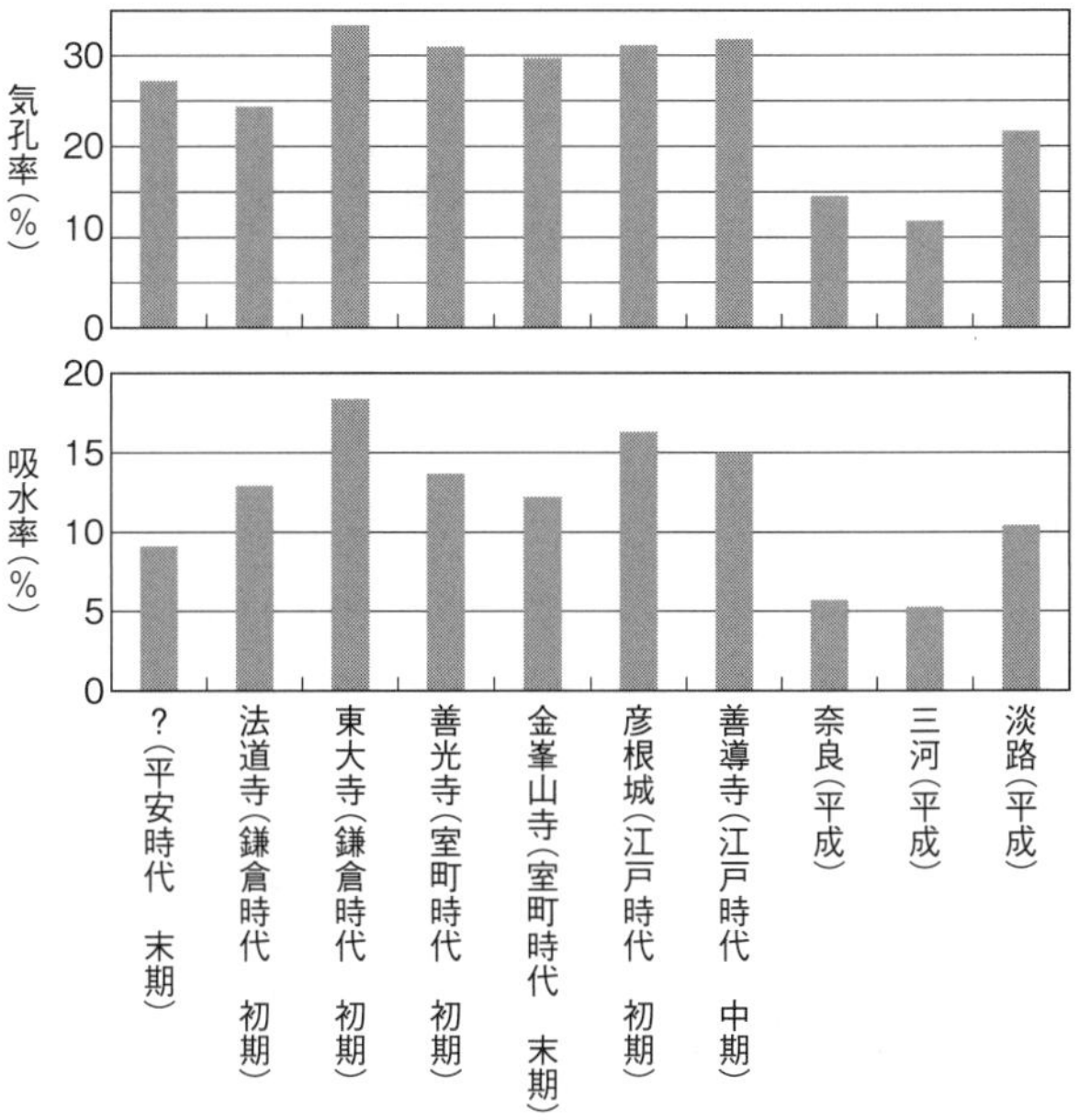

図5-3　古代瓦と現代瓦の気孔率と吸水率(小林章男私信)　(　)内に示したのは、瓦を葺き替えた時期

これが、瓦の〃呼吸〃である。つまり、昔の瓦は雨水は流すが、水蒸気は吸収し、天気がよくなればそれを外部へ放出する「湿度調整能力」を備えているわけだ。

後述するように、〃昔〃と〃いま〃では瓦の「葺き方」が異なり、この葺き方の違いも湿度調整能力に差をもたらす。

古代瓦の気孔率が現代瓦のそれよりも二倍ほど大きいことは、当然、瓦の重さにも影響する。事実、古代瓦は現代瓦よりも二〇パーセントほど軽い。

総じて、日本の木造建築と屋根瓦の役目のことを考えれば、どう考えても「古代瓦のほうが現代瓦より優れている」といわざるを得ないのである。この優劣は生産効率、経済性追求の結果の原料（粘土）や成形法、焼成窯《かま》、焼成温度などの製造工程の差に起因するものである。

たとえば、生産効率や経済性のことを考えれば、自動車の生産と同じように極力オートメーション化を考え、燃料を節約する必要がある。そのための一つの方法は、熱の伝導性を悪くする粘土の中の空気を徹底的に抜くこと、つまり、気孔率を極力低くすることである。

そこで登場したのが画期的な真空土練機だった。この真空土練機は、それまでの製造工程を効率化し、瓦の気孔率を従来の三〇パーセントから七パーセントほどに低くすることができ、熱の伝導性を高め、燃料の節約に大きく貢献したが、瓦が二〇パーセントほど重くなるという結果を招いた。

小林〝瓦博士〟との共同研究の際、私は、一三〇〇年前に作られた元興寺や東大寺の瓦など「古代瓦」に実際に接する機会があったのだが、それらがもつ形や個性から伝わってくる「ぬくもり」は、工場で量産される「現代瓦」には期待すべくもないものであった。現代瓦がまさしく「工業製品」であるのに対して、古代瓦が「手作りの焼き物」であるからだろう。

それでは、〝昔〟と〝いま〟の瓦の葺き方は、具体的にどう違うのか。

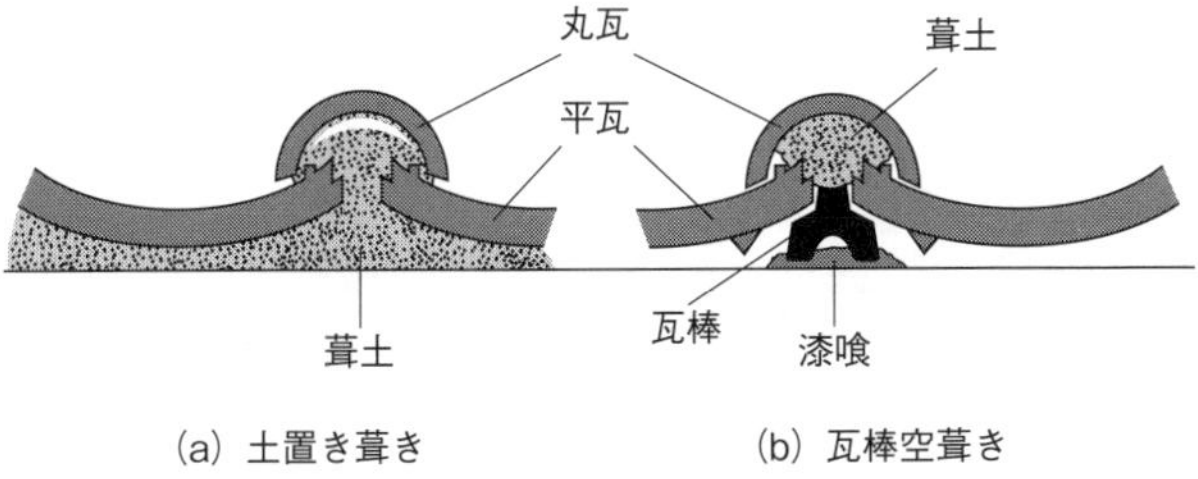

図5-4　土置き葺き(a)と瓦棒空葺き(b)

現在の屋根瓦の下には防水、断熱シートが敷かれるのがふつうであるが、昔の屋根瓦の下には、図5-4(a)に示すように葺土《ふきつち》とよばれる土が敷かれていた。このような瓦の葺き方を〝土置き葺き〟とよぶ。この葺土の主目的は、瓦を安定させることであったが、土の吸湿性の高さから湿度調整能力も兼ね備えることになった。

土置き葺きは、作業自体が大変なうえに、葺土を確保することも厄介なことから、江戸時代中期には図5-4(b)に示すような、葺土の代わりに「瓦棒」とよばれる木材と漆喰で瓦を支える〝瓦棒空葺き〟が登場した(185ページ図5-1参照)。

この瓦棒空葺きは、現存の歴史的建造物としては岡山県備前市の旧閑谷《しずたに》学校講堂(一七〇一年建造)、三重県津市の専修寺《せんじゅじ》如来堂(一七四八年建造)などに見られる。しかし、平瓦の留め方や瓦の精度(均一性)などの問題のために、あまり普及しなかったようである。

七万三六〇〇枚の瓦を最適の組み合わせで葺く

ここで、私が実際に見聞し、ひたすら感動した瓦職人の魂の話を紹介しておきたい。

奈良・薬師寺の高田好胤《こういん》管長や西岡常一棟梁らの尽力によって、薬師寺伽藍の再建が続けられたが、二〇〇〇年五月末、私は大講堂屋根の瓦葺き作業の現場を小林〝瓦博士〟と一緒に見学させていただいた。このとき、全部で七万三六〇〇枚の平瓦に番号がつけられているのに気づいた私は、その番号の説明を聞いて驚いた。

瓦は粘土を型で成形して乾燥させたあと、窯で焼成される〝焼き物〟である。したがって、鬼瓦など特殊な場所に置かれるものは別として、屋根葺き用の一般の瓦は基本的には同じ形をしている。だが、焼成の際の窯の中の位置や温度の違いによって、完成品の形が微妙に異なるのは避けられない。そこで、薬師寺の瓦職人は、最善の組み合わせで屋根を葺くために、すべての瓦の形を入念に調べ、一枚一枚の瓦に番号をつけて区別しているというのである。

木造建造物にとって雨漏りは致命的になるので、このような入念な作業が不可欠であるという説明を、まさに、その現場を目の前にして聞いた私は、古代からの伝統を守る職人たちの徹底した〝適材適所〟の実践と、数百～千数百年先のことまで考えた真摯な仕事ぶりに、ただただ感動するほかなかった。

ともあれ、さまざまな現代の先端技術を駆使して量産されている現代瓦が古代瓦に劣る、というようなことを聞けば、読者は奇異に思うに違いない。しかし、長年「ハイテク」研究に従事してきた私としては内心忸怩《じくじ》たるものがあるのだが、本書で縷々述べるように、瓦に限らず、「現代人」の技術が「古代人」の技術にかなわない分野は少なくないのである。

なぜ、このようなことになるのか。

一言でいえば、現代の技術が、現代社会が要求する「生産性」「経済性」「効率」にひたすら応えようとするからである。同時に、瓦に限らず、どんなものも（市町村ですら「合併」によって）、全国的に「規格化」され、各地固有の「方言」「個性」が、この日本から急速に消えていく。

取り返しがつかないことに、日本古来の智慧や技術を伝える職人が、明治以降、とりわけ「戦後」、急激な勢いで消えていっている。職人が消えつつあり、彼ら職人の仕事に敬意が払われなくなったのは、近代工業によって推進された〝質より量〟、〝経済効率最優先〟の価値観と不可分であろう。

〝瓦博士〟の証言

日本の多くの文化財木造建築の修復に携わった小林章男〝瓦博士〟は「日本の在来木造家屋はかつて、屋根からも天井裏からも室内の湿気をきれいに吸って、屋根から吐き出していた。そういうことができる昔の瓦は理想的だった」「いまの瓦は二割くらい重い。それだけならいいが、空隙がなくて水を吸わないから結露する」と私に何度も語っていた。

焼成温度が高いために瓦が高密度になりすぎ、吸湿性が下がって、〝呼吸〟しない瓦になったことを嘆いているのである。じつは、文化財木造建築保存の観点からいうと、この〝瓦の結露〟によって致命的な問題が生じるのである。

以下、〝瓦博士〟の証言である。

東大寺大仏殿を修復した際のこと、真空土練機を使った吸水率五パーセントの瓦を年末までに葺き、明くる年の二月末の夜中に暖かな雨が降った。零下に近い気温に冷えていた仮設の屋根に暖かい雨が降り、その空間が暖まったが、瓦の裏は冷たく、飽和状態になった水蒸気が瓦の表に〝汗〟となって現れ、すべて水滴となって軒端に流れ落ちた。

このような水滴は、軒裏を腐らせる大敵である。〝汗をかいた〟瓦は、すべて真空土練機を使って製造した〝昭和の瓦〟であり、同時に葺いた明治や元禄の瓦は、涼しい表情で〝知らん顔〟をしていたという。この経験をもとに、小林氏は「文化財の建物には、軒裏を腐らせるような瓦は使えない。真空土練機は使わないでほしい」と文化庁に進言した。小林氏の進言は幸い、二〇〇二年の唐招提寺修復の現場で通ったのであった。

小林氏は、瓦の焼成窯についても、〝昔〟の窯のよさを強調していた。

飛鳥時代の穴窯から天平の奈良時代には平窯に替わり、奈良時代から室町時代末まで平窯時代がずっと続いた。瓦を焼くには、窯の中の温度分布の均一性などの観点から平窯が一番よいのだそうである。桃山時代にだるま窯が登場し、生産性を一気に向上させたが、〝瓦博士〟によれば、そのことで瓦は〝死んだ〟のだという。飛鳥時代の瓦の中には、いまだ〝現役〟で活躍中のものもあるが、現代の瓦が本来の姿を保てるのはせいぜい五〇年ではないか、と危惧していた。

日本には、各地特有の四季折々の風土がある。

その日本に、江戸時代から各地方にできた「方言の瓦」が、その土地の風土に合わせて日本国中に広く分布した。しかし、戦後に浸透した「生産性・経済性最優先」の社会風土が、「方言の瓦」のほとんどを潰滅させた。小林氏が私に何度も語った恨みの最たるものは、旧通産省の唱えた「生産性」の高い「全国統一規格」である。

小林氏が私にしみじみと語った「昔は東海道線を東京からゴトゴト汽車に乗って帰って来ると

き、ふと目を覚まして外の家の屋根を見るだけで、いまどこを走っているかがすぐにわかった。いまは下関まで行こうと鹿児島まで行こうと、屋根の趣が変わることはなく、まったく味気ない風景だ」という言葉は、いまも私の心に深く遺っている。

半導体結晶のスライシング

その小林章男〝瓦博士〟は、二〇一〇年三月末に亡くなられた。享年八八。「職人の神様」のように思え、心から尊敬していた小林〝瓦博士〟とのおよそ七年にわたる「古代瓦と現代瓦」の共同研究は忘れがたい。私は、その後も小林〝瓦博士〟と一緒に〝懸案の未解決問題〟を解くのを楽しみにしていたし、解決できるメドも立ちつつあったからだ。

懸案の未解決問題とは何だったのか？　それは、古代瓦の成形技術に関係しているのだが、その詳細に分け入る前提として、現代のハイテクの最先端である半導体の現場を覗いてみよう。

170ページ表4－3で、半導体単結晶インゴットから鏡面ウエハーまでの加工工程を示した。表中の④ウエハー切断（スライシング）は、ウエハー加工プロセスの中で最も重要な工程であり、マイクロエレクトロニクス・チップ（168ページ図4－13参照）が形成されるウエハーの機械的品質（平坦度、平行度、反り、など）を支配する要である。

スライシングの後のラッピング、ポリッシング（表4－3の⑤、⑦参照）で、平坦度、平行度、反りはある程度矯正されるが、スライシング直後のそれらが決定的に重要である。結晶が大型化（大直径化）するにしたがって、ウエハーの高度の機械的品質を確保するのが困難になる。

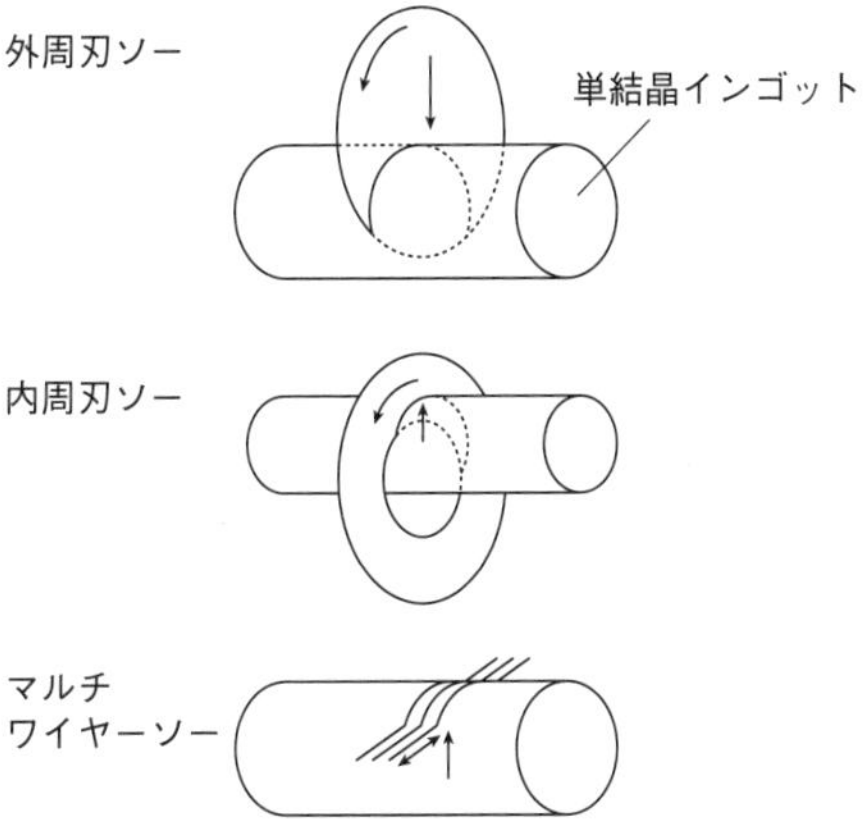

図5–5　各種の切断（スライシング）方法
（参考図書(3)より）

マイクロエレクトロニクス・デバイス製造に用いられる半導体ウエハーには、高度の平坦度と平行度が要求される。

　スライシングの留意点は、上記の機械的品質をいかに高めるかということと、ムダになる部分である切り代《しろ》をいかに薄くするか、そしてウエハー一枚あたりの製造コストをいかに下げるかという経済的問題である。

　図5－5に、いままで単結晶インゴットの切断に使用されている各種スライシング方法の概略を示す。歴史的に最も古い外周刃ソーは構造上、二ミリメートル以上の刃厚が必要で、すなわち切り代が二ミリメートル以上になってしま

い、非常にムダが多く経済的条件を満たさない。また、原理的に外周刃の半径以上の切断はできないので、大型結晶には適用できない。結果的に、近年大型化傾向が著しいシリコン単結晶インゴット（169ページ図4－14参照）の切断には、例外なく内周刃ソーが使われてきた。

　上述のように、ウエハーの支配的な機械的変形はスライシングで生じ、その主因は切断時の刃先の変動・振動である。つまり、図5－6に模式的に示すように、刃先が理想的な平行位置からずれてたわんだとき、切断ウエハーに反りが生じてしまう。

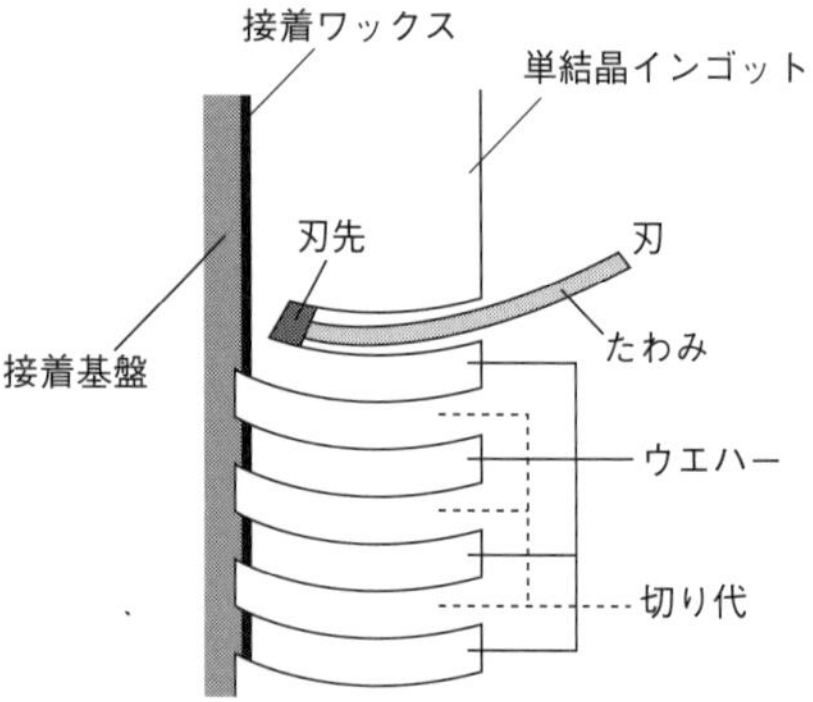

図5–6　スライシングで生じるたわみと切り代
（参考図書(3)より）

　結晶の大型化に対応した切断装置の大型化が進められてきたが、刃の製造および操作上の限界、さらには切り代の増大の問題などから、内周刃ソーによるスライシングは直径二五〇ミリメートルが上限であった。

　そこで図5－5の下に示す、どのような大きさの結晶であっても複数枚の同時スライシングが可能で、切り代を極限まで小さくすることが可能なマルチワイヤーソーによる切断が研究・開発

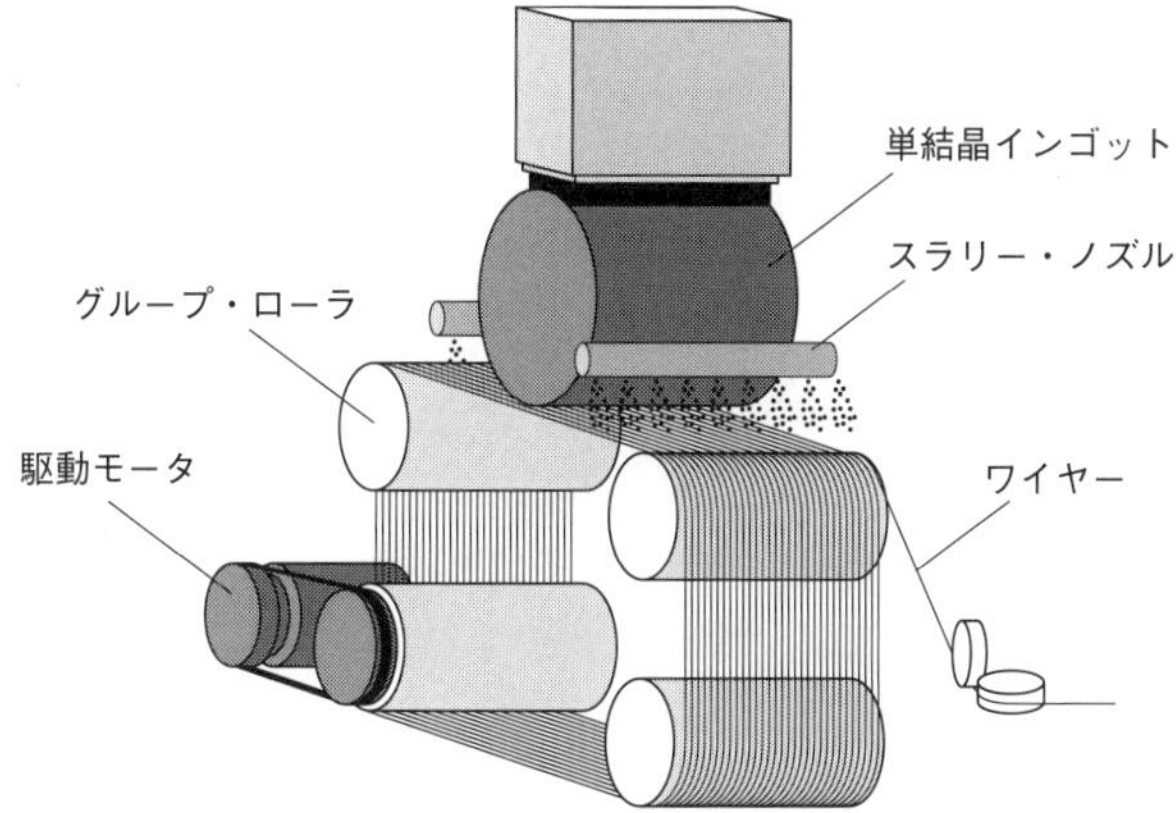

図5−7　マルチワイヤーソー・スライシング装置
（参考図書(5)より）

された。このマルチワイヤーソー・スライシングは、ピアノ線を何本も平行に走らせて砥粒が入ったスラリーで同時に切断する方法で、究極的な理想の方法である。

この方法は、一九七〇年代から小さな結晶の切断には実用化されていたが、直径が数百ミリメートルにも及ぶ大型シリコン単結晶に応用するためには、技術的に解決しなければならない幾多の困難があった。しかし、現在では図5−7に示すようなマルチワイヤーソー・スライシング装置が開発され、直径が三〇〇ミリメートル以上の単結晶インゴットのスライシングに実用されるに至っている。直径一五〇〜一六〇マイクロメートルのピアノ線にスラリーが連続的に送り込まれ、数百枚のウエハーが同時にスライシングされている。

粘土を切ったワイヤーソー

いよいよ、古代瓦の作製法に話を戻す。

中国の明末（一六三七年頃）の学者・宋應星《そうおうせい》によって書かれた『天工開物』（参考図書(1)）という本には、穀類、衣服、製塩、製陶、鋳造、鍛造、製鉄、製錬、兵器など、当時の重要産業技術のほとんどが網羅されている。挿入された豊富な説明図は、眺めるだけでも楽しい。まさに産業技術の百科事典とよぶにふさわしい大著である。各章は「私はこう思う」という言葉で書きはじめられ、科学・技術エッセイあるいは啓蒙書として読んでも大いに楽しめる本である（この点、藪内清氏の日本語訳に大いに感謝しなければならない）。

当時、技術や生産に従事する人たちは、社会的にあまり重視されていなかったようである。事実、『天工開物』は江戸時代の日本ではかなり読まれた形跡があるが、お膝元の中国では清朝を経て中華民国（現在の中華人民共和国）の時代になるまで、その存在をほとんど知られていなかった。じつは、日本から逆輸入して初めて、中国でも評判になったのである。

出世の登竜門である「科挙」の試験にも技術関係の問題は出なかったようで、宋應星は序文を「この書は立身出世に少しも関わりがないのである」という言葉で結んでいる。私は、この一文

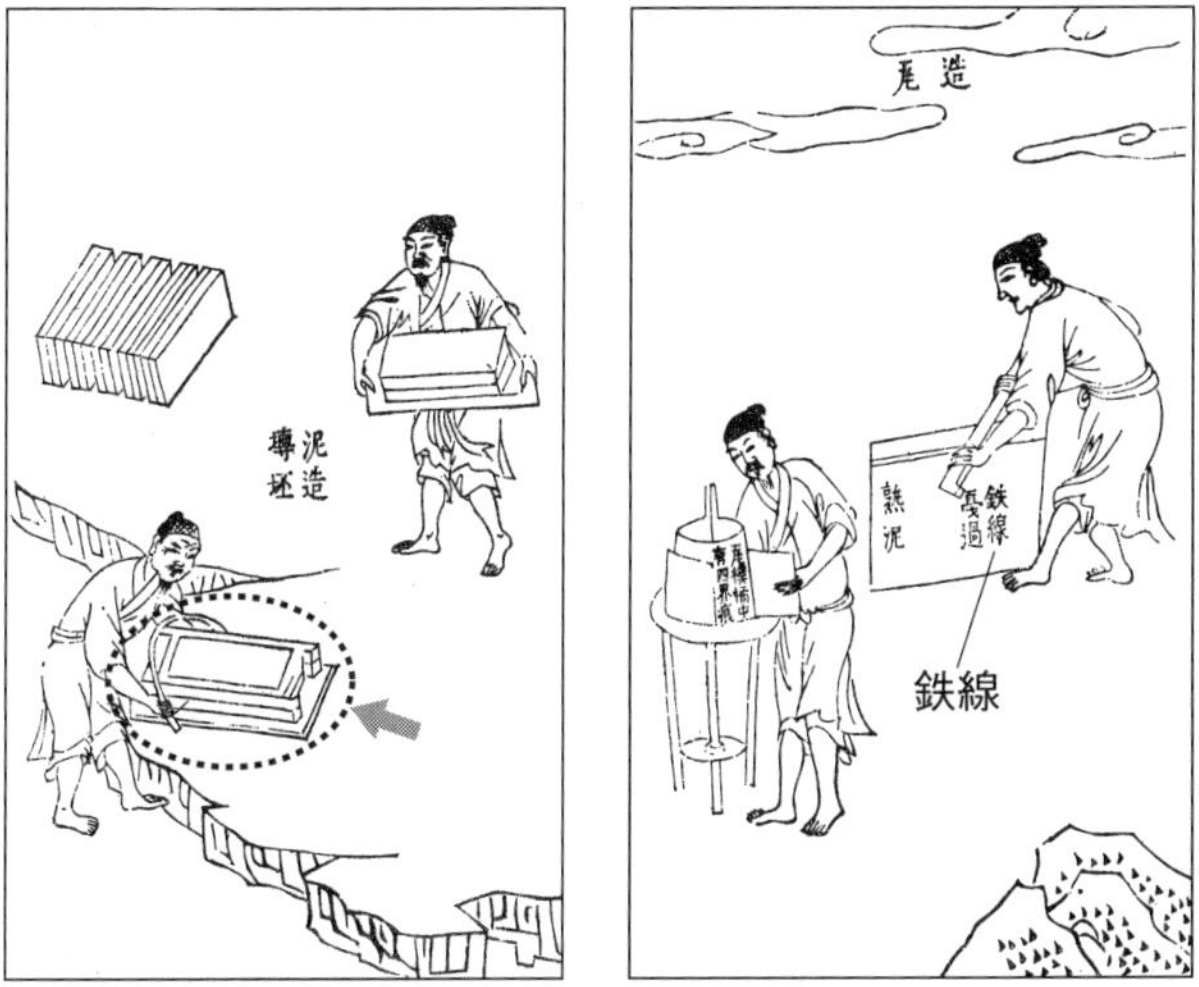

図5-8　古代粘土の成形工程　左は磚《せん》（敷瓦）用、右が瓦用の作業風景
（参考図書(1)より）

が大いに気に入った。

　まえおきが長くなったが、この『天工開物』の「製陶」の章に、粘土の成形工程が書かれている。そこに挿入されているのが図5－8で、「土をふみならして、それを高い長方形に積みあげる。それから鉄線を弓に張って、鉄線の上は三分あけておき、その長さは一尺を限度とする。これを土に向け斜めにして一片をそぎとるが、それは紙を一枚一枚はがすのに似ている」と説明されている。

　ここまで読んだ読者には、私が前項で半導体単結晶インゴットの最先端スライシング技術に用いられているワイヤーソーのことを述べた理由を理解していただけるだろう。

長年、半導体結晶に関する技術に従事し、単結晶インゴット・スライシング技術の変遷を目のあたりにし、最先端技術にワイヤーソーが使われていることを知っている私は、『天工開物』の図5－8を見たとき、強い衝撃を受けたのであった。なんと、古代瓦の製造工程に鉄線（それはワイヤーソーそのものである！）が使われていたのである。

図5－8に示されるような瓦粘土の成形工程は、近代に至るまで基本的に変わらなかった。図5－9は、多くの文化財建造物の屋根瓦の修復に関係してきた奈良の瓦宇工業所（小林章男会長）の昭和二四年頃の作業のようすを写したものである。

「土をふみならして、積みあげた高い長方形」は〝タタラ〟とよばれるが、(a)は最終段階の姿をきれいな形に整えているところである。(b)では、目付によって厚さを決めたタタラを左右両側から長定規に沿って鉄線で粘土を切るスライシングのようすが見られる。『天工開物』の図5－8の右に描かれている方法と、基本的にまったく同じ方法であることがわかるだろう。

さすがに現代では〝タタラ盛り〟（図5－9(a)）は行われず、機械で混練された粘土が目的とする瓦の厚さと幅に押し出され、図5－10に示すように、一枚一枚の瓦の大きさにワイヤーソーで切断されている。これもまた、『天工開物』の図5－8の左に描かれている方法と基本的にまったく変わらない。なお、この〝タタラ〟は次章で述べる〝たたら〟とは異なる。

ところで、『天工開物』の図5－8に見られるような〝鉄線〟は、いつ頃から存在したのだろ

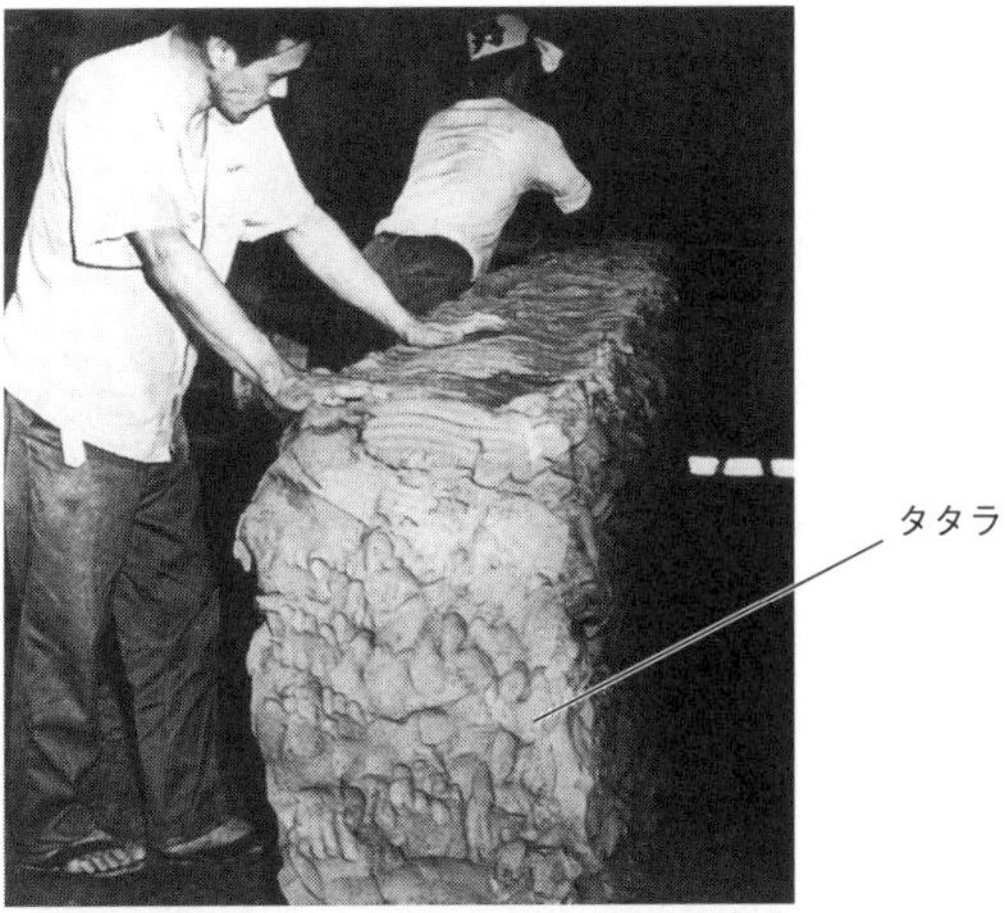

(a) タタラ盛り

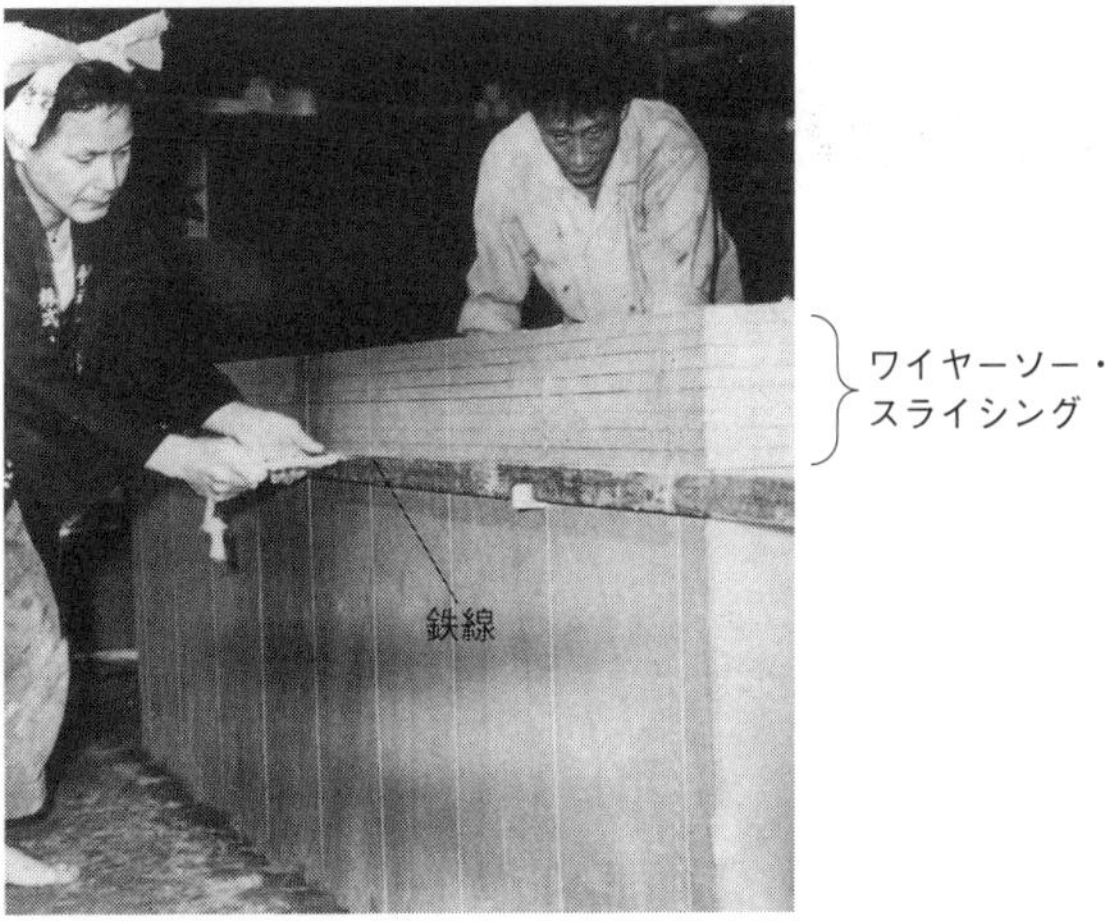

(b) タタラ引き

図5-9　昭和24年頃に撮影された伝統的な瓦粘土の成形工程（参考図書(6)より）

うか。

現存する日本最古の瓦である一三〇〇年前の元興寺の瓦に遺された紋様から、粘土のスライシングが〝ワイヤーソー〟で行われたことは明らかであるが、その〝ワイヤー〟の材料が何であったかは、小林〝瓦博士〟と私の数年にわたる懸案事項だった。前述の、〝懸案の未解決問題〟とは、このことである。

〝瓦博士〟も私も、一三〇〇年前に〝鉄線〟が存在するとは思っていなかったため、古来、弓の弦に使われた苧《からむし》や麻も含め、考え得るすべての植物繊維を束ねて線状にしたものを検討した。しかし、実験を重ねた結果、弾力性に富む植物繊維を束ねたもので湿った粘土を、図5-9(b)のようにスライシングすることは無理だということがわかった。

そこで私が「野蚕のシルクを束ねたものはどうか」と提案し、その実験を行うのを楽しみにしていたのであるが、それを果たす前に小林〝瓦博士〟は亡くなってしまったのである。まことに無念なことであった。

以来、古代の瓦粘土のスライシングに用いられたワイヤーソーの材料が何であったかは私の懸案事項であり続けていたのだが、『大工道具の日本史』(前章の参考図書(16))の著者・渡邉晶氏や白鷹幸伯鍛冶に伺った話から総合的に考えると、鉄線は古墳時代から「鍛造」によって得られていた可能性が高いことが判明した。

図5-10　現代の瓦粘土ワイヤーソー切断のようす（奈良・瓦宇工業所にて筆者撮影）

半導体単結晶インゴットのスライシング工程においては、鉄線（ピアノ線）を使ったワイヤーソーが最先端技術のカギを握っているが、瓦の世界では古代より鉄線を使ったワイヤーソーが使われていたというのが結論である。両者の関係こそ、まさに温故知新の真髄である。

主な参考図書（発行年順）

(1) 宋應星撰、藪内清訳注『天工開物』（平凡社東洋文庫、一九六九）
(2) 小林章男著『葺上の跡』（瓦宇工業所、一九七六）
(3) 志村史夫著『半導体シリコン結晶工学』（丸善、一九九三）
(4) 黒木喬著『江戸の火事』（同成社、一九九九）
(5) 高田清司・小松崎靖男著『21世紀の半導体シリコン産業』（工業調査会、二〇〇〇）
(6) 小林章男・山田脩二著『瓦　歴史とデザイン』（淡交社、二〇〇一）
(7) 原田多加司著『屋根の日本史』（中公新書、二〇〇四）

6

法隆寺の和釘と日本刀の秘密

—— 古代鉄はなぜサビないのか

法隆寺に釘は使われていない？

どういうわけか、私には小学生の頃に、「法隆寺は世界最古の木造建築で、しかも釘を一本も使っていない」と誰か（たぶん学校の先生）に教わった記憶がある。

しかし、実際の法隆寺には、多数の釘が使われている。

長年、半導体結晶の研究に従事してきた私の関心が急速に〝古代鉄〟に傾いていったきっかけは、一九八八年に出版された西岡常一棟梁の『木に学べ』（小学館）という本の中に書かれていた〝法隆寺の釘〟の話を読んだことだった。

西岡棟梁は、「釘を使うてますけど、今の建築のように釘の力で木をおさえてるわけじゃありません。釘は木を組んでいく途中で仮の支えですな。建て物が組み上げられ、組み合わさってしまったら、各部材が有機的に結合され、機能的に構造を支えあってますから、釘はそんなに重要なものではありません」と述べている。

一九六八年に法輪寺三重塔を復元するとき、「構造材に鉄筋を使うか使わないか」で建築「学者」と西岡棟梁とのあいだで有名な大論争があった。〝木のいのち・木のこころ〟〝木に学べ〟を説く西岡棟梁は、もちろん〝鉄筋を使わない〟派である。

この論争について、西岡棟梁は「鉄いうても、昔の飛鳥のときのように蹈鞴《たたら》を踏んで、砂鉄から作った和鉄なら千年でも大丈夫だけれども、熔鉱炉から積み出したような鉄はあかんというのです。法隆寺の解体修理のときには飛鳥の釘、慶長の釘、元禄の釘と出てきますが、古い時代のものはたたき直して使えるが、時代が新しくなるとあかん。今の鉄はどうかというと、五寸釘の頭など一〇年もたつとなくなってしまう。今の鉄なんてそんなもんでっせ」「飛鳥時代のような鉄でしたら強いでっせ。千年はもちますな。法隆寺の飛鳥時代の部材から釘抜きまっしゃろ、抜くときゆがみますが、このゆがみさえ直せば、飛鳥の釘はまた使えますのや。今まで千三百年もってますねん。これから、まだ千年もちまっしゃろな」と述べている。

確かに、現代の釘は外に出しておくと、すぐ真っ赤にサビて、一〇年も経たないうちにボロボロになってしまう。それなのに、飛鳥時代の釘（和釘）は、すでにおよそ一三〇〇年ももち、これからまだ一〇〇〇年経っても大丈夫だ、といわれているのである！

法隆寺が創建以来、何度か大がかりな修理を受けていることは、種々の記録や物的証拠から明らかである。そのうち、西岡常一棟梁は一九三四年から五四年まで二〇年かけて行われた〝昭和大修理〟（総棟梁は西岡常一棟梁の父・楢光氏）に参加し、主な建物の解体・修理にあたった。

この際に、創建時（飛鳥時代）、平安、慶長、元禄の釘などが、時代ごとに詳細に調査されている。釘は、大きく構造材用の大きな釘と化粧材用の小さな釘とに分けられるが、それらの釘は形状において、各時代ごとにきわめて特徴的である（西村秀雄・青木信美「法隆寺五重塔並びに金堂の古代釘の冶金学的研究」『古文化財の科学』第一二号、一九五六）。

特に、構造材用の釘の大きさや形状は、各時代の木材の供給状況や世相、社会の価値観などを見事に反映していて、その考察は〝社会学的〟にもじつに興味深い（『サライ』一九九六年九月一九日号掲載の白鷹幸伯インタビュー、小学館）。

そのような法隆寺の釘のいくつかが、第4章で述べた竹中大工道具館に展示されており、私は、同館の特別のはからいで、およそ一三〇〇年前の創建当初の、つまり〝飛鳥の釘〟を実際に手に取らせてもらったことがある。それは、長さおよそ三〇センチメートルの、法隆寺の構造材用の〝飛鳥の釘〟だった。表面は黒くサビているが、手にずしりとくる重さだった。

その翌日、私は、薬師寺西塔再建の際、和釘七〇〇〇本を作った白鷹幸伯鍛冶の下で、法隆寺の〝飛鳥の釘〟とほぼ同じ大きさの和釘を自作する機会に恵まれたのだが、〝飛鳥の釘〟には、その〝できたて〟の和釘と同じ重さを感じた。つまり、一三〇〇年前の〝飛鳥の釘〟の内部は、まったく朽ちることなく新品同様の状態を保っているものと推測され、「飛鳥のクギはまた使えますのや」「これから、まだ千年もちまっしゃろな」という西岡棟梁の言葉が決して誇張ではないことを実感した。

長年の〝法隆寺ファン〟である私にとって、一三〇〇年前の、あの法隆寺の釘を実際に手にしたこと自体、大きな感動であった。それに加え、私の手がずしりと感じたその釘の物理的な重みも、決して忘れることができないだろう。

日本古来の製鉄法

一三〇〇年経っても朽ちないばかりでなく、これからまだ一〇〇〇年もつという法隆寺の〝飛鳥の釘〟は、日本古来の製鉄法である〝たたら〟（前章で述べた古代瓦粘土の〝タタラ〟とは意味が異なる）とよばれる方法から生まれた和鋼《わこう》、和鉄である。詳しくは後述するが、世界に名高い日本刀も、この〝たたら〟から生まれた和鋼の中の最高品質の玉鋼《たまはがね》とよばれる鉄を用いて作られる。

世界で初めて鉄が人工的に生産されたのは、紀元前一五世紀頃、オリエント文明の発祥地・ヒッタイト（現在のトルコ）と考えられている。

人類が最初に手にした製鉄原料は、砂金産地の砂に含まれていた砂鉄である。黄金を採集した副産物として鉄が得られたのである。製鉄の起源は、砂鉄を用いた坩堝《るつぼ》製鉄である。

日本で、鉄の生産に先立って鉄器が最初に使用されたのは、縄文時代晩期である。福岡県の曲《まが》り田《た》遺跡で発掘された小型の斧の頭部破片が、その根拠になっている。弥生時代前期末（紀元前二世紀頃）になると、福岡県赤井手《あかいで》遺跡などで鍛冶工房跡が発見されており、この時期に鉄製工具の製作が行われたことは明らかである（黒岩俊郎編『金属の文化史』アグネ、一九九一）。

鉄の生産、つまり磁鉄鉱や赤鉄鉱などの鉱石、あるいは砂鉄を還元する製錬がいつから行われたかについては、考古学者のあいだで諸説がある。いまのところ、日本国内で鉄の生産がはじまったのは、弥生時代後期（三世紀）から末期（三世紀後半）にかけての時期と考えてよさそうである。

広島県の小丸《こまる》遺跡では、弥生時代後期の集落跡に続く丘陵斜面で、直径五〇センチメートル、深さ二五センチメートルほどの製錬炉の跡と思われるすり鉢状の穴が発掘されている。この穴は木炭層を伴い、両側に鉱滓《こうさい》（スラグ、ノロ）の詰まった土壙《どこう》もある。製錬原料は、鉱石の出土や鉱滓の分析結果から鉄鉱石と考えられている。従来、日本の製鉄の原料は幕末、明治初期まで一貫して砂鉄と考えられていたので、これはまったく新しい知見であった。

また、島根県の湯谷悪谷《ゆだにわるだに》遺跡では、弥生時代末期の住居跡の床面上から砂鉄の製錬滓が三〇点以上出土している。

広島県埋蔵文化財調査センター（現・広島県教育事業団事務局埋蔵文化財調査室）の調査報告書によれば、製錬原料として鉄鉱石を利用するのは、中国地方の比較的古い時期の製錬炉に多く、砂鉄への変化の時期は六世紀後半頃のようである。まだ不明の点も少なくなく、正確なことは今後の調査研究に俟《ま》たねばならないだろう。

日本の文献上、〝鉄〟が初めて登場するのは、『日本書紀』巻第二四、皇極《こうぎょく》元（六四二）年四月の条と思われる。

「蘇我大臣《そがのおほおみ》、畝傍《うねび》の家にして、百済《くだら》の翹岐《げうきら》等を喚《よ》ぶ。親《みづか》ら対《むか》ひて語話《ものがたり》す。仍《よ》りて良馬一匹《よきうまひとつ》・鉄《ねりかね》二十鋌《はたち》を賜《たま》ふ」と書かれている。

〝鉄《ねりかね》〟は鉄の延べ板のことである。蘇我大臣蝦夷《えみし》が百済の使者に良馬一頭とともに、鉄の延べ板二〇枚を贈呈したのであるから、その当時、畿内あるいはその近辺で鉄の生産が行われていたと考えてよいだろう。また、『日本書紀』巻第二七、天智九（六七〇）年九月の条に「水碓《みづうす》を造りて冶鉄《かねわか》す」とある。水車で鞴《ふいご》を動かし、砂鉄を熔かして製錬したのであろう。

たたらを踏む

〝たたら〟といえば、ふつうは足で踏んで空気を吹き送る大きなふいごのことで、〝蹈鞴・踏鞴〟という漢字をあてる。「たたらを踏む」の〝たたら〟は、この意味である。〝踏鞴〟を用いた製錬炉のことも〝たたら〟といい、この場合は〝鑪〟という漢字をあてる。〝蹈鞴吹《たたらぶ》き〟ともいわれる、この日本独自の製鉄・製錬方法、あるいは技術を本書では「たたら」とよぶことにする。

たたらは、一〇〇〇年以上経っても朽ちない法隆寺の釘や日本刀の製作には欠かせない〝玉鋼〟を生んだ、砂鉄を原料とする日本伝統の製鉄技術である。たたらの技術は江戸時代に完成の域に達し、大規模の〝高殿《たかどの》（永代）たたら〟とよばれるもの（つまり〝近世たたら〟）になるが、古代から明治時代中葉まで、日本の鉄需要の大部分を供給してきた。

明治三〇年代になると、廉価な外国産鋼材の輸入が活発になると同時に、幕末期に日本に移入された洋式高炉法製鉄が軌道に乗るに及び、たたらは急速に衰微の道を辿《たど》った。大正末期には、たたらの火は完全に消えることになる。

その後、紆余曲折を経て、たたらの和鋼がないと日本刀が作れないこと、同時に、日本の伝統技術の保存の意味も兼ねて、公益財団法人日本美術刀剣保存協会（日刀保）が一九七七年、島根県の横田町（現・奥出雲町）に「日刀保たたら」を建設した。現在も冬期に操業を継続し、日本刀の刀匠に玉鋼を供給している。

『風土記』の時代から、出雲（現在の島根県のほぼ半分の地域）は鉄（和鋼）の産地として知られているが、日本で唯一、島根県吉田村（現・雲南市吉田町）菅谷に、一七世紀後半から一九二一年まで二〇〇年以上にわたって操業を続けた永代たたら製鉄炉建屋（図6－1）をはじめとする諸施設がそっくり遺されている。

図6－1(上)の建屋の中は、図6－1(下)のようになっている。中央に、泥と粘土を固めたたたら炉（図6－2）が造られている。原料置場は〝町《まち》〟と称せられる。

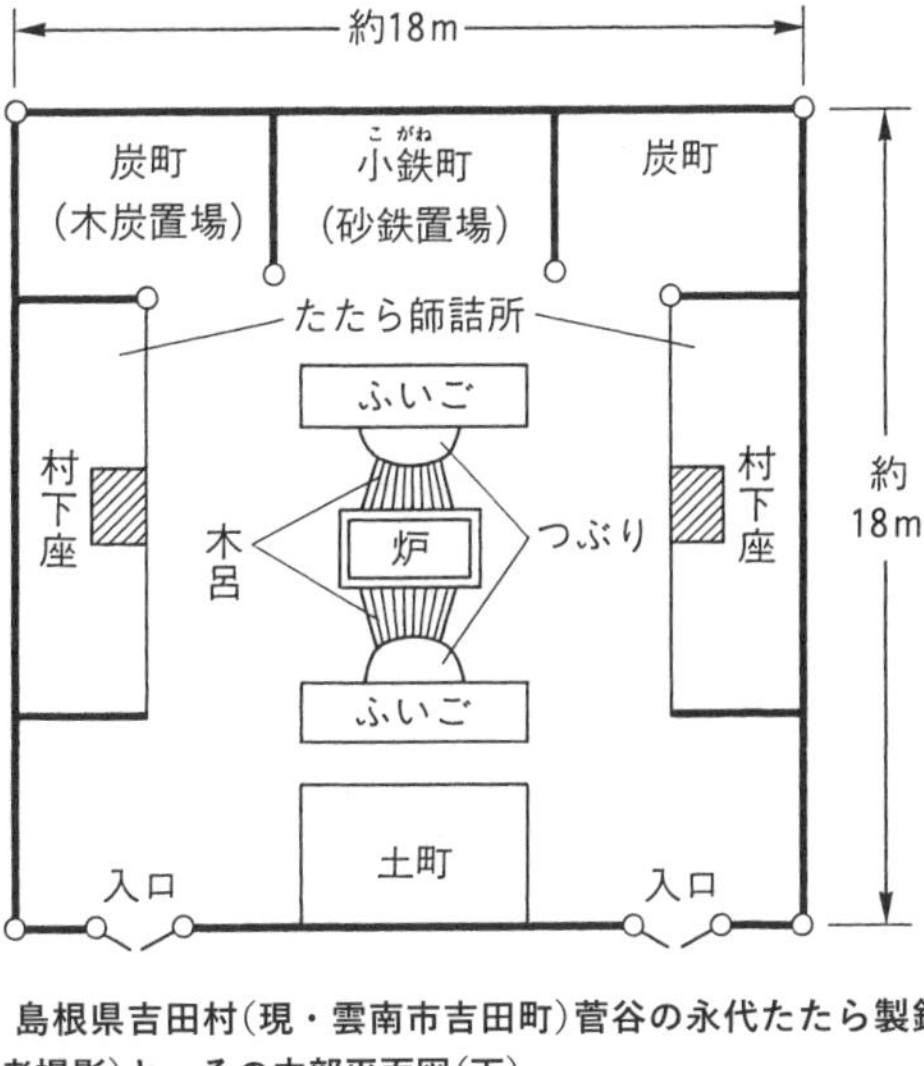

図6-1　島根県吉田村(現・雲南市吉田町)菅谷の永代たたら製鉄炉建屋(上。筆者撮影)と、その内部平面図(下)

図6−2　菅谷永代たたら（〝近世たたら〟）炉（筆者撮影）

炉の左右には、技師長に相当する村下《むらげ》たち作業者（たたら師という）の詰所がある。

図6―2には、泥と粘土で固められた地上構造の炉のみが写されているが、じつは、この地下に、図6―3に示すような驚くほど精巧、かつ複雑な〝床釣《とこつり》〟とよばれる〝地下構造〟が設けられているのである。この地下構造は、一口でいえば、炉底からの熱の放失を防止し、炉を高温に保つことと、周囲からの湿気を徹底的に排除することを目的としている。

前述のように、このような永代たたらの技術が完成するのは江戸時代だが、じつは、たたらの原型は、いまからおよそ一四〇〇年前の古墳時代後期（六世紀後半）の広島県・美土路《みとろ》製鉄遺跡にははっきりと認められている。

たたらを支える、表面には現れない科学と技

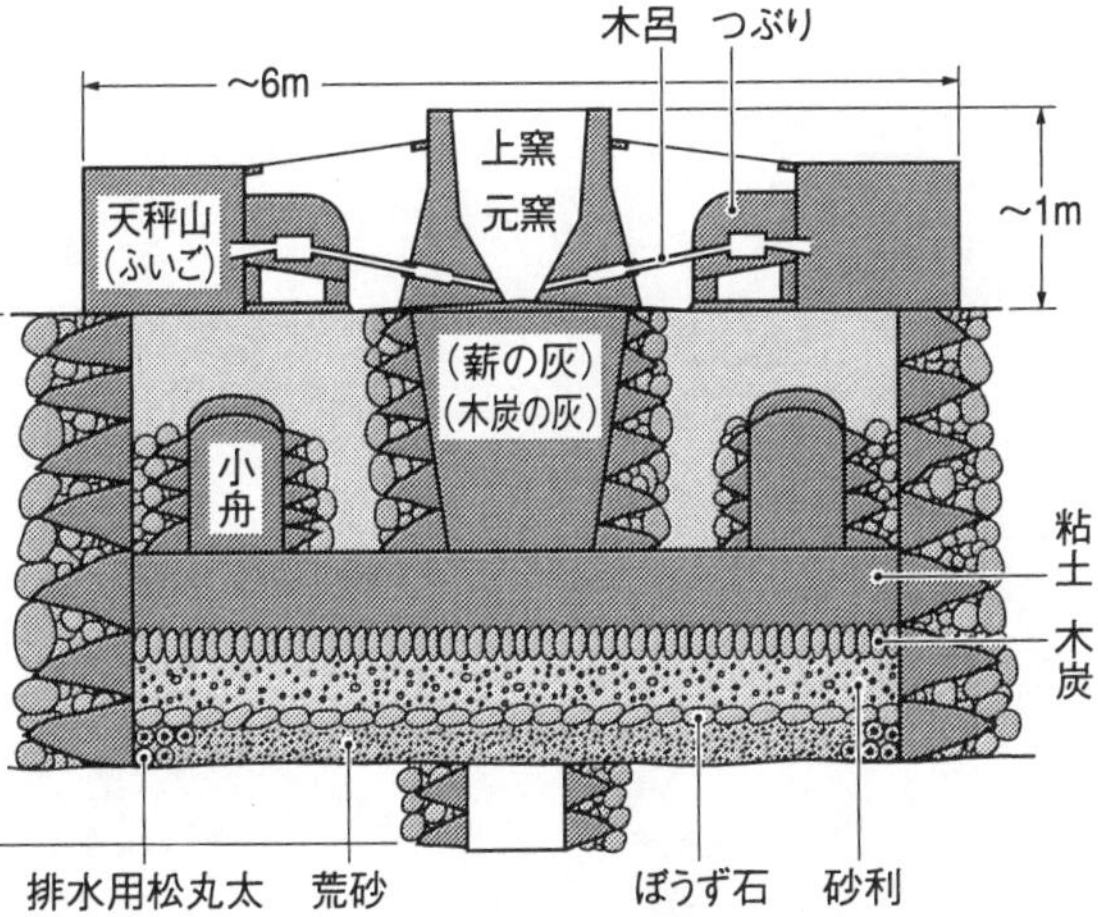

図6–3　永代たたら（〝近世たたら〟）炉の断面模式図　周囲からの湿気の侵入を防ぎ、炉を高温に保つはたらきをする（参考図書(3)より）

術は、ちょうど図6－3に示される地下構造のように精巧で複雑である。現代の最先端の分析技術や科学的知識を駆使しても、「たたら」の全貌の解明はきわめて困難と思われる。しかし、たたら操業の表面的な記述は簡単である。

図6－2と図6－3に示した、地上に泥と粘土で築いた長方形の炉の中で木炭を燃やし、炉の長辺下部に配置した多数の羽口《はぐち》（木呂）を通してふいご（あるいは送風機）から炉内に送風し、炉内が所定の温度（一二〇〇～一三〇〇度C）に達した段階で、炉上部から砂鉄と木炭を交互に投入する。

図6－4に、島根県吉田村にある和鋼生産研究開発施設における〝現代たたら〟操

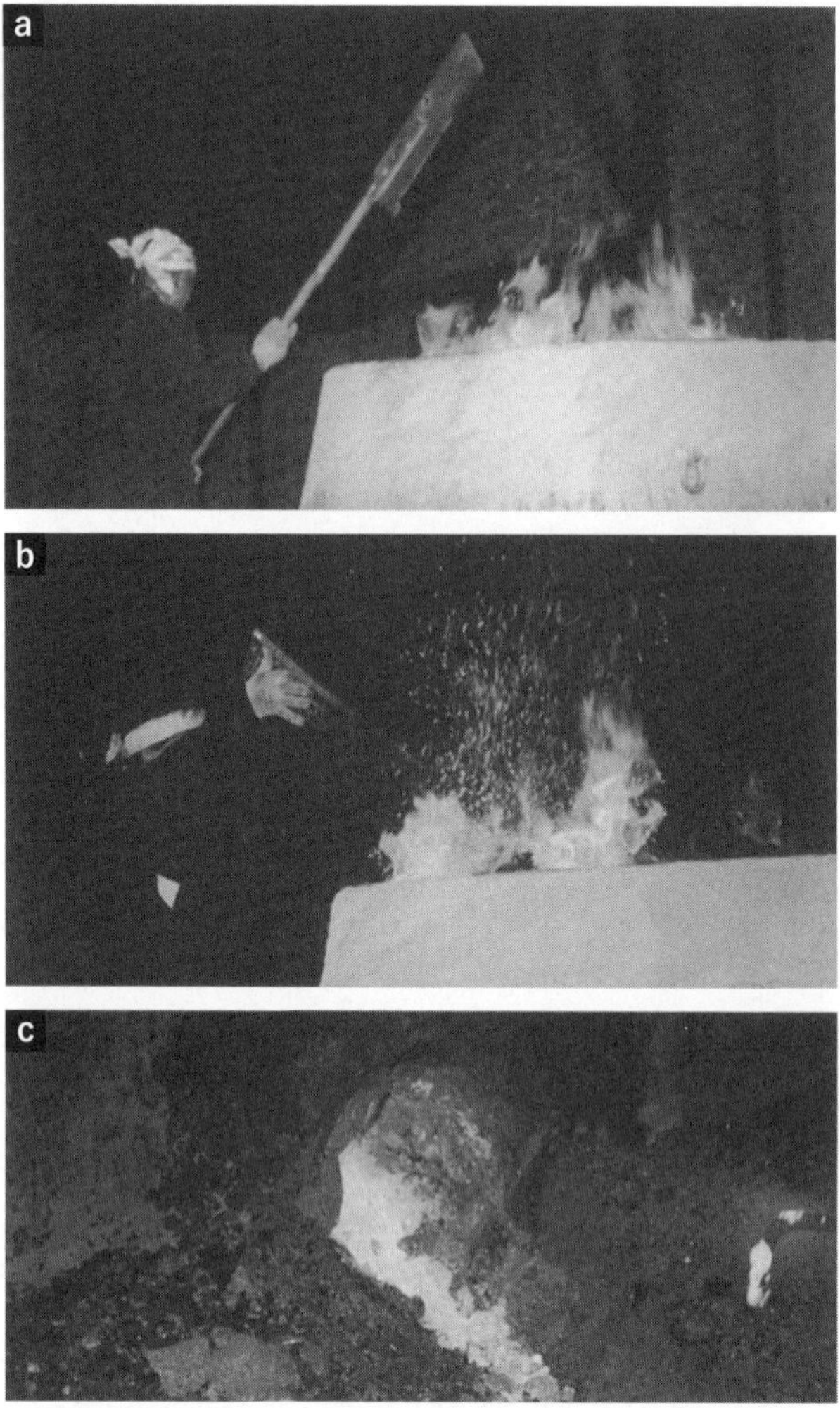

図6-4　現代たたらの操業のようす　a砂鉄の投入、b木炭の投入、cノロ(鉱滓)の熔出(島根県吉田村・和鋼生産研究開発施設にて、筆者撮影)

項　目	砥波炉（鉧押し）(1)	靖国炉（鉧押し）(2)	鉄鋼協会復元炉（鉧押し）(3)	価谷炉（銑押し）(1)	吉田村現代たたら（鉧押し）(4)
砂鉄（トン）	12.825	14.911	6.536	18.0	0.94
木炭（トン）	13.5	14.900	7.314	18.0	0.88
鉧（鋼）（トン）	2.81	玉鋼　0.750	1.227	0.34	0.27（うち玉鋼0.06）
銑（トン）	0.79	鉧＋銑　2.250	0.228	4.5	0.03
鉄計（トン）	3.60	3.00	1.505	4.84	0.30
木炭比	3.64	4.97	4.86	3.7	2.9
木炭／砂鉄	1.05	1.00	1.12	1.00	0.94
鉄歩留（％）	28	20	23	27	32

（注）木炭比＝木炭／鉄　　鉄歩留＝（鉄／砂鉄）×100

(1) 俵国一『古来の砂鉄精錬法』（丸善、1933）
(2) 小塚寿吉『鉄と鋼』52（1966）
(3) たたら製鉄復元計画委員会報告（1971）
(4) 鉄の歴史村地域振興事業団提供（1996年1月操業時の資料）

表6−1　たたら製鉄の原料と諸比率の例

業のようすを示す。

たたらは、木炭の燃焼熱と還元作用で砂鉄を製錬する方法であるが、操業の進行とともに炉材自体も熔融して砂鉄と反応し、ノロ（鉱滓）を生成する。操業の途中で、何度かこの熔融したノロを、炉体短辺下部に設けた湯地穴《ゆじあな》から外へ出す。図6－4(c)は、そのノロの熔出のようすをとらえたものである。近世たたらの操業においては、ほぼ四日間で炉壁内面が侵食されて、操業を継続できなくなる。この一操業期間を〝一代《ひとよ》〟とよぶ。

たたら操業法には、銑《ずく》（銑鉄、鋳物鉄）を得るための銑押し法と鉧《けら》（鋼塊）を得るための鉧押し法の二種がある。

銑押し法では、融点の低い赤目《あこめ》砂鉄を原料に用い、生成する熔融銑を湯地穴から流出させ、砂床で円盤状に凝固させる。これを生鉄《なまがね》（和鉄）という。

一方の鉧押し法では、赤目砂鉄と比べて不純物が少なく、融点が高い真砂《まさ》砂鉄を用いる。鉧は、炭素量一パーセント前後の鋼（和鋼）であり、炉底に生成する。一代の終期に炉体を崩し、鉧塊をそのまま冷却（自然空冷）するか、あるいは引き出して、鉄池《かないけ》とよばれる池に投入して急冷する。図6－4に示す現代たたらは、鉧押し法である。

近世たたら、および現代たたらの操業実績例を表6－1に示すが、鉄歩留《ぶどまり》は砂鉄投入量対比で二〇～三〇パーセントときわめて低い。投入する砂鉄とほぼ同量の木炭を必要とすることも特徴的である。さらに、炉を構築するまでの時間と労力、一代に要する人件費などを考慮すれば、「経済的効率」においては、近代熔鉱炉製鉄法とは比べるべくもなく、このことが、たたらが工業的製鉄の世界から完全に姿を消した理由である。

純度の高いたたら鐵、不純物添加が欠かせない熔鉱炉鉄

現在の工業的量産規模の製鉄には、鉄鉱石から脈石《みゃくせき》を分離して熔融状の鉄を得る「熔鉱炉」が使われる。その熔鉱炉は一般に「高炉」とよばれるように、高さが数十メートルから一〇〇メートルに達するものもある。

項　目	近世たたら	熔鉱炉
炉体	低床長方形舟形（地下構造）、高さ～1m	円形高炉、高さ80～120m
炉材	粘土	耐火レンガ
原料	砂鉄	鉄鉱石
燃料（還元剤）	木炭、まき	コークス
融剤	粘土（炉壁）	石灰石
炉内温度	1200～1300℃	1400～1600℃

表6-2　近世たたらと熔鉱炉には多くの違いがある

たたら製鉄と現代の熔鉱炉製鉄との間には、生産規模のほかにも多くの明確な違いがある。その主なものを表6－2にまとめる。これらの違いはいずれも、たたら鐵《てつ》と熔鉱炉鉄の品質の大きな違いを生む要因となっている。私はたたら鐵に敬意を払い、「金属の王なる哉」という文字である「鐵」を用い、現代鉄には「鉄」（金を失う）を使っている。

　たたら鐵と現代の量産熔鉱炉鉄との大きな違いの一つは、前者に含まれるマンガン（Mn）、シリコン（Si）、硫黄（S）の不純物濃度が、後者に比べて桁違いに小さいことである（井垣謙三「朽ち果てぬ鉄を求めて」『文藝春秋』一九九一年一一月号）。

　熔鉱炉法では非常に効率よく鉄鉱石を還元するために、石炭から得られる高カロリーのコークスを用いるが、化石燃料には必ず硫黄が高濃度に含まれている。この硫黄が鉄の中に取り込まれると、鉄は脆くなり、そのままでは割れてしまうので圧延加工ができない。そこでマンガンを〇・四パーセント程度添加し、硫化マンガンの形にすることで加工性が高くなる。

つまり、加工性のよい鉄を得るためには、マンガンの添加が必要なのである。また、マンガンとともにシリコンが効率的な脱酸素剤として添加されている。しかし、マンガンやシリコンは、鉄をサビやすくする不純物と考えられている。

たたら鐵ではさらに、クロムや銅、砒素《ひそ》、アンチモン、バナジウムなどの不純物濃度も、熔鉱炉鉄と比べるときわめて低い（参考図書⑶）。

たたら鐵の化学組成の例を表6－3に示す。マンガンとシリコンの濃度が、ともに〇・一パーセント以下であるような工業鉄が生産されていない（前掲『文藝春秋』）ことを考えれば、たたら鐵の純度がいかに高いかがわかるだろう。

つまり、たたら鐵はきわめて高純度なのである。

しかし、ただ一つ、熔鉱炉鉄よりたたら鐵のほうに多く含まれている不純物がある。それはチタン（Ti）、もっと具体的にいえば未還元のチタン酸化物である。このことは、原料の砂鉄には数パーセントの酸化チタンが含まれていることを考えれば理解しやすい。

じつは、学生・院生時代に、チタン酸化物（$TiOx:x\leqq2$）の研究を行っていた私は、このたたら鐵中の不純物チタンが、前掲の西岡棟梁の言葉にあるような、サビにくい〝飛鳥の釘〟に大きな役割を果たしているのではないかと考えていた。鉄がサビるのは酸素と化合するからであ

銘柄	C	Si	Mn	P	S	Ni	Cr	Mo	W	V	Co	Cu	Al	Sn
玉鋼（つる）	1.42	—	—	0.013	0.007	0	—	0	0	0.02	0.01	—	0.006	0.004
玉鋼（まつ）	1.17	0.02	0.02	0.032	0.008	0	—	0	0	0.02	—	0.01	0.006	0.003
包丁鉄（靖国）	0.26	0.03	0	0.022	0.004	0	0	—	0	0.02	0.04	0.01	0.006	0.005
流し銑（鳥上）	3.12	0.37	—	0.046	0.023	0	0	0	0	0.02	—	—	0.005	0.004
流し銑（布部）	3.44	0.11	—	0.043	0.022	0	—	—	0	0.02	0.02	—	0.006	0.004

銘柄	Ti	N	Ca	Mg	Nb	Zr	B	Zn	As	O
玉鋼（つる）	0.004	0.0017	0.0022	0.0004	0.01	0.02	0.0001	—	0.001	0.0115
玉鋼（まつ）	0.004	0.0027	0.0026	0.0006	—	—	0.0004	—	0.001	0.0267
包丁鉄（靖国）	—	0.0022	0.0046	0.0014	—	0.02	0	0.01	0.005	0.0389
流し銑（鳥上）	0	0.0029	0.0021	0.0004	—	0.03	0.0001	—	0.002	0.0131
流し銑（布部）	0	0.0022	0.0037	0.0011	0	0.02	0.0003	—	0.002	0.0176

表6-3　たたら鐵の化学組成の例　単位は「質量%」（矢野武彦『金属材料』9（1969）より）

り、酸素がなければ鉄はサビない。学生・院生時代の私の記憶によれば、チタンは高温の融体においてきわめて強力な脱酸素剤である。

　そんなことを考えていた折、山崎豊子著『大地の子』（文藝春秋、一九九一）の中で、ドキリとする文章に遭遇した私は、大いに驚いた。

　日本と中国の技術者が、鉄道のレールのサビ防止に苦労している場面である。サビの発生を抑える脱酸素剤として、チタンを入れることが最も効果的と書かれているではないか。結果的に、たたら鐵のサビにくさと共通の方法がとられていたのである（残念ながら『大地の子』の記述の出典は不明）。

たたらの化学と科学

前述のように、目でじかに見ることができるたたらの操業は単純である。しかし、築炉から鉧（鉄）出しに至るまで、ハード面でもソフト面でも、その〝技〟は、千数百年にも及ぶたたらの歴史の中で積み上げられてきた伝統と経験、そして勘が総合されたものである。そのすべてが、文字としては一切遺されていないことを考えれば、前述のように、たたらの全貌の科学的解明はきわめて困難といわざるを得ない。

それでも、たたらの特徴である砂鉄、木炭、炉材（窯土）、そしてふいごについて、若干の考察をしてみたい。

たたらの第一の特徴は、原料に砂鉄を使うことである。

一般に、たたら製鐵で使われる砂鉄は酸性岩類である花崗岩を母岩とするチタン分が少ない真砂砂鉄と、塩基性岩類の閃緑岩などを母岩とするチタン分が多い赤目砂鉄である。表6－4に、山陰地方の代表的な砂鉄の化学組成を示す。たたら操業の初期段階では、低融点の赤目砂鉄を投

砂鉄種別	T・Fe	TiO_2	FeO	Fe_2O_3	SiO_2	MnO	Al_2O_3	CaO	MgO	V_2O_5
真砂砂鉄(中倉)	59.00	1.27	24.72	64.45	8.40	0.05	2.34	2.24	1.54	0.258
真砂砂鉄(羽内谷)	59.98	1.54	20.98	62.45	10.02	0.19	1.62	0.22	1.27	0.240
籠り小鉄(半田)	65.68	2.15	23.28	68.03	2.66	0.57	1.51	—	0.30	0.280
赤目砂鉄(雑家)	54.56	6.82	18.48	51.08	14.90	0.05	4.98	1.60	1.74	—
赤目砂鉄(楮谷)	52.07	5.32	19.55	52.71	14.50	—	4.30	2.68	0.94	0.370
川砂鉄(斐伊川)	62.55	5.23	22.13	64.84	2.24	0	4.51	0.50	1.10	—
浜砂鉄(戸屋)	55.64	8.69	23.72	56.87	4.90	0.03	1.79	2.36	0.31	—

表6-4　山陰砂鉄の化学組成　単位は「質量%」(中村信夫『鉄と鋼』11(1955)、小塚寿吉、同52(1966)より)

入し、炉壁と反応（発熱反応）させて鉄滓を作り、その際の発熱で炉内温度を高める。徐々に真砂砂鉄の割合を増やし、本格的な鉧造りの段階では真砂砂鉄のみにする。

砂鉄は、鉄鉱石と比べれば圧倒的に高純度だが、表6－4を見れば明らかなように、さまざまな種類の不純物がかなりの量含まれている。前述の、鉄のサビを助長すると思われるシリコンやマンガンも、決して少ない量ではない。しかし、表6－3に示したように、製錬されたたたら鐵に含まれる、これらの不純物はきわめて微量である。この高純度化現象については次項で述べる。

前述の復元たたらや日刀保たたら、吉田村（現・雲南市吉田町）の現代たたらなどで使われる砂鉄は、大きな磁石を使った磁選精鉱法で採取される。混じり物のない砂鉄のみがきわめて効率よく得られる方法である。

ところが、大正時代までのたたらでは、砂鉄を多く含有する山を見立てて掘り崩し、土砂の中に混じっている砂鉄を長い水路を通過させることによって土砂と砂鉄に分離し、砂鉄を採取する〝鉄穴流《かんななが》し〟といわれる方法が採用されてきた。つまり、比重選鉱法である。

この比重選鉱法の問題は、たとえ砂鉄でなくても比重が砂鉄と似たような物質であれば、砂鉄に混じって採取されてしまうことだ。もちろん、鉄穴流しで採取された〝砂鉄〟は、さらに水洗されたうえでたたら操業に供されるのだが、それでも似たような比重の異物の混入は避けられない。

私は、砂鉄に混じったこの〝異物〟がたたら鐵の高純度化に一役買っていたと思う。

熔鉱炉法で使われる石灰石は鉄鉱石の融点を下げ、さらに不純物を取り込む重要な役割を果たす融剤（フラックス）であるが、たたらの場合の主たる融剤は炉壁の粘土である。私は、さらに、砂鉄中の〝異物〟が融剤の一端を担っていると思う。

砂鉄が純粋なぶんだけ融点が高くなり、そのぶん多くの不純物を取り込むことになる（不純物の濃度、取り込み速度は温度に比例する）からである。

つまり、磁選精鉱法で採取される砂鉄は純粋すぎて、よくないのではないか。したがって、磁選精鉱法で採取した砂鉄を使っている限り、昔の、伝統的なたたら鐵に匹敵する鉄は得られないのではないか。

温度のことで付記する。225ページ表6－2に示したように、木炭を燃料とするたたら炉内の温度は最高一二〇〇～一三〇〇度Cで、熔鉱炉内の温度と比べると二〇〇～三〇〇度C低い。当時は、有効な製鉄燃料としては、まき、木炭しかなかったので仕方がないのだが、この温度差が、たたらが現代の熔鉱炉による製鉄と比べて生産効率で劣る一因でもある。

しかし、炉内温度が低いということは、そのぶん鉄に取り込まれる不純物の濃度が低いことを意味する。鉄の品質の上では、たたらの低い炉内温度は〝怪我の功名〟だったといえる。

木炭（炭素）の役割は、炉内を高温に熱することと、砂鉄の主成分である酸化鉄を還元する（酸化鉄から酸素を奪って鉄にする）ことである。

木炭は、燃える（酸素と反応する）と一酸化炭素と熱を生じる。一酸化炭素は軽い気体であるから炉内を上昇し、上から降りてくる砂鉄（酸化鉄）と反応して酸化鉄を還元し、鉄を生む。一酸化炭素によって還元されなかった酸化鉄は、高温の木炭（炭素）によって直接還元され、一酸化炭素と鉄に分かれる。

ここまでは、木炭（炭素）による酸化鉄の還元であり、これは、鉄鉱石をコークスで還元させる熔鉱炉法による製鉄の場合にも共通することである。

しかし、たたらに使われる木炭には、特殊な〝秘密〟がある。

たたらには、比較的燃焼しやすい松炭と、灰化が比較的遅い楢《なら》系の木炭が必要である。この二種類の木炭を赤目砂鉄、真砂砂鉄、そして炉内の部位に応じて使い分けるのである。前述の、一九六九年の島根県吉田村菅谷における復元たたら操業の際、たたら用の炭を焼いたたたら師の一人、本間健次郎裏村下《うらむらげ》（副技師長）は、きわめて興味深い言葉を遺している。

「たたらの炭は、わしらのずっと以前から、樹齢四〇年も五〇年もたった、一抱えも二抱えもあるような木を、ノコギリなどではなく斧で倒して、背丈ほどに伐り、それを大きく割って粗くざっと焼いたものだが、竈から出した炭の中には、木の部分がまだ残ったりしていて、炉にくべると火がぼうぼう燃え上がるような未成熟なものが多分にありました。……ざっと焼いたものでないとようまく鉄は吹けんといわれたものです」（参考図書(4)、傍点引用者）

つまり、たたらの木炭は生焼けの状態であり、完全に芯まで炭化させた家庭炭とは違うのである。

砂鉄、すなわち酸化鉄の還元を決める大きな要素は、炉内の温度と「一酸化炭素／（一酸化炭素＋二酸化炭素）」の値である。すなわち、高温であるほど、そして発生する一酸化炭素の量が多いほど、還元は速く進むことになる。

詳細な化学的検討が必要ではあるが、完全に炭化した炭あるいはコークスと、生焼けのたたらの木炭が、炉内の温度と一酸化炭素の濃度にもたらす結果が、大きく異なることは想像にかたく

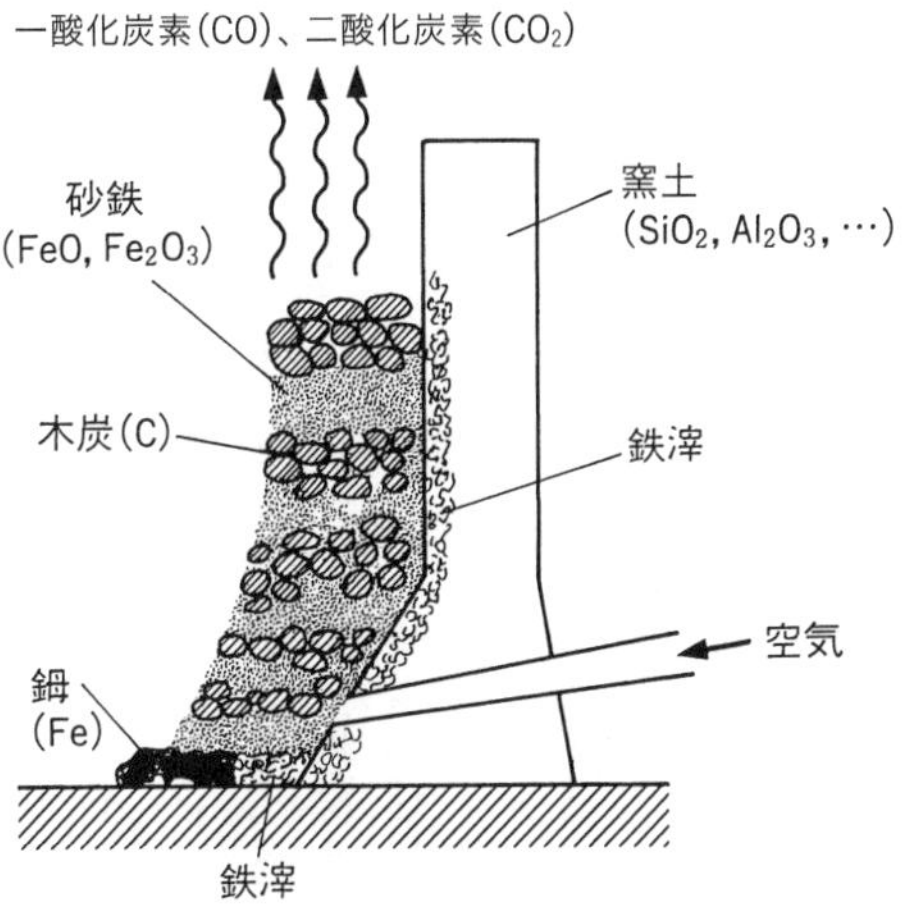

図6-5　たたら操業時の炉内の架空的模式図

ない。

たたら炉の中に現代のハイテクが？

たたら操業時の炉内のようすを架空的模式図で示すと、図6－5のようになる。窯土（炉材）の組成は、たとえば表6－5に示すようなものである。

炉内では、前述のような砂鉄の還元反応が進んでいる。同時に、関係するすべての気相、液相、固相の物質が接する炉壁では、複雑な融液、固相反応が起き、その結果の生成物として鉄滓が生じる。砂鉄（酸化鉄）中の酸素は一酸化炭素、あるいは二酸化炭素の形で砂鉄から抜け出ていくが、砂鉄中の多くの不純物は、結果的に鉄滓のほうへ移動していくのではないかと

銘　　柄		SiO_2	Al_2O_3	Fe_2O_3	CuO	MgO
真砂砂土	①	70.80	10.34	2.15	0.08	0.24
	②	70.40	13.01	1.95	0.07	0.19
赤粘土	①	54.90	18.51	6.90	0.37	0.61
	②	61.90	17.37	5.66	0.07	0.33

表6-5　使用炉材（窯土の組成と質量％）

（参考図書(3)より）

考えられる。

多くの場合、ある不純物Aの、ある物質Bにおける固相中の溶解度は液相中の溶解度より小さい。このような場合、固化が進むにつれて、不純物Aはどんどん液相のほうへ押しやられてしまう（図6－6）。つまり、時間的に後で固化した部分の不純物濃度が高くなる。そこで、図6－7に示すように、ある固体材料の一部分を加熱して熔融し、その熔融帯を順次、移動させていくとどうなるか（材料を移動させても、ヒーターを移動させてもかまわない）。

この熔融帯の移動により、不純物は一端に押し出されていく。この操作を繰り返すことによって、材料の純度は限りなく高く（不純物が押し集められる一端の純度は限りなく低く）なっていく。実際、この操作によって、「イレブン・ナイン（99・999999999パーセント）」といわれるような超高純度の半導体結晶が得られるのである（参考図書(9)）。この方法を「帯域熔融法」とよぶ。

説明が長くなったが、私はたたら炉の中で、この帯域熔融法と同様の物理的メカニズム（偏析）によるたたら鐵の高純度化が起こっ

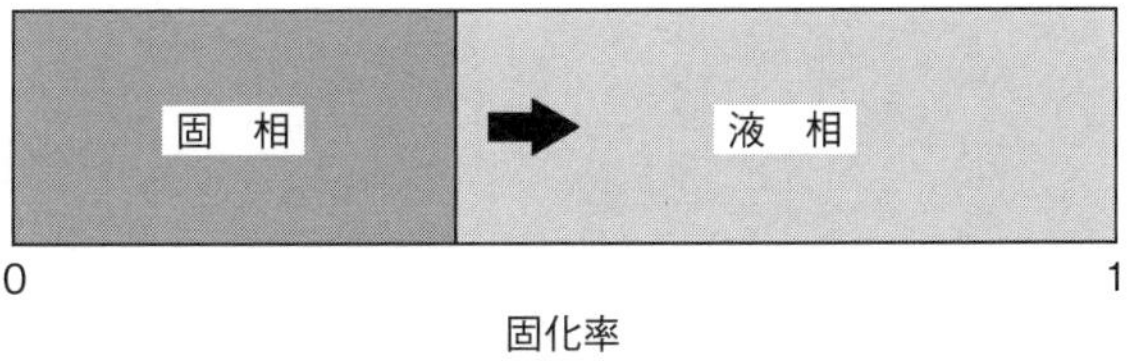

図6–6　固化が進むと、不純物が固相から液相に移っていく

ているのではないかと考えているのである。

このとき、単なる送風機とは異なるふいごのはたらきが重要である。送風機は、つねに一方向に一定量の風を送るが、ふいごの場合は、送風と吸風が交互に繰り返される。つまり、送風のときには、炉内の温度が上昇し、吸風のときには下降するのではないか。この結果、炉内で局部的に砂鉄、鉧、あるいは鉄滓の熔融、固化、熔融、固化、……が繰り返されるとすれば、〝帯域熔融法（偏析現象）〟によるたたら鐵の高純度化が考えやすい。

奈良の薬師寺では、伽藍再現のための復元工事が進められた。一九七六年の金堂再建、八〇年の西塔再建に続いて、九一年から回廊の再建に取りかかったとき、釘も木材と同様、一〇〇〇年後にも耐え得る良質のものが求められた。良質の釘を作るには、たたら鐵のような良質の鉄が必要である。現代の熔鉱炉で量産される鉄ではダメだ。そこで、井垣謙三東北大学名誉教授と日本鋼管（現・JFEホールディングス）の技術陣が取り組んだのが、古代のたたら鐵に匹敵するくらい良質の鉄の製造である。

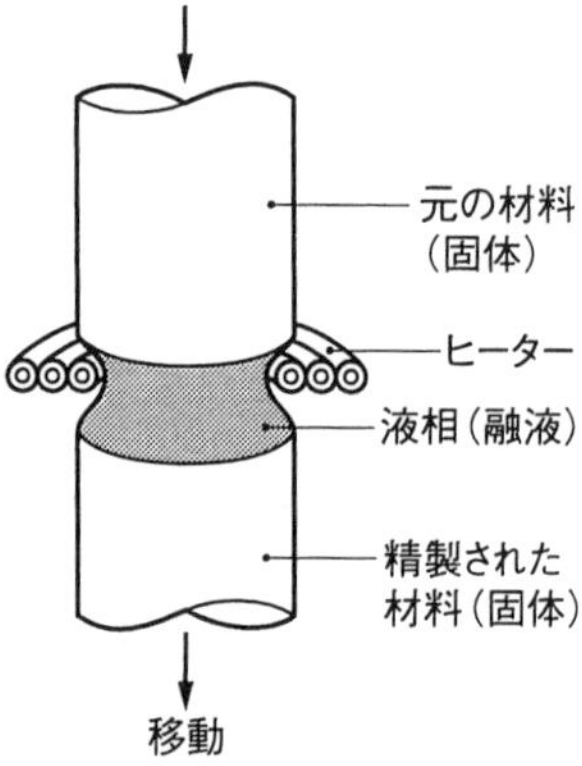

図6-7　帯域熔融法

結論をいう。

日本鋼管が貴重な文化財を守り伝える有意義な事業として、採算を度外視して協力した結果、一九九〇年一〇月、NKK-SLCMと名づけられた見事な高純度の鉄（鋼）ができたのである（前掲『文藝春秋』）。不純物化学組成分析の結果は、その鉄が227ページ表6-3に示したたたら鐵に匹敵、あるいはそれ以上の高純度の鉄であることを示した。

このNKK-SLCMから作った直径一九ミリメートルの鉄材が、松山の白鷹幸伯鍛冶によって鍛造され、白鳳期特有の力強い和釘となって薬師寺工事事務所に納入されたのは、一九九一年の春のことだった。この釘が一〇〇〇年間もつかどうかは、一〇〇〇年後の評価に俟つほかはないが、私はもつと思う。

飛鳥の釘はなぜ朽ちないか

飛鳥時代のたたら鐵が現代の量産鉄と比べ、圧倒的に高純度であることは化学的な分析結果から紛れもない事実である。また、鉄に硫黄、マンガンが含まれるとサビやすいのも事実であり、たたら鐵におけるそれらの不純物は桁違いに少ない。しかし、前述のように、チタンに限っては、たたら鐵に多く含まれており、チタンはサビの防止に効果的だと思われる。

つまり、たたら鐵には、鉄をサビやすくする不純物（硫黄、マンガン、シリコン）が少なく、鉄をサビにくくする不純物（チタン）が多い、といえるのではないか。しかし、高純度、あるいは特定の不純物の多少だけで、鉄のサビやすさ、ひいては釘の朽ちやすさが決まるのだろうか。

長年、結晶というものにつき合ってきた私には、飛鳥時代から近代までの和釘に触れ、薬師寺西塔再建の際には七〇〇〇本、前述のように回廊再建時に六〇〇〇本の和釘を鍛造した白鷹幸伯鍛冶の言葉が、最も説得力があるように思われる。白鷹鍛冶は、鉄は純度の高いことが絶対条件であるとしたうえで、次のように語っている。

「……今の鉄がなぜ中まで腐食するかというと、昔の鉄は鍛えても絞りきれないスラグが少し残ります。そのスラグの周辺に耐食性のある隔壁があり、折り返し鍛錬によりその隔壁が積層になり、いったんは侵されても次の壁にあたってまた何百年か抵抗力を示すようだと、西岡棟梁も言っていました。また、なにも釘だけが一千年もつのではなくて、打ち込まれた材が樹齢一千年以上の良い材だったから、環境も良くもったんです」

「（高純度の鉄でも）圧延したままだと耐蝕性はありません。（釘の）頭を作るとき首部分はよく焼けるんですが、そこは通常再び鍛えることがないのでよく錆びてしまいます。高温に焼かれたため結晶粒が大きくなっているのを叩いて砕く必要があります。昔は叩くだけで伸びてしまいますから、叩いて折り返して、またスラグを排出するために叩いたのです。スラグが多いと機械的強度は極度に落ちますから、やむなしにやった行為がよかったわけです。

鉄は九〇〇～四五〇度Cの間に鍛錬すると結晶粒が小さくなります。微細化するほど結晶粒の表面積が小さくなり、酸素の侵入も防げ、耐蝕性が増します。九〇〇度Cを超えるといろいろな不純物が結晶粒周辺部に溜まり純鉄は出来ません」（『木の建築』第三九号、木造建築研究フォラム、一九九六）

この白鷹鍛冶の言葉を聞いて私が思い出すのは、〝ダマスカス鋼〟のことである。ダマスカス鋼の刀剣は、もし絹のネッカチーフが刃の上に落ちると、自分の重みで真っ二つになるほど鋭く砥《と》ぎすまされ、また鉄の鎧《よろい》を切っても刃こぼれせず、柳の枝のようにしなやかで曲げても折れず、手を放せば軽い音とともに真っすぐになる、といわれるものである。

ダマスカス鋼の刀剣の強さは、千数百年前にはすでにインド、ペルシア、シリアあたりで作られていたといわれるダマスカス鋼の高純度性とともに、絶妙な焼き入れと鍛錬の結果と思われる。同様に、日本の古代の釘が朽ちないのは、純度、環境、そしてスラグの積層隔壁が優れていたからであろう。

世にサビないもののはなし

江戸前期に活躍した松尾芭蕉の門人に、野沢凡兆という俳人がいる。金沢の人で、京に出て医者になったが、やがて蕉風俳諧に近づき、向井去来とともに芭蕉一門の俳諧選集『猿蓑《さるみの》』(一六九一年)の編集にあたるほどの蕉門の代表的俳人であった。この凡兆の作に、

かみそりや一夜に金精《さび》て五月雨

という句がある。

最近は電気かみそりでヒゲを剃《そ》る人が多くなったが、昔は、〝ヒゲ剃り〟といえば剃刀《かみそり》を使ったものである。私はいまでも頭とヒゲを剃るのに剃刀を使っている。剃刀でも包丁でも、傘の骨でも何でも、鉄製品が湿った環境に置かれれば自然にサビるものである。

すでに述べたように、鉄は自然界に安定して存在する酸化鉄を、人間が無理やり還元して得るものであるから、機会があれば元の酸化鉄に還ろうとする。これが、「鉄がサビる」現象の本質である。鉄のサビは、水と酸素(空気)と鉄が、自然な状態で化合したものであるが、サビを嫌

う立場からは、〝腐食反応生成物〟とよばれる。

サビは、漢字では普通、錆、銹、あるいは鏽と書かれる。〝錆〟は青サビのことであり、〝秀〟は「花のひだがあるさま」、〝肅〟も「細かく縮んだひだ」の意味だから、〝銹〟も〝鏽〟も、金属表面のサビの形状から作られた漢字であろう（白川静著『字通』平凡社、一九九六）。

凡兆が、サビに「金精」という漢字をあてたのは面白い。〝精〟は「清い、美しい、正しい」という意味をもち、〝精金〟という言葉も存在する。〝錆〟はそもそも、〝精金〟のことだといわれる（前掲『字通』）。

サビといえば、もっぱら鉄のサビがなじみ深いが、銀でも銅でもアルミニウムでも、金属なら何でも、鉄ほどではないにせよ、サビる。金や白金のような（銀を含めてもよい）、いわゆる貴金属がいつもピカピカしていて、サビないように思われるのは、サビる速さが非常に遅い（サビにくい）からだ。古代の遺跡から黄金のマスクや金製品がピカピカのまま発掘されるのは、空気中や水中で、金のサビる速さが実効的にゼロだからである。

日本人好みの「わび・さび」の〝さび〟には〝寂〟という漢字があてられるが、これもサビの一種であろう。〝寂〟は「古びて趣のあること、古くなったものが、さらに枯れ、その中に奥深い、豊かで広がりがあるもの、あるいは閑寂の中に華麗さを秘めたもの、そうした深い情趣を含んだ閑寂枯淡の美」のことである。

サビ方にもいろいろある

いま述べた〝さび（寂）〟のことを考えると、私は鉄のサビのことを〝腐食反応生成物〟とは書きにくいのだが、サビの進行、つまり腐食反応には水分（具体的には水酸基）の存在が不可欠である。鉄は水分がないところ、よく乾燥した環境下では決してサビない。

鉄の腐食反応は溶液（水）の中で、〝局部電池〟を形成して進行する。その局部電池の陽極では、鉄が2価の鉄イオンと二つの電子に分かれる反応が生じ、一方の陰極では、二つの水分子と酸素分子が四つの電子と反応して、四つの水酸基イオンが発生している。

結果として、鉄と水と酸素が反応して、2価の水酸化鉄＝水酸化鉄（Ⅱ）が生成される。ここまでが、腐食反応の第一段階である。水酸化鉄（Ⅱ）はきわめて反応性に富む物質で、環境条件に応じてさまざまな化合物を生成する。この生成化合物こそ〝腐食反応生成物〟、すなわちサビである。

常温の大気環境中で生成する鉄鋼の主要なサビ成分は、ゲーサイト（α-FeOOH）、アカガナイト（β-FeOOH）、レピドクロサイト（γ-FeOOH）の三種類のオキシ水酸化鉄とマグネタイト（Fe_3O_4）の酸化鉄である。アカガナイトは、塩素（Cl）を含有することによって構造的に安定

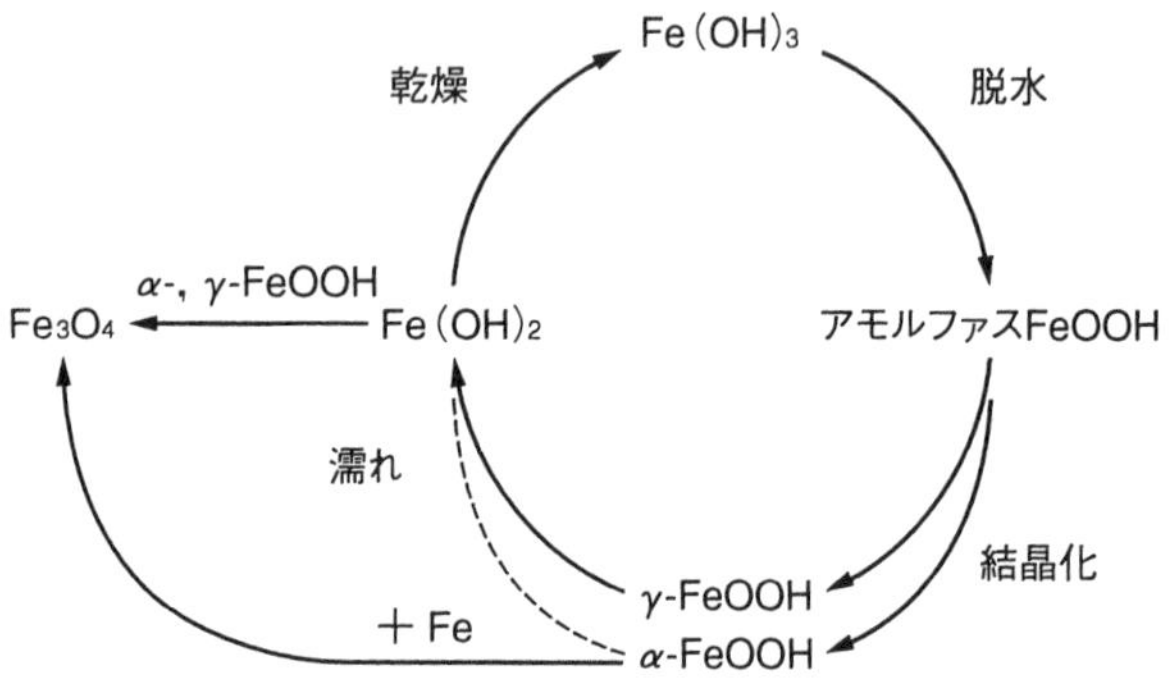

図6-8　サビのサイクル

化するので海岸地帯で生成されやすい。

大気中において鉄鋼表面にサビが生成するメカニズムについては、さまざまなモデルが提唱されているが、一例として図6－8にサビのサイクルを示す。

前述のように、サビは水酸化鉄（Ⅱ）からさまざまな成分に変化する。最終的には上層のサビはゲーサイト（α-FeOOH）とレピドクロサイト（γ-FeOOH）の混合物、地鉄との界面に少量のマグネタイト（Fe_3O_4）が存在する（長野博夫・山下正人『熱処理』第三五巻、第一号、一九九五）。

鉄サビの環境別成分量の一例を表6－6に示す。サビの生成に水分（水酸基）が必須であることは既述のとおりだが、硫黄分（硫酸イオン）や塩素（塩化物イオン）がサビの生成を促進することも示されている。

オキシ水酸化鉄（FeOOH）は、明るい黄褐色ないしはチョコレート色をした、一般に〝赤サビ〟といわれる

環境	支配イオン	α-FeOOH	β-FeOOH	γ-FeOOH	Fe_3O_4	アモルファス質
都市・工業地帯	硫酸イオン	30～65%	0	20～30%	＜20%	相当量
海岸地帯	塩化物イオン	15～80%	＜30%	＜10%	10～85%	相当量

表6-6　鉄サビの環境別成分量
（参考図書⑽より）

もので、日常的によく目にするサビはこれである。

この〝赤サビ〟は多孔質で、サビを促進する水分を取り込みやすい。微視的に見ると、オキシ水酸化鉄の表面はサビの元凶である二酸化硫黄、硫酸イオンを吸着しやすい性質をもっている。つまり、鉄鋼の表面に赤サビが生成されると、その赤サビがサビを促進する水分と二酸化硫黄などをよび込んで、赤サビの形成がいっそう進行することになる（図6－9）。

赤サビは赤サビを生み、鉄鋼の内部までサビを侵攻させるのだ。赤サビが生じた鉄鋼は、その赤サビの侵攻をどこかで止めない限り、内部までボロボロになってしまうのである。

一方、マグネタイト（Fe_3O_4）は黒色の物質で、一般的に〝黒サビ〟とよばれるものである。法隆寺の飛鳥時代の釘の表面を覆っているのは、この黒サビである。黒サビは構造が緻密で、空気や水分子の通過を妨げる。つまり、黒サビは鉄鋼をサビの進行・侵攻から守る保護膜のはたらきをする。214ページで紹介した、およそ一三〇〇年前の法隆寺の釘のずしりとした重さは、この黒サビによる表面保護の結果

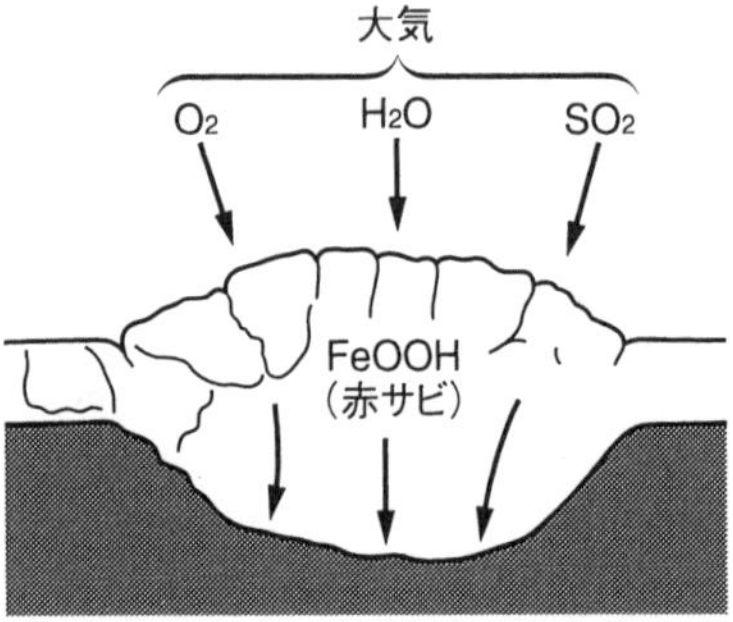

図6-9　赤サビによるサビの促進

でもあったのである。

この黒サビ（マグネタイト）を鉄の表面に生成することができれば、表面保護が可能なのだが、あいにく、黒サビは大気中では非常に少ししか生成しない。そこで、マグネタイトを人工的に鉄表面に生成させ、鉄を防食する方法として、高温のアルカリ水溶液中に鉄を浸漬させる〝黒染め〟とよばれる方法や、フライパンなどの南部鉄器を九〇〇度Cで熱処理して表面を黒サビでコーティングする〝金《かな》気《け》どめ〟が考案されている。

法隆寺の釘が見事に黒くサビているのは、特殊な鉄（和鋼）で作られたうえに、特殊な環境（樹齢二〇〇〇年を超す檜材の中）に置かれた結果であろうか。

古典落語の中の〝智慧〟

私の趣味の一つは、古典落語を楽しむことである。もちろん、古典落語を聴くのは、何度同じものを聴いてもそれが面白いし、おかしいからであるが、それに加えて、昔の人の智慧に感心させられることが少なくないのでいっそう楽しくなる。

私が最も好きな古典落語の一つは「首提灯《くびぢょうちん》」である。何人かの噺家が演じているが、やはり何といっても、晩年、林家彦六と改名した八代目・林家正蔵のものが圧巻である。

この落語の冒頭に、武士が刀屋に刀を買いに来る場面がある。刀屋はまず高価な刀から勧める。買う気はないので、一貫三〇〇文（約三分の一両）まで下がっていく。刀屋はとうとう刀やら鰊《にしん》やらわからない物を出してくる。

「……サビがちと気に入らんぞ、赤くサビておる。赤サビの刀はいかんと申す。……ウッ、これはいいぞ。青黒くサビておる。こういうのが掘り出し物だ。これを包め」というわけで、結局、この武士は青黒くサビた刀を一貫三〇〇文で買い、研《と》ぎに出すと、このサビ刀はいかにも切れそうな名刀に変身するのである。

いうまでもなく、これらの刀はすべてたたら鐵で作られている。つまり、赤サビが出ている刀があるということは、たたら鐵のすべてが上質で、朽ちない和鋼（玉鋼）というわけではないことを示している。

いずれにしても、たたら鐵の中に最高級のものから低級のものまでが含まれていたのは事実である。たたらの鉧《けら》は全体が鋼となっているわけではない。鋳物鉄の銑《ずく》の部分もあれば、鋼（和鋼）

と鉄（和鉄）の中間的な質の歩鉧《ぶけら》とよばれる部分もある。
古来より出雲地方では一般に、和鋼を最高級の玉鋼《たまはがね》以下、目白《めじろ》、砂味《じゃみ》、造粉《つくりこ》、鉧銑《けらずく》、歩鉧《ぶけら》、鉧細《けらこま》の、合計七等級に分類している。

和鋼の等級と同様に、刀匠自身が自覚しているかいないかにかかわらず、刀匠にもいくつかの等級があったに違いない。一口に刀といっても、後世に遺るような名刀から、すぐにサビてしまう、あるいはすぐに折れてしまう粗悪品まで、さまざまな等級の刀があったことは当然である。「首提灯」の中の武士の赤サビと黒サビに関する知識は正確である。この武士が赤サビと黒サビの化学的成分まで知っていたとは思えないが、異なるサビの性質について的を射たセリフを吐いている。

昔は、刀匠も、刀を使う武士も、鍛冶屋も、鉄製品を使うすべての人も、彼らの経験から赤サビと黒サビの本質的な違いを知っていたのであろう。

余談ながら、私が好きな能の演目の「小鍛冶《こかじ》」は、第六六代一条天皇の勅命を受けた刀匠宗近《むねちか》が狐の姿で現れる稲荷明神の相槌《あいづち》に助けられて名刀「小狐丸《こぎつねまる》」を打つという、日本刀好きにはたまらない話であるが、私は金剛流宗家シテで〝本場〟の伏見稲荷大社神楽殿で二度、観させていただいたことがある。

日本刀の真髄は多層複合構造にあり！

前記のとおり、日本刀の製作には、日本古来の製鉄法〝たたら〟から生まれた和鋼の中でも最高品質の玉鋼が必要不可欠である。たたら鐵の究極の美しさは、日本刀に集約されるといえるかもしれない。

私の〝鉄〟に対する興味は、法隆寺の和釘にはじまり、「たたら」、高純度古代鉄を経て日本刀に至った。およそ五年間、日本刀愛好家や大学院生らとともに、ある刀匠の仕事場に入り浸って、素材（玉鋼、卸《おろ》し鉄《がね》）から日本刀に至るまでの全プロセスをつぶさに追った。また、美術館に陳列されているような名刀の数々をさまざまな手段で分析し、「日本刀の科学的研究」を行った。そして、日本刀のことを知れば知るほど、その奥深さ、刀匠の伝統的技術のすごさ、そして日本刀の美しさに惚れ込んでいったのである。

日本刀の外面的な美しさは〝姿〟、〝地鉄《じがね》（地肌）〟、〝刃文《はもん》〟によって表されるが、長年〝材料〟の研究に従事してきた私が驚くのは、その入念な内部構造である。

日本刀は、「折れず、曲がらず、よく切れる」という三条件を製作面において多角的に追求してきたところに、他国の刀剣とは異なる特徴がある。この三条件を満たすための工夫が、異なっ

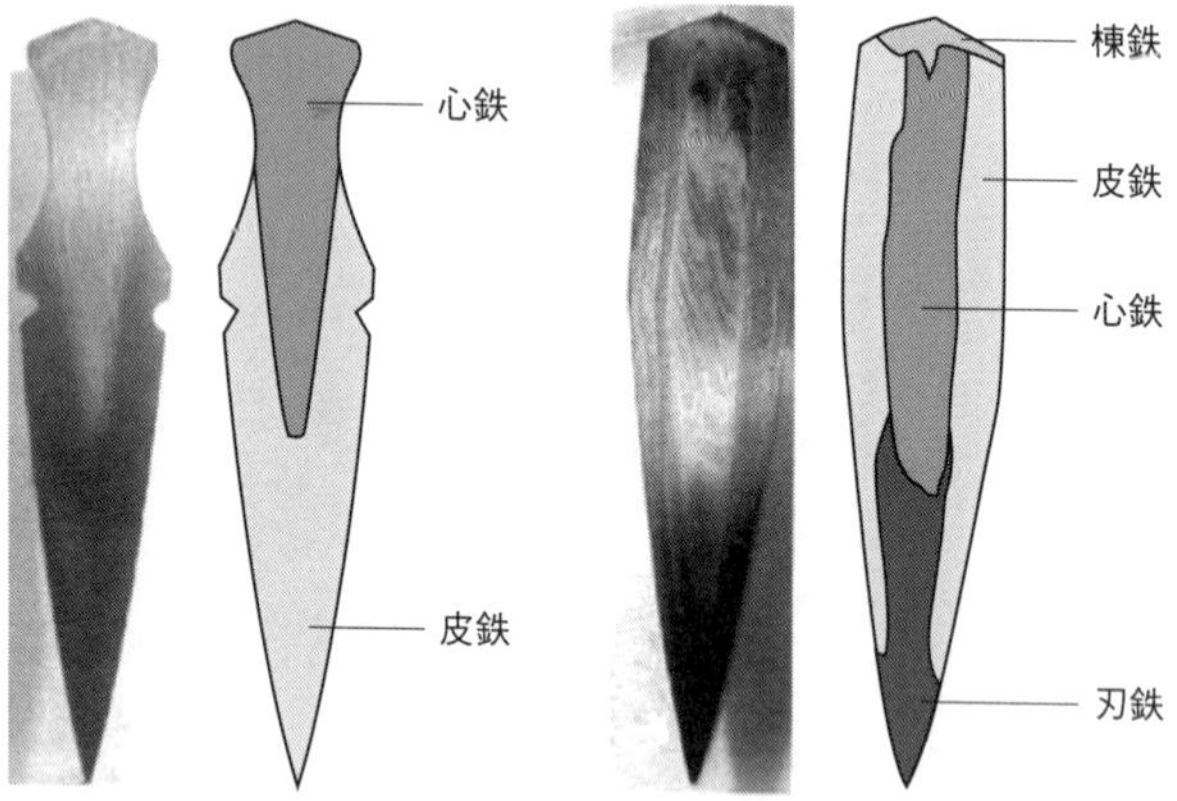

(a)甲伏　(b)四方詰

図6−10　「造り込み」の断面構造　それぞれ左は実際の日本刀の断面写真

た性質の鉄材の鍛接、鍛錬、焼き入れを巧みに組み合わせた結果の多層複合構造である。

日本刀の多層複合構造は、基本的には〝軟らかい〟「心鉄《しんがね》」を〝硬い〟「皮鉄《かわがね》」（刃鉄《はがね》、棟鉄《むねがね》）で包み込む「造《つく》り込《こ》み」によって得られるが、それには単純な二層構造を造る「甲伏《こうぶせ》」（図6－10(a)）や複雑な多層構造を造る「四方詰《しほうづめ》」（図6－10(b)）など、さまざまな技法がある。流派や刀匠によって独特の「造り込み」が行われることになる。

材料の硬さを表す尺度の一つに、押し込み圧力に対する堅牢さを定量的に示す「ビッカース硬度」がある。詳細な算出式は割愛するが、一定の荷重をかけたピラミッド形のダイヤモンド圧子を材料表面に押し込み、荷重を除いたあとに残った凹みの表面積から〝硬度〟を算出する

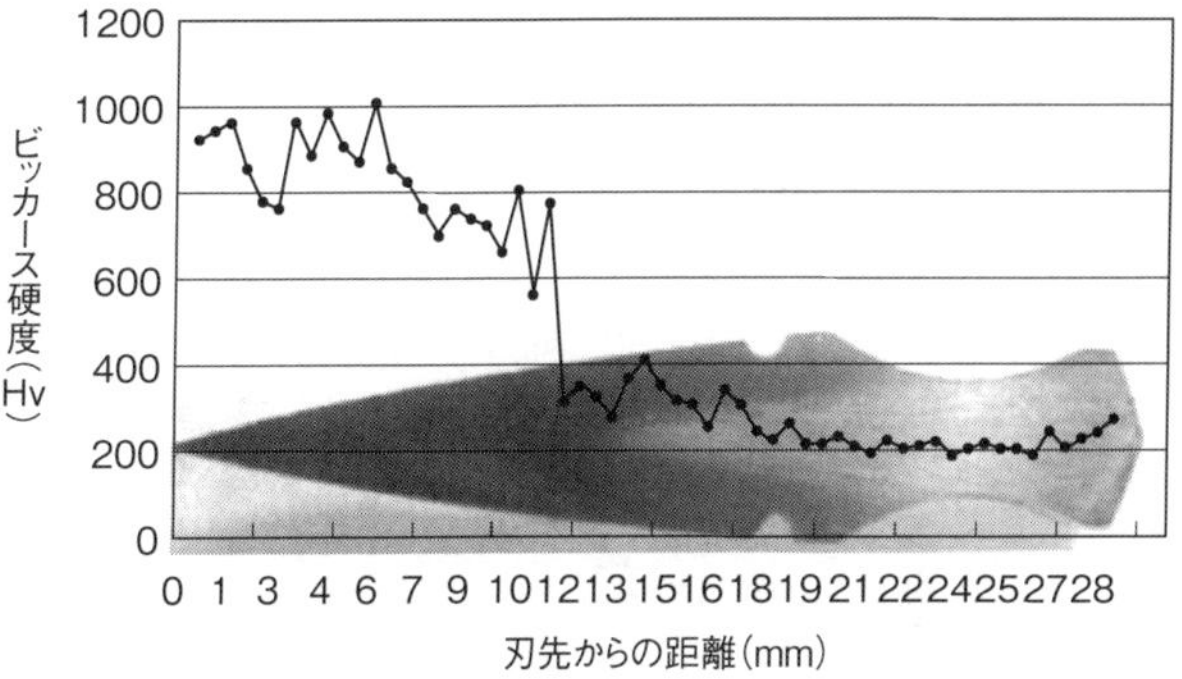

図6–11　甲伏のビッカース硬度分布

のである。

実際に、図6－10(a)に示した日本刀の断面の中心部のビッカース硬度の測定結果は図6－11のように皮鉄部分は硬く、心鉄部分は軟らかくなっている。このような日本刀の断面構造の〝硬度分布〟が「折れず、曲がらず、よく切れる」という三条件を満たす決定的な要因なのである。

また、日本刀の外面的な美しさも、このような「多層複合構造」に大きく依存することになるから、結局、日本刀の特徴、真髄は多層複合構造にあるといっても過言ではない。

ところで、日本刀の外面的な美しさの最たるものは〝反り〟であると私は思う。また、唐招提寺の列柱に典型的に見られるように、柱の中央部を少し膨らませるいわゆる〝エンタシス〟の上半分の形状、すなわち〝起《むく》り〟は、見た目の印象を柔らかくする日本の木造建築伝統のデザインである。じつは、日本の伝統的な形といってもよいこの〝反り〟と〝起り〟が、第3章で述べた高さ六三四メートルの東京スカイツリーに受け継がれているのだ。

スカイツリーを眺めると、輪郭がわずかに膨らんでいるように見える。これは、地面では一辺六八メートルの正三角形をしている横断面が上部にいくにつれて徐々に丸くなり、地上三一五メートルの地点でほぼ円形になるというスカイツリーの特殊な断面形状のためである。このような形状のため、足元の三つの角から上に伸びるラインは反っているが、側面は膨らんだ起りになるのである。

東京タワーの横断面はどの高さでも正方形で左右の輪郭のバランスがとれて見えるが、スカイツリーは三角形と円が連続して上方に伸びていく形なので、ほとんどの場所から輪郭に〝反り〟と〝起り〟がある左右非対称の曲線に見える。

この結果、東京スカイツリーは最先端技術を駆使した現代を代表する超高層タワーでありながら、パリのエッフェル塔に似た〝西洋的〟な東京タワーの印象とは大いに異なる日本の伝統美を感じさせてくれる。第3章で紹介したように、その内部に五重塔と同じ心柱《しんばしら》が立っていることを思えば、なおいっそう感慨深いと感じるのは私だけではあるまい。

名刀「正宗」と最先端半導体の共通点

古今、数多くの刀匠の中で「無比の名匠」と称せられているのが、鎌倉時代後期の岡崎正宗である。私自身の日本刀鑑賞歴はまだ短く、日本刀に関する知識も浅薄なのであるが、確かに名刀「正宗」の地肌、刃文、反りの美しさは格別に思える。特に、無理のない流れるような反りの形は、うっとり見惚れるほどだ。「正宗は天才」といわれるのも納得できる。

ところが、こともあろうに、刀匠の権化のようなこの正宗が、日本刀の真髄である「造り込み」を行わなかったのではないか、という「噂」が日本刀愛好家の間に存在するのだ。つまり、「正宗は心鉄を使わなかったのではないか」というのである。

私は、この「噂」を初めて耳にしたとき、即座に「そんなバカな！　それじゃあ日本刀にならないではないか」と思ったものである。

しかし、もう三〇年以上前のことになるが、在米中、同僚のR教授と「最先端半導体へテロ構造」(〝ヘテロ〟は〝異なる〟という意味)の研究をしていた頃のことを思い出し、「あっ、やはり正宗は天才だったのかもしれない！」と閃《ひらめ》いたのである。

たとえば図6－12(a)のように、ある特性向上のために元素半導体であるシリコンのウエハー

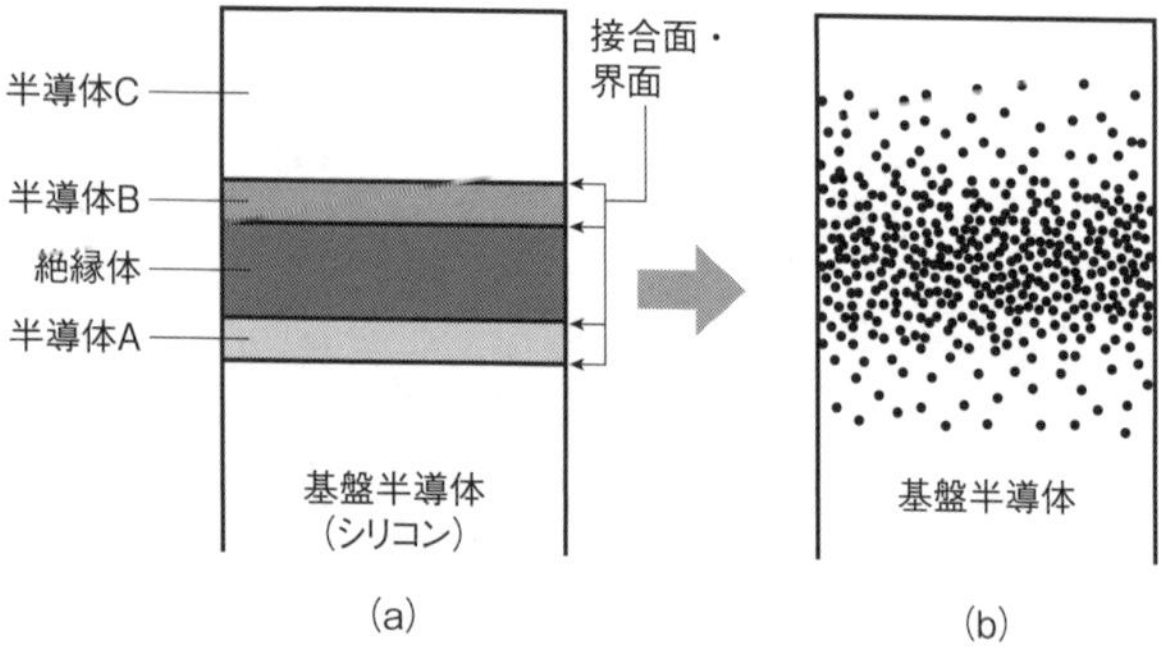

図6−12　半導体材料のヘテロ構造（断面）

（168ページ図4－13参照）上に化合物半導体の薄膜を成長させたり、異物質を張り合わせて「ヘテロ構造」を作ろうとしたりする場合、いつも問題になるのは、異物質の接合面・界面の「不整合」である。この「不整合」問題を解決するために、さまざまな工夫や技術が駆使されるわけであるが、私とR教授がやっていたのは順次、基盤ウエハーの表面から異元素を拡散注入し、図6－12(b)のように「界面」を「あいまい」にしてしまうことだった。

もちろん、場合によっては「界面」がシャープであることが求められるのだが、一般的には「不整合」などないほうがよいのである。

もし、異なる性質の鉄を複合させる「造り込み」のような面倒臭いことをして「ヘテロ構造」を作ることなく、単一の鉄材で「折れず、曲がらず、よく切れる」という三条件を満たす日本刀が得られるならば、それに優るものはない。余計な接合面がないだけ、機械的にも強いに違いない。

「折れず、曲がらず、よく切れる」という三条件を満たすためには、日本刀の内側には「心鉄」の「軟らかい鉄」、外側には「皮鉄」の「硬い鉄」の「複合断面構造」が作られなければならないのではあるが、確かに、それ相当の鉄材を用いて、高度の鍛錬、焼き入れ技術があれば、単一の鉄材で図6－12(b)のような境界が「あいまい」な理想的〝多層複合〟構造を作ることは可能かもしれないのである。

正宗は、まさに、そのようなことを実現した無比の天才的刀匠だったのではないか？

正宗の名刀を切断して248ページ図6－10のように断面を観察できれば、事態がはっきりするのだが、「正宗」ほどの日本刀を切断するわけにもいくまい。じつは、某研究所との共同研究で、X線CTを使って日本刀の断面を非破壊検査することを試みたのだが、残念ながら確証に至るデータは得られなかった。私は、本気になって最先端技術を駆使して調べれば明らかにできるであろうことを確信しているが、日本刀愛好者の間では、このような調査・研究が好まれない雰囲気があることは、私自身が経験した否めない事実なのである。

南蛮鉄で日本刀？

繰り返し述べたように、日本刀に求められる機能は「折れず、曲がらず、よく切れる」ことであり、それを満たすために「多層複合構造」になっている。

この多層複合構造を作り出す技法が「造り込み」であり、硬軟の鉄を生み出すために、鉄を鍛錬し、炭素濃度を自在に調節する〝浸炭・脱炭〟を繰り返す工程を〝折り返し鍛錬〟とよぶ。238ページで紹介した白鷹鍛冶の言葉にあったものだ。折り返すことで、鉄を鍛え、鉄に含まれる不純物を取り除き、硬軟の鉄からなる多層複合構造を作り出し、靭性《じんせい》と強度を増すことができる。

この折り返し鍛錬を行うには、日本古来の製鉄法「たたら」で生み出された和鋼、特に玉鋼が、必要不可欠なのである。ボロボロになりやすい現代鉄（洋鋼、高炉鉄）では、折り返し鍛錬ができない。

ところが、徳川家康の〝お抱え刀匠〟であった初代・康継《やすつぐ》は自作の刀に「以南蛮鉄《なんばんてつ》」と添銘している。つまり、康継は日本刀製作に不可欠のはずの和鋼ではなく、南蛮鉄で日本刀を作ったと明言しているのである。

その結果、初代・康継は作刀に初めて南蛮鉄を使った刀匠として有名であるが、最初、越前福井の藩祖・結城秀康（家康の次子）に扶持《ふち》され、後年は家康に仕えて作刀し、その功により茎《なかご》（刀身の柄《つか》に入った部分）に「葵紋」を切ることを許された刀匠でもある。

南蛮鉄は慶長（一五九六〜一六一五年）の頃、当時「南蛮」といわれていた南方のシャム、ルソンなどからオランダ船によって舶載《はくさい》された鉄である。形状から瓢簞《ひょうたん》鉄、木の葉鉄、短冊鉄などともよばれた。日本刀の科学的研究の元祖ともよぶべき俵国一氏は、南蛮鉄をインド産のウーツ鋼と推定している（『日本刀の科学的研究』日立評論社、一九五三）。

しかし、鉄の歴史に詳しい窪田蔵郎氏は、ウーツ鋼とは別のものと推定し、南蛮鉄も中国の宋代に流入していた賓鉄《ひんてつ》と同様の舶載鉄と考えている（参考図書⑸）。

だが、南蛮鉄の製法、およびそこに含まれている不純物を知るにつけ、私はどう考えても、南蛮鉄では、日本刀に求められる「折れず、曲がらず、よく切れる」を満たせないのではないかと考えるに至った。もちろん、同様の疑問をもった日本刀研究者は私だけではないだろう。南蛮鉄と康継刀に含まれる不純物を調べれば、「以南蛮鉄」の真偽がわかるはずである。

私は、たたら鐵（菅谷玉鋼）、桃山時代に日本に舶載された南蛮鉄（瓢箪鉄）、そして康継刀（重要刀剣）一振りの実試料に含まれる不純物を非破壊検査である蛍光X線分析し、康継刀と南蛮鉄との関係を微量不純物分析結果から考察した（宮本雄介・松本圭一郎・志村史夫「日本金属学会講演要旨集」二〇〇六、志村史夫「SEMI News」2007.9.10）。

結論をいえば、康継刀に含まれる微量不純物の傾向は伝統的な和鋼（玉鋼）と同じであり、南蛮鉄のものとは一致しない。特に、チタンの含有量については、たたら鐵の特徴そのものを示している（226ページ参照）。南蛮鉄のアルミニウム、チタンの含有量は少ないのであるが、それは原料に鉄鉱石を用いたためと考えられる。

したがって、康継刀が「以南蛮鉄」と銘を切るほど南蛮鉄を主原料として作られたとはいい難い。康継が南蛮鉄を使用したことを否定する証拠はないが、少なくとも「南蛮鉄を主原料としていない」ことは科学的根拠から断言できる。

それでは、康継はなぜ、自作の刀に「以南蛮鉄」と添銘したのだろうか。

室町時代、桃山時代、江戸時代初期には、さまざまに珍奇な、あるいは精巧な器物が「南蛮」から船載されたが、それらを初めて見た当時の日本人は「南蛮文化」に驚嘆したに違いない。南蛮鉄は当時、さまざまな「南蛮モノ」と一緒に船載された鉄であり、「南蛮文化」の一つとして貴重品視され、また「国産の和鋼よりもい、い、も、の、に違いない」と思われたのだろう。日本人の〝舶来品好き〟は昔からの伝統か?

事実、南蛮鉄は舶来品として将軍や大名に珍重され、一部の鍛冶師、鋳物師が嗜好に合わせて加工技術を研究したという記録が遺っている。このような状況下で、家康が「お抱え刀匠」の康継に、南蛮鉄で日本刀を作らせたのは想像にかたくない。

私は、「南蛮文化」「舶来品」礼讃の風潮の中で、康継は「新しモノ」好きの家康を喜ばせたかったのではないかと推測している。もちろん、「職人魂」から、新しい舶来材料に対するチャレンジ心ももっていたであろう。

お茶のペットボトルのラベルに「新茶入り」と書かれたものがあるが、そのお茶に新茶の葉が一枚でも使われていれば、「新茶入り」は詐欺にはならない。しかし、主材料は「古茶」で、「新茶」はほんの少ししか使われていないお茶に「以新茶」と「添銘」したら、それは詐欺である。

私は、康継刀の実態は「以南蛮鉄」ではなく、「入南蛮鉄」だったのだと思う。家康が「鉄」に関する知識をもち、康継刀を実戦に使っていれば、それが「以南蛮鉄」だったか「入南蛮鉄」だったのかはわかったはずである。そして、「入南蛮鉄」だったことに感謝したはずである。「以南蛮鉄」の刀は、容易に折れたに違いないからである。

私は長い間、半導体結晶の研究に従事し、特にシリコン単結晶中の「善悪」さまざまな微量不純物の「お世話」になってきた。シリコン単結晶の物理的、電気・電子的、そして機械的特性を大きく左右するのが、結晶中の微量不純物の「はたらき」だからである。

日本刀の微量不純物の分析によって、日本刀史上、きわめて興味深い事実を明らかにできたことに因縁のようなものを感じる。対象が何であれ、「不純物」はたとえその量が超微量であっても、無視してはいけないのである。微量であれば微量であるほど、いっそうの細心の注意が必要なのである。

じつは、次章で述べる「奈良の大仏」にも、「不純物」が大きな役割を果たしている。

主な参考図書（発行年順）

(1)『菅谷鑪』（島根県教育委員会、一九六八）
(2) たたら研究会編『日本製鉄史論』（たたら研究会、一九七〇）
(3) たたら製鉄復元計画委員会編『たたら製鉄の復元とその鉧について』（日本鉄鋼協会、一九七一）
(4) 山内登貴夫著『和鋼風土記——出雲のたたら師』（角川選書、一九七五）
(5) 窪田蔵郎著『鉄の民俗史』（雄山閣出版、一九八六）
(6) 田口勇著『鉄の歴史と化学』（裳華房、一九八八）
(7) 下川義雄著『日本鉄鋼技術史』（アグネ技術センター、一九八九）
(8) 堂山昌男・小川恵一・北田正弘編『21世紀の材料研究』（アグネ承風社、一九九一）
(9) 志村史夫著『半導体シリコン結晶工学』（丸善、一九九三）
(10) 井上勝也著『錆をめぐる話題』（裳華房、一九九四）
(11) 鈴木卓夫著『作刀の伝統技法』（理工学社、一九九四）
(12) 河瀬正利著『たたら吹製鉄の技術と構造の考古学的研究』（渓水社、一九九五）

7

「奈良の大仏」建立の謎

——天平時代の工匠はなぜ「長登の銅」を選んだのか

奈良の大仏の〝ふる里〟⁉

もう三〇年以上前になるが、山口県にある半導体デバイス・メーカーで講演をすませたあと、近隣の史跡巡りをしたことがある。長州には、明治維新に関わる生々しい史跡が多くあって興味が尽きない。

長州藩・萩政府軍と、高杉晋作率いる下級武士や農民を主体とした諸隊とが衝突した大田・絵堂（現・美祢市美東町）が〝明治維新発祥の地〟といわれている。

この美東町を訪れた際、「奈良の大仏さんのふる里」と書かれた大きな看板が目にとまった。一九八八〜九〇年は、全国で〝ふるさと創生事業〟がさかんに叫ばれていたときで、「奈良の大仏さんのふる里」も、そのとき以来使われている〝町おこし〟のためのキャッチフレーズだった。古い銅山跡と奈良時代の須恵器が見つかったからだという。

〝町おこし〟のキャッチフレーズにせよ何にせよ、〝明治維新発祥の地〟と〝奈良の大仏さんのふる里〟は、あまりにも唐突な組み合わせに思えた。私の知識によれば、奈良の大仏は八世紀の中葉、自然災害や飢饉《ききん》や疫病による当時の社会不安を一掃すべく、第四五代聖武天皇の発願《ほつがん》による国家的プロジェクトとして〝国銅を尽くして〟造営されたもののはずである。

7 「奈良の大仏」建立の謎

『続日本紀』巻第一五（八世紀末）に、次のような大仏発願の詔《みことのり》が記されている。

「粤《ここ》に天平《てんぴやう》十五（七四三）年歳《ほし》癸未に次《やど》る十月十五日を以《もち》て菩薩《ぼさち》の大願を発《おこ》して、盧舎那仏《るしやなぶつ》の金銅像一軀を造り奉《まつ》る。国の銅《あかがね》を尽して象《かたち》を鎔《い》、大山《たいさん》を削りて堂を構へ、広く法界に及して朕《わ》が智識とす。遂に同じく利益《りやく》を蒙《かがふ》りて共に菩提を致さしめむ。夫《そ》れ、天下《あめのした》の富を有《たも》つは朕《われ》なり。天下の勢《いきほひ》を有つは朕なり。この富と勢とを以てこの尊き像を造らむ」

確かに「国の銅を尽して」と書かれている。事実、大宝《たいほう》元（七〇一）年に「大宝律令」が公布され、わが国初の鉱業法規が施行されて以来、鉱山の開発に力が注がれ、銅、錫、金、水銀、鉄などの鉱石の採掘や精錬が活発に行われていたことが知られている。

銅に関する記録を見ると、文武《もんむ》天皇二（六九八）年三月「因幡国（鳥取県）銅鉱を献ず」（『続日本紀』）とあり、続いて九月には周防（山口県）からも銅鉱が献じられ、慶雲五（七〇八）年には武蔵国（埼玉県）秩父で自然銅が産出し、このとき元号を慶雲から和銅《わどう》に改めている。当時の銅の産地としては、このほかに山背（京都府）、備中（岡山県）、備後（広島県）、長門（山口県）、豊前（福岡県）などの国々が挙げられる。

『続日本紀』にある「国の銅を尽して象を鎔」というのは、これら各産地から銅が献じられ、国の大事業として大仏が建立されたということだろう。

紆余曲折はあったが、天平一七（七四五）年に平城京（東大寺）で大仏建立の工事がはじまったのである。鋳造がはじまったのは天平一九（七四七）年で、それから五年の歳月を経て、天《てん》平勝宝《びょうしょうほう》四（七五二）年に大仏開眼供養会が、完成半ばの大仏殿の前で盛大に行われた。開眼師は、はるばるインドから招待された菩提僊那《ぼだいせんな》僧正で、供養会に集まった僧侶は東アジア一円の国々からの僧も含めて一万人にものぼったという。

『東大寺要録』（一二世紀初頭）によれば、大仏鋳造に使用された銅は七三万九五六〇斤（約四九六トン）、白鑞《しろめ》（錫）一万二六一八斤（約八・五トン）、錬金一万四三六両（約四四〇キログラム）、水銀五万八六二〇両（約二四七〇キログラム）とされている。この国家的プロジェクトに参加した人びとは延べ二六〇万人に及び、当時の国民の半数に迫るといわれている。

天下の富と勢を掌握した王者たる聖武天皇が、国家をあげて、国民総動員体制で建立したのが奈良の大仏（盧舎那仏）なのである。そのような大仏の〝ふる里〟が山口県の美東町だとは、あまりに畏れ多いことではないか。私は、美東町教育委員会に〝抗議文〟を送った。

「奈良の大仏さんのふる里」という看板は、いくら何でも誇大であり、少々問題があるのではないか、と。

大仏建立の記録を示す物証

すぐに、美東町教育委員会から、資料がドサリと私のもとに届けられた。

結論を先にいえば、奈良の大仏の創建には長登《ながのぼり》（美祢市美東町）の銅が使われたのである。

確かに、美東町（長登）は「奈良の大仏さんのふる里」といっても過言ではなかったのである。

私は当時、アメリカで暮らしていたので知らなかったのだが、一九八八年三月二〇日の全国紙の一面を、東大寺大仏の鋳造跡発掘、そして使用銅が山口（長登）産のものであった、というビッグ・ニュースが飾っていた（図7-1）。

奈良県立橿原考古学研究所が、一九八八年一月から東大寺大仏殿回廊西側の発掘調査を行い、大仏が奈良時代に鋳造された際の熔銅塊や多量の銅滓、木炭、鋳造工程を示す木簡約二〇〇点などを発掘したのである。発掘された木簡のうち、解読できたのは約一〇〇点で、銅の重量や銅を熔かした竈《かまど》（炉）の番号、鋳造に従事した工人の名前、人数などが記されている。木簡の大半は檜材で作られており、長さ三三〜三七センチメートル、幅二〜四センチメートル、厚さ三〜七ミリメートルである。

木簡にはたとえば、七番めの竈に四八斤（約三二キログラム）の銅を投入したことを示す「七竈卌八斤」や、光明皇后の皇后宮職に上質の銅一万一二二二斤（約七・六トン）を請求したことを示す「自宮請上吹銅一万一千二百廿二斤……」と書かれている。

前掲の『続日本紀』や『東大寺要録』に大仏建立のようすが記録されているが、それを裏づけ

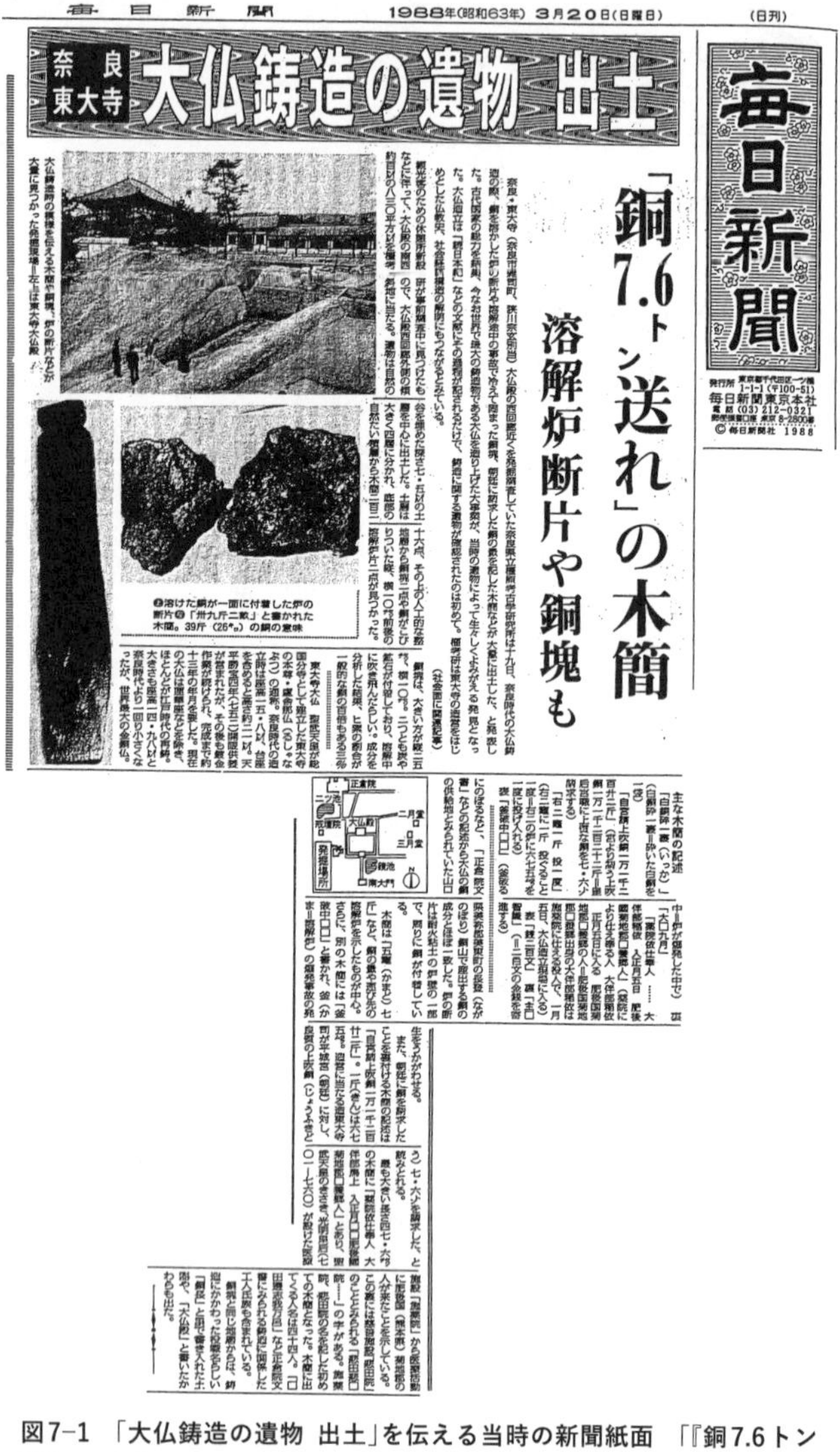

毎日新聞　1988年(昭和63年) 3月20日(日曜日)　(日刊)

毎日新聞

発行所 東京都千代田区一ツ橋1-1-1 (〒100-51) 毎日新聞東京本社 電話(03)212-0321 © 毎日新聞社 1988

奈良東大寺　大仏鋳造の遺物　出土

「銅7.6トン送れ」の木簡

溶解炉断片や銅塊も

奈良・東大寺（奈良市雑司町、狭川宗玄別当）大仏殿の西回廊近くを発掘調査していた奈良県立橿原考古学研究所は十九日、奈良時代の大仏鋳造の際、銅を溶かした炉の断片や溶解途中の事故で冷えて固まった銅塊、朝廷に請求した銅の量を記した木簡などが大量に出土した、と発表した。古代国家の総力を結集、今なお世界で最大の鋳造物である大仏を造り上げた大事業が、当時の遺物によって生々しくよみがえる発見となった。大仏造立は「続日本紀」などの文献にその過程が記されるだけで、鋳造に関する遺物が確認されたのは初めて。橿考研は東大寺の造営をはじめとした仏教史、社会経済構造の解明にもつながるとみている。

（社会面に関連記事）

観光客のための休憩所新設などに伴って、大仏殿の南西約百㍍の八三〇平方㍍を橿考研が事前調査中に見つけたもので、大仏殿西回廊外側の旧地に当たる。遺物は自然の谷を埋めた深さ七・五㍍の土層を中心に出土した。土層は大きく四層に分かれ、底部の自然たい積層から木簡二百二十六点、その上の人工的な整地層から銅塊二点や銅がこびりついた縦、横一〇㌢前後の溶解炉片二点が見つかった。

銅塊は、大きい方が縦二五㌢、横一〇㌢。二つとも炭や鉱石が付着しており、溶解中に吹き飛んだらしい。成分を分析した結果、ヒ素の割合が一般的な銅の百倍もある三％にのぼるなど、「正倉院文書」などの記述から大仏の銅の供給地とみられていた山口県美祢郡美東町の長登（ながのぼり）銅山で産出する銅の成分とほぼ一致した。炉の断片は耐火粘土の炉壁の一部で、周りに銅が付着している。

木簡は「五竈（かまど）七斤」など、銅の量や吹き先の溶解炉を示したものが中心。さらに、別の木簡には「釜破中□□」と書かれ、釜（かま＝溶解炉）の爆発事故の発生をうかがわせる。

また、朝廷に銅を請求したことを裏付ける木簡の記述は「自宮請上吹銅一万一千二百廿二斤」。一斤（きん）は六七五㌘。造営に当たる造東大寺司が平城宮（朝廷）に対し、良質の上吹銅（じょうふきどう）七・六㌧を請求した、と読みとれる。

最も大きい長さ四七・六㌢の木簡に「薬院依仕奉人　大伴部鳥上　入正月□□肥後国菊池郡□□郷人」とあり、聖武天皇の后で光明皇后（七〇一―七六〇）が設けた医療施設「施薬院」から医療活動に肥後国（熊本県）菊池郡の人が来たことを示している。この裏には「悲田施薬」「悲田院」のことと見られる「悲田悲□院……」の字がある。施薬院、悲田院の名を記した初めての木簡となった。木簡に出てくる人名は四十四人。「口田連忍勝万呂」など正倉院文書にみられる鋳造に関係した工人氏族も含まれている。

銅塊と同じ地層からは、鋳造にかかわった役職名らしい「銅長」と墨で書き入れた土器や、「大仏殿」と書いたかわらも出た。

主な木簡の記述

「白銅砕一斎（いっさい）」（白銅砕一斎＝砕いた白銅を一袋）

「自宮請上吹銅一万一千二百廿二斤」（宮より請う上吹銅一万一千二百二十二斤＝朝廷に上質な銅を七・六㌧請求する）

「右二竈一斤　投一度」（右二竈に一斤投ぐること一度＝右二の炉に六七五㌘を一度に投げ入れる）

表「釜破中□□」（釜破る中＝炉が爆発した中で）

「大□九月」

「薬院依仕奉人　……　大伴部稲依　入正月五日　肥後国菊地郡□養郷人」（薬院に依り仕え奉る人　大伴部稲依　正月五日に入る　肥後国菊地郡□養郷の人＝肥後国菊地郡□養郷出身の大伴部稲依は施薬院に仕える役人で、一月五日、大仏造立現場に入る）

表「銭二百文」　裏「主□智識」（＝二百文の金銭を寄進する）

東大寺大仏　聖武天皇が総国分寺として建立した東大寺の本尊・盧舎那仏（るしゃなぶつ）の通称。奈良時代の造立時は座高一五・八㍍、台座を含めると高さ約二一㍍。天平勝宝四年（七五二）開眼供養が営まれたが、その後も鍍金作業が続けられ、完成まで約十三年の年月を要した。現在の大仏は蓮華座などを除き、ほとんどが江戸時代の再鋳。大きさも座高一四・九八㍍と奈良時代より一回り小さくなったが、世界最大の金銅仏。

大仏鋳造時の模様を伝える木簡や銅塊、炉の断片などが大量に見つかった発掘現場＝左上は東大寺大仏殿

㊤溶けた銅が一面に付着した炉の断片㊦「卅九斤二歎」と書かれた木簡。39斤（26㌔）の銅の意味

図7–1　「大仏鋳造の遺物　出土」を伝える当時の新聞紙面　「『銅7.6トン送れ』の木簡」などの見出しのほか、本文では「大仏の銅の供給地とみられていた山口県美祢郡美東町（当時）の長登銅山で産出する銅の成分とほぼ一致した」などの記述がある（1988年3月20日付「毎日新聞」より）

る物証が得られたのは、この一九八八年の発掘調査のときが初めてであった。

問題は、大仏建立に使われた銅であるが、その前に、大仏の造り方について簡単に述べておく。材料である銅に要求される性質と大仏の造り方とは不可分だからである。

解明された大仏の建立工程

奈良の大仏は像高が約一五メートルで、見上げるばかりの大きさである。

像高としては、昭和五九（一九八四）年に開眼落慶した青森の青龍寺の昭和大仏の約二一メートルに及ばないが、露天の昭和大仏や鎌倉の大仏（像高約一一メートル）と比べ、屋内（大仏殿内）に鎮座する奈良の大仏には圧倒されるような大きさを感じる。天の高さと天井の高さの違いによる心理的効果もあろう。


このように巨大な大仏が、およそ一二七〇年前の奈良時代に五年の歳月をかけて鋳造されたのである。前述のように、『続日本紀』や『東大寺要録』などに大仏建立のいきさつは記されているが、鋳造工程を具体的に示す資料はなく、断片的な記述をつなぎ合わせて想像するほかなかった。それが、一九八八年の発掘調査による熔銅塊や木簡の発見によって、かなり明確にされたのである。

この発掘調査の結果や従来の文献（参考図書(3)、(4)など）を参考にして、大仏建立の工程を簡単に紹介しておこう。

山を切り開いた場所に仏像の石座（基礎）を築いたあと、まず、心柱や四天柱などの主柱を中心に材木を縦横に組み合わせ（体骨造り）、篠や割竹を藤蔓《ふじづる》や縄で網代として籠状の大仏の輪郭を造る。それに、下地としてワラやモミを混ぜた粗土、表層になるにつれて粘土を塗り重ねて大仏の原型（塑像）を形成する。この土層の厚さは二〇〜三〇センチメートルと考えられている。続いて、塑像表面に土を塗って外型（雌型）を造る。このとき、外型が乾燥後に容易にはがせるように、塑像表面に雲母や滑石の粉を塗るなどの工夫がなされている。

自然乾燥された外型を一片ずつはがし、鋳込む際に、熔銅に触れる内面を炭火で焼成する。原型の塑像の表面を像の厚み（約六センチメートル）のぶんだけ削り取り（これを中型とよぶ）、はがしておいた外型（鋳型）をふたたび当てて固定する。

この外型と中型の隙間（約六センチメートル）に熔けた銅を流し込む（鋳込む）のである。このような技法を「削り中型法（中子法）」とよぶ。

鋳込みは、大仏の下部から上部まで八段階に分けて行われた。一段ごとに、周囲に内径五〇センチメートル、高さ一・五〜二メートル程度の炉を数十基配置して熔銅を流し込み、土で埋めて上部へ順に鋳継いでいったとされている。この熔銅鋳込み技術の基本は、202ページに登場した

『天工開物』の「鋳造」の項に書かれている。『天工開物』は、総じて単なる技術書というよりも、それ以上の〝技術哲学書〟のように思える。「鋳造」の冒頭の部分を以下に引用する。
「……いったい金属は土をその母としてでき、それが器具となって世に役立つことになる。鋳造するにあたって、また母である土が型となり、子である金属がそれを型取るのも、やはり同じようなわけである」（参考図書(2)）
さて、仏体の鋳造後、螺髪《らほつ》の鋳造、取りつけ、亀裂や熔銅が流れ込まなかった部分などの補修が行われる。次に仏体表面に金と水銀を一対五ぐらいの比率で混合して作った金アマルガムを塗り、加熱して水銀を蒸発させれば、金色に輝く大仏が完成することになる（現在の大仏は黒光りしているが、建立当時は金色に輝いていたのである！）。

決め手は砒素！

いよいよ、山口県美祢市美東町大田長登が〝奈良の大仏さんのふる里〟であることを裏づけた話に一歩近づく。

一九八八年に東大寺大仏殿回廊西側で発掘された熔銅塊は、大きいもので直径約二五センチメートル、厚さ約一五センチメートル、小さいもので握りこぶし大である。化学分析結果によれば、この熔銅塊の成分は、銅九〇・三、砒素《ひそ》三・二、銀〇・二パーセントなどであった。

奈良の大仏は、戦乱、焼き討ちなどによる破損のため、鎌倉、江戸の両時代に大幅に補修されており、現在、創建当初の姿が遺るのは腰から下の部分のみである。奈良の大仏を直接見るとすぐに気づくことだが、仏頭だけが一段と黒く輝き、新鮮な感じを受ける（図7－2）。それは、永禄《えいろく》一〇（一五六七）年、奈良の地が松永久秀と三好三人衆の対決の場となり、一〇月一〇日、大仏殿が戦火で炎上し、焼け落ちた仏頭を元禄五（一六九二）年に新鋳したためである。

また、大仏殿も宝永《ほうえい》六（一七〇九）年に再建されている。その後、明治と昭和の二度にわたって大仏殿の大修理が行われた。これが、現在われわれが目にする大仏と大仏殿である。

幾度かの修理・改鋳の際に使用された材料はそのたびごとに異なり、当然ながら、仏体の化学的成分は部分によって違っている（一般的にいえば、時代が下るにつれて銅の純度が下がり、錫の含有量が増えてくる）。創建時の仏体から採取した三試料の成分分析による平均値は、銅九三・二、錫一・九、砒素三・〇、銀〇・二パーセントなどとなっており（参考図書(3)）、一九八八年に発掘された熔銅塊の分析結果とほぼ一致する。

さらに、同時に発掘された木簡に記述された内容から、一九八八年に発掘された熔銅塊は奈良の大仏創建時に使用された熔銅のもの、と断定されたのである。

奈良時代には、少なくとも、武蔵、山背、因幡、備中、備後、周防、長門、豊前の銅山が知ら

図7–2　17世紀末に新鋳された頭部が黒く輝く奈良の大仏(共同通信社提供)

れ、それらの国から朝廷へ銅が献じられている。各銅山の銅の成分は、それぞれ微妙に異なる。奈良の大仏創建時に使われた銅が長登産の銅であると断定された〝決め手〟は、熔銅塊中に含まれていた三・二パーセントという異常に高い砒素の濃度であった。

長登の銅鉱石の特徴は、砒素が通常の銅鉱石の一〇〇倍近くも含まれていることである。さらに石灰分も多い。このような鉱山は、岩石が化学変化した交代鉱床が走る一帯に多く、その付近には石灰岩地帯が拡がる。当時の銅産地の中で、この条件に合うのは長門と武蔵（秩父）の二ヵ所である。大仏創建時に使われた銅がそのうちの長門（長登）のものであると断定したのは、鉛同位体分析による年代測定結果であった。このような分析を行ったのは、堺市の銅メーカー・三宝伸銅工業（現・三菱マテリアル）である。

一九八八年の熔銅塊発掘以前から、長登銅山遺跡の調査研究を続けていた美東町教育委員会の依頼で、長登銅山の銅を分析した結果によれば、砒素の含有量は約五パーセントであった。砒素は高温で蒸発しやすい元素で、炉内で砒素を含む銅が熔解すると、砒素の濃度は減少する（減少量は温度と時間に依存する）。つまり、発掘された熔銅塊や大仏創建時の部分である蓮弁の砒素の濃度が、原料が長登銅だったことを裏づけたのである。

創建時の奈良の大仏の材料が長登銅山産の銅であることが特定された意義は、考古学的にも、後述する技術史的にもきわめて大きい。

なぜ長登の銅だったのか

奈良の大仏の鋳造に使われたのは、なぜ長登の銅だったのか。

私は、『続日本紀』に「国の銅を尽して」と記されているように、当初は実際に、全国の銅山から大仏建立のための銅が集められたに違いないと思う。

天平の頃（八世紀初頭〜中期）の日本は、反乱、天災、疫病の流行など、社会不安が続いていた。『万葉集』巻五の山上憶良《やまのうえのおくら》の「貧窮問答歌」に描写されているように、当時の人びとの貧困は極限に達していた。天平六（七三四）年には、大地震が二度、畿内と七道諸国を襲っているし、翌七年から九年にかけては天然痘が蔓延し、一般民衆はもとより、当時の政権を握っていた「藤原四兄弟」を含む〝官僚〟の中からも多くの死者が出た。

『続日本紀』に「(天平九年）六月甲辰朔、廃朝す。百官の官人疫《えやみ》を患ふを以てなり」とあるように、中央政治も一時的に中断を余儀なくされたほどである。

聖武天皇は、こうした累年の災厄を払い、国家の安泰を取り戻すためには仏教の三宝（仏・法・僧）に頼るほかないと考え、天平一三（七四一）年に全国に国分寺を建てる詔、一五（七四三）年には大仏建立の詔を発したのである。大仏建立は国の危急を救うべく行われた国家的プロジェクトの一つであった。当時の国民の心情、プロジェクトの精神的効果を考えるならば、たとえポーズにせよ、全国から銅が集められた（国銅が尽くされた）ことは間違いないだろう。

しかし、結果的に、天平の技術者たちは長登の銅を選択し、大仏鋳造に使ったのである。それは、今日の社会でしばしば見られる〝談合〟や、官僚と工事業者との間の贈収賄・汚職の結果などではない。長登の銅が他の銅と比べ、鋳造用材料として優れていたからであり、使いやすかったからである。私は、純粋に技術的な理由によるものであると確信する。

長登の銅のどこが優れていたのか。

他の銅山の銅と比べ、不純物としての砒素と石灰分の濃度が高かったことにカギがある。

不純物ふたたび――砒素と石灰が果たした役割

奈良の大仏は〝銅像〟である。

一般に、〝銅像〟の〝銅〟は〝青銅〟のことである。現在、〝青銅（ブロンズ）〟は、銅‐錫系合金の錫青銅、銅‐アルミニウム系のアルミニウム青銅、銅‐ベリリウム系のベリリウム青銅、銅‐ケイ素系のケイ素青銅など、銅合金一般をよぶのに使われているが、元来は銅‐錫（錫の濃度が三五パーセントぐらいまでのもの）を基とする合金の名称である。

この銅-錫合金（元来の〝青銅〟）は歴史上最も古い実用合金で、鋳造性、流動性がよく、鋳色や音響が好まれて、古くから美術工芸品、寺院の鐘などに使われてきた。強度および耐食性に優れていることから、現在では船舶部品、機械部品などに広く用いられている。

しかし、奈良の大仏の〝銅〟は、鋳造された時代によって多少は異なるものの、銅の濃度が九〇パーセント前後、錫の濃度は一～四パーセント前後と、〝青銅〟というよりも〝純銅〟に近いものである。時代が下るにつれて、銅の純度が低くなると述べたが、建長《けんちょう》四（一二五二）年に鋳造された鎌倉の大仏の成分になると、銅六八・八、錫九・三、鉛一九・六パーセントなどとなっており、銅の含有率はかなり低い（参考図書⑶）。

また、『天工開物』の「鋳造」の鐘造りの項には「鐘を鋳造するのに、上等のものは銅でつくり、下等のものは鉄でつくる。（中略）一個ごとに銅四万七千斤、錫四千斤、金五十両、銀一百二十両使う」とあり、銅像造りも基本的には鐘造りと同じであると書かれている。この記述から成分比を計算すれば、銅九二・一、錫七・八、金や銀などが〇・一パーセントということになる。これと比べれば、奈良の大仏の〝銅〟に含まれる錫の濃度は四分の一以下である。

ところで、銅の融点は約一〇八四・五度Cである。

大仏創建当時、燃料は木材、木炭に限られていたので、仏体の材料である金属（〝銅〟）の融点は低いほうがありがたい。加えて、中型と外型の間の、およそ六センチメートルの隙間に熔銅を鋳込むわけだから、熔銅の粘性は低い（サラッとしている）ほうがありがたい。

前述のように、青銅（錫青銅）は銅と錫との合金である。錫の融点は二三二度Cなので、銅―錫合金において、錫の成分比が大きくなればなるほど、その合金の融点は低くなる。しかし、創建時の奈良の大仏の鋳造に使われた〝銅〟に含まれる錫は二パーセント以下であり、この程度の量では融点降下にほとんど影響を及ぼさない。

ところが、約三パーセントの砒素を含む長登の銅は、一〇〇〇度C前後で熔けるのである。つまり、砒素が加わることで、銅の熔解温度が著しく低くなるのだ。銅を熔かす燃料としては木材、木炭に限られていた当時、銅の融点が一〇〇度C近くも低くなるのは鋳造作業上、きわめて大きな利点である。

また、長登の銅には石灰分も多く含まれている。長登の銅に石灰分が多く含まれているのは、近隣一帯が秋吉台に代表される石灰岩大地であることを考えれば容易に理解できる。

現在の製銅、製鉄、製鋼で融剤（フラックス）として石灰が大量に使われていることからもわかるように、石灰には熔銅をサラサラに、つまり粘性を低くするはたらきがある。

すなわち、砒素や石灰という鋳造上きわめてありがたい〝不純物〟を自然に多く含んでいた長登の銅は、大仏の鋳造に最適だったのである。当時の限られた運搬手段、運輸力のことを考えれば、大仏鋳造の材料である銅の産地は奈良に近いほうがよいのは当然である。また、前述のように、全国各地の銅山から銅が集められたはずなのだが、天平時代の技術者（工匠）たちは、優れた銅の見分け方を知っており、奈良から遠地ではあったが、長登の優れた銅を意図的に選んで大仏鋳造に使ったのである。

〝奈良登伝説〟

私が奈良の大仏の銅に興味をもった発端は、山口県美祢市美東町大田長登で〝奈良の大仏さんのふる里〟という大きな看板を見たことだった。

江戸時代末期の地誌『防長風土注進案』の美祢《みね》宰判《さいばん》長登村《ながのぼりむら》の項に「当村ハ金山所にて往古奈良の都大仏を鋳させらる、時大仏鋳立の地金として当地の銅弐百余駄貢《みつ》かしめらる其恩賞として奈良登《ならのぼり》の地名を賜り、其比《そのころ》天領にて御制札にも奈良登銅山村とありし由言伝ふ、いつしか奈良を長と唱へ替たる訳詳《つまびらか》ならす」とあり、長登の地元の古老たちも、この〝奈良登伝説〟を語り伝えていたそうである。

しかし、この種の地名伝説はどこにでもあるありふれたものだ。なおかつ奈良の大仏は鎌倉時代と江戸時代に二回鋳直された経緯があり、いつの時代の伝承かまったく不明で、伝説そのものの信憑性が看過されてきたという（『長登銅山跡2』美東町教育委員会、一九九三）。

一九六二年に刊行された『古代の技術』（参考図書(1)）に、奈良時代の産銅地の一つとして山口県美祢郡大田鉱山が掲げられているが、これに隣接地の長登銅山が含まれるものと考えられる。しかし、長登の銅山が〝実証〟されたのは、それから一〇年後の一九七二年のことである。美東町史編纂の調査で、長登の山中から須恵器片が採集され、それが奈良時代後半期のものと判定された。その須恵器に銅滓が付着していたことが、古代の長登銅山跡の発見に結びついたのである。

そして、〝奈良登伝説〟を証明したのが、一九八八年の東大寺大仏殿回廊西側で発掘された熔銅塊であった。

奈良の大仏の原料銅は、長登からはるばる奈良へ登っていったのである。

主な参考図書（発行年順）

(1) 小林行雄著『古代の技術』塙書房、一九六二
(2) 宋應星著、藪内清訳注『天工開物』（平凡社東洋文庫、一九六九）
(3) 黛弘道ほか編『図説　日本文化の歴史③奈良』（小学館、一九七九）
(4) 香取忠彦著・穂積和夫イラスト『奈良の大仏』（草思社、一九八一）
(5) 佐原真著『歴史発掘⑧　祭りのカネ銅鐸』（講談社、一九九六）

おわりに

有史以来、〝技術〟は人間の生活を物質的にはもちろん、精神的にも豊かにしてくれた。しかし、私は、現代の技術は自然の時間や空間をねじ曲げるまでに「進歩」してしまったのではないかと思う。そして、本来は人類に幸福をもたらすはずであった技術自体もねじ曲げられ、人間自身をもねじ曲げる結果になってしまったように思えてならない。

そのような「進歩」の元凶は、「効率」と「経済性」の執拗な追求と、〝質より量〟の近代工業思想であろう。

自然を活かし、自然に活かされていた古代日本の技術がねじ曲げられはじめたのは、室町時代のようである。それはまた、日本に「成金文化」が栄えはじめた時代でもある。そしていま、その頂点をきわめた日本は、急傾斜の坂道を転げ落ちていくような気配である。

およそ二〇〇〇年前の古代ローマの哲学者・セネカが「理性は自然を尊重し、自然から助言を求める」といっているが、最近の日本で、〝自然に従うこと〟と〝経験を重視すること〟の重要性を叫び続けた一人が、故西岡常一棟梁だった。西岡棟梁ほど先人の智慧と技のすばらしさを賞讃し、実践して見せた人物は稀であろう。

幸いにも私は、その西岡棟梁のもとで日本の歴史的建造物の修復・再建に従事した故小林章男

〝瓦博士〟、故白鷹幸伯鍛冶や岩国・錦帯橋の海老崎粂次棟梁らと親しくお付き合いし、直接あるいは間接的に〝職人魂〟〝職人技〟のすさまじさを教えられた。

また、二〇一三年の「伊勢神宮」式年遷宮の御装束神宝《おんしょうぞくしんぽう》を統括した采野武朗技師を通じ、さまざまな分野の当代一流の伝統工芸職人の〝仕事振り〟の一端を知った。そして、古来より延々と続けられてきた式年遷宮が、日本の伝統的工芸や建築技術を絶やさずに継承するぎりぎりの「砦」であることを再認識し、苦しい環境下においても式年遷宮を守り続けてきたすべての関係者、支援者に心からの敬意を覚える。

いまの日本では、目先のことさえうまくつくろえば通用するような風潮があるが、職人は本気で数百年から一〇〇〇年先のことを考えている。そして、そのときの評価に耐え得る作品を遺すことが職人の使命であるというプライドをもっている。また、一流の職人に共通しているのは、自分の技に対して謙虚なことである。

瓦のことを知り尽くし、日本の多くの文化財建造物の瓦を葺いてきた小林章男〝瓦博士〟の終生変わらぬ口癖は、「残念ながら、飛鳥時代の瓦職人の技にはまだまだ及びません」だった。

私は、総じて、現代の日本人が失ってしまった大きなものの一つが、本来は誰もがもつべきこの種の〝プライド〟と〝謙虚さ〟ではないかと思う。

長年エレクトロニクス分野の仕事に従事した者として、私には内心忸怩たるものがあるが、

「コンピュータと先端技術を使えばなんでもできる」と思っている「文明人」が少なくない。

しかし、さまざまな分野の職人技を細部にわたって目のあたりにしてきた私にいわせれば、それらはとても「コンピュータと先端技術」などで実現できるような生易《なまやさ》しいものではないのである。

いま、この日本から、卓越した職人が急速に消えつつある。私は、このことを深刻な事態と憂慮しているのであるが、コンピュータ・先端技術過信者には理解してもらえないだろう。このことがまた深刻な事態である。いま、職人が急速に消えつつあるのは、先述の「効率」と「経済性」を礼讃し、質より量を尊ぶ現代の日本社会・日本人の価値観と不可分であるし、職人技のすごさを理解できない、それゆえに正当に評価できない日本人が急激な勢いで増えているためである。

「はじめに」でも述べたように、本書が、日本が世界に誇る「世界遺産」の意味を改めて考え直し、その遺産を築き上げてくれた古代日本の技術者・職人を正当に評価し、称え、「現代日本」を見直すきっかけになってくれることを願うばかりである。

執筆過程の小豆島・石切り場取材にご協力いただいた志望塾事務局長・柳澤万里枝氏、同副塾長・佐伯晋氏に、この場を借りて御礼申し上げたい。

最後に、本書の初版から今般の新装改訂版まで、企画、出版実務に献身的にご尽力いただいた講談社ブルーバックス編集部の倉田卓史副部長に衷心より感謝の気持ちを捧げたい。また、私の原稿を懇切丁寧に校閲していただいた講談社校閲部の方々に心より御礼申し上げたい。

令和癸卯師走

志村史夫

【ま・や行】

【ら・わ行】

さくいん

N.D.C.500　286p　18cm

ブルーバックス　B-2249

古代日本《こだいにほん》の超技術《ちょうぎじゅつ》〈新装改訂版《しんそうかいていばん》〉

あっと驚く「古の匠」の智慧

2023年12月20日　第1刷発行
2024年9月13日　第5刷発行

著者　志村史夫《しむらふみお》

発行者　森田浩章
発行所　株式会社講談社
〒112-8001 東京都文京区音羽2-12-21
電話　出版　03-5395-3524
販売　03-5395-4415
業務　03-5395-3615
印刷所　(本文印刷) 株式会社ＫＰＳプロダクツ
(カバー表紙印刷) 信毎書籍印刷株式会社
製本所　株式会社国宝社

定価はカバーに表示してあります。

ISBN978−4−06−534289−3

発刊のことば

科学をあなたのポケットに

二十世紀最大の特色は、それが科学時代であるということです。科学は日に日に進歩を続け、止まるところを知りません。ひと昔前の夢物語もどんどん現実化しており、今やわれわれの生活のすべてが、科学によってゆり動かされているといっても過言ではないでしょう。

そのような背景を考えれば、学者や学生はもちろん、産業人も、セールスマンも、ジャーナリストも、家庭の主婦も、みんなが科学を知らなければ、時代の流れに逆らうことになるでしょう。

ブルーバックス発刊の意義と必然性はそこにあります。このシリーズは、読む人に科学的に物を考える習慣と、科学的に物を見る目を養っていただくことを最大の目標にしています。そのためには、単に原理や法則の解説に終始するのではなくて、政治や経済など、社会科学や人文科学にも関連させて、広い視野から問題を追究していきます。科学はむずかしいという先入観を改める表現と構成、それも類書にないブルーバックスの特色であると信じます。

一九六三年九月　　野間省一